O LIVRO OBSCURO
DO
DESCOBRIMENTO
DO BRASIL

Marcos Costa

O LIVRO OBSCURO DO DESCOBRIMENTO DO BRASIL

COMO MAGIA, CIÊNCIA, RELIGIÃO,
INTRIGAS E LUTAS PELO PODER FIZERAM PARTE
DO PROJETO DE CONQUISTA DO BRASIL

LeYa

Copyright © 2019 Marcos Costa
© desta edição, 2019 Casa da Palavra/LeYa

Todos os direitos reservados e protegidos pela Lei 9.610, de 19.02.1998.
É proibida a reprodução total ou parcial sem a expressa anuência da editora e do autor.

EDITOR EXECUTIVO
Maria Cristina Antonio Jeronimo

REVISÃO
Eduardo Carneiro

DIAGRAMAÇÃO
Filigrana

CAPA
Victor Burton

IMAGEM/CRÉDITO DE CAPA
Primeira capa:
Descoberta do Brasil
Desembarque de Pedro Álvares Cabral em Porto Seguro em 1500
Óleo sobre tela de Oscar Pereira da Silva, 1922.

Dados Internacionais de Catalogação na Publicação (CIP)
Angélica Ilacqua CRB-8/7057

Costa, Marcos
    O livro obscuro do descobrimento do Brasil: como magia, ciência, religião, intrigas e lutas pelo poder fizeram parte do projeto de conquista do Brasil / Marcos Costa. – São Paulo: LeYa, 2019.
    368 p.

    Bibliografia
    ISBN 978-85-7734-690-5

    1. Brasil - História - Descobrimento, 1500 2. Portugal - Descobertas e explorações - História 3. Portugal - Comércio - História 4. Portugal - História - Período de descobertas, 1385-1580.

19-1744   CDD 981.01

Índices para catálogo sistemático:
1. Brasil - História - Descobrimento, 1500

Todos os direitos reservados à
EDITORA CASA DA PALAVRA
Rua Avanhandava, 133 | Cj. 21
01306-001 – São Paulo – SP
www.leya.com.br

"Há duas histórias, a oficial, mentirosa – *ad usum delphini* –, e a secreta, em que estão as verdadeiras causas dos acontecimentos."
BALZAC

"Um pintor deve começar cada tela com uma lavagem em negro, porque todas as coisas na natureza são negras, exceto quando expostas pela luz."
LEONARDO DA VINCI

SUMÁRIO

Os ratos de Caffa — 11

A *startup* mais lucrativa da história: a tomada de Ceuta — 17

A viagem do infante d. Pedro e o manuscrito secreto de Marco Polo — 24

O infante d. Henrique e a Escola de Sagres — 31

O cavaleiro de pedra — 40

As mortes de d. Henrique, d. Pedro e a interrupção do projeto das Índias — 45

A tomada de Constantinopla — 50

A maçã da Terra — 55

De d. João II a Maquiavel 60

O caminho para as Índias: espionagem comercial no século XV 66

O caminho para as Índias: a demanda secreta pelo reino do Preste João 73

O caminho para as Índias: quem planta tâmaras não colhe tâmaras 78

A lenda negra: a Espanha no caminho do paraíso 84

Cristóvão Colombo: agente secreto de d. João II? 93

A misteriosa morte de d. João II 99

A misteriosa viagem de Pedro Álvares Cabral ao Brasil 106

O Brasil no olho do furacão 116

Os verdadeiros descobridores da América: Solís, Balboa, Garcia e Magalhães 125

A riqueza da América reluz nos olhos de uma decadente Europa 137

O paralelo 12° S: a descoberta do ocultista Felipe Guilhém 146

O pêndulo da morte 160

O Dia das Bruxas 175

Revolução política, revolução científica
e o mundo em convulsão   183

A guerra dos mundos   194

O papa negro e o império teocrático da América do Sul   206

Magia, poder e ambição no sertão do
Brasil: as Capitanias Hereditárias   222

Magia, poder e ambição no sertão
do Brasil: o Governo-Geral   226

Magia, poder e ambição no sertão do Brasil: a
Companhia de Jesus na Nova Lusitânia   231

Magia, poder e ambição no sertão do Brasil:
a Inquisição na Nova Lusitânia   239

O demônio do meio-dia e o círculo
alquímico de El Escorial   244

A guerra dos tronos e o reino onde o Sol nunca se põe   260

A Inquisição no Brasil   277

Da Nova Lusitânia a Manhattan: a
ascensão do Brasil Holandês   297

Da Nova Lusitânia a Manhattan: a
queda do Brasil Holandês   310

Perinde ac cadaver   322

Nuvens, ratos e civilizações 330

Notas 334

Referências bibliográficas 352

OS RATOS DE CAFFA

A economia e os negócios movem o mundo. Foi preciso Karl Marx escrever *O Capital* para que essa verdade singela – de que mudanças históricas ocorrem por causa de conflitos latentes na estrutura socioeconômica das sociedades – se tornasse um mantra. Diz Marx: "O modo de produção da vida material condiciona o processo da vida social, política e espiritual em geral. Não é a consciência dos homens que determina sua existência, mas, pelo contrário, é sua existência social que determina sua consciência."[1] Essa ideia, que no século XIX vai representar um marco do pensamento socialista marxista, transplantada para o século XV significa uma guinada nos rumos da economia mundial, mudando a existência social das pessoas e, consequentemente, a sua consciência sobre o mundo. E essa nova consciência sepultou a Idade Média, deu asas ao Renascimento, à revolução científica, à Reforma Protestante, ao mercantilismo, ao capitalismo e pariu – a fórceps – a Idade Moderna.

O Brasil apareceu no meio do caminho dessa avalanche e foi, como um empecilho, um estorvo, atropelado por ela sem que ninguém tivesse tempo para anotar a placa. Foi uma luta desigual. Não éramos uma nação, mas, sim, um território dividido em várias "nações". Não tínhamos um povo, tínhamos vários povos que habitavam essas "nações" tão diversas que cultivavam inclusive idiomas próprios, costumes, crenças etc. O Brasil que nasce no ano de 1500 não teve direito a uma infância ou adolescência, nasceu adulto, nasceu da imposição de um modo de vida que não era o seu e que talvez jamais viesse a desenvolver. Ainda nos dias de hoje, várias nações indígenas são encontradas na imensa – quase infinita – Floresta Amazônica, e esses índios vivem exatamente como viviam seus ancestrais em 1500. Pode-se dizer que a avalanche que começou na Europa varreu o mundo e, quando chegou ao Brasil, provocou também um choque civilizacional.

Mas não nos antecipemos, pois naquele momento o Brasil permanecia esquecido num canto qualquer da gaveta da história. E esta nossa história começa quando os navios mercantes aportaram em Veneza e Gênova naquele mês de abril de 1453. Eles trouxeram para os comerciantes italianos, os financistas de Florença e os reis europeus uma notícia aterradora: o mar calmo do Mediterrâneo havia sido sacudido por um vendaval, um maremoto, um tsunami. As principais rotas das especiarias (canela, gengibre, cravo, pimenta e açafrão) e da seda da China haviam sido bloqueadas com a queda de Constantinopla. A notícia era que a partir daquele momento, na melhor das hipóteses, os preços subiriam de forma estratosférica. A sensação de uma crise iminente se abateu sobre os portos do Mediterrâneo que tinham o monopólio dessas rotas e das riquezas do Oriente que eram comercializadas com toda a Europa.

Desde a expansão do império romano, quando o Ocidente havia entrado em contato com o Oriente e descoberto que era possível, com o comércio de especiarias, fazer verdadeira fortuna na Europa, que não ocorria um revés tão sério e dramático nas relações comerciais no Mediterrâneo. Junto à má notícia vieram nos porões dos navios, como sempre vinham, os inofensivos ratos de Caffa, uma colônia veneziana onde hoje é a Crimeia. Inoculado nos ratos veio o vírus da peste negra, que, sempre inofensivo, naquele ano havia encontrado ambiente mais propício para a sua difusão. O clima, ao contrário do que pensamos hoje, não seguia uma lógica em direção ao aquecimento da Terra. Sempre existiu uma sazonalidade entre tempos quentes e frios, e essa alternância definia, de certa forma, os períodos em que a humanidade prosperava ou perecia.

Havia se iniciado há poucos anos uma pequena idade glacial – a peste negra, que se espalharia pela Europa, dizimaria quase metade da população no final da Idade Média. Destruiria impérios, faria com que alguns reis perdessem a cabeça e que outros ascendessem aos tronos, mudaria a geografia fazendo com que alguns reinos e feudos desaparecessem e outros surgissem ou prosperassem – a peste, definitivamente, mudaria a história, fazendo com que hábitos, costumes, pensamentos, verdades e certezas desaparecessem para que uma nova realidade surgisse.

Os tempos seriam sombrios. Pode-se dizer que esse quadro que se desenhou de forma abrupta foi impondo ao Ocidente a necessidade de mudanças. Com o tempo, essas mudanças se encarregariam de construir as bases de um mundo novo. Não por acaso, quando no século XIX os historiadores se reuniram para organizar o conhecimento histórico, foi escolhido justamente esse acontecimento e a data de 1453 como o marco de passagem da Idade Média para a Idade Moderna, um dos períodos mais ricos em acontecimentos da história da humanidade.

O roteiro desse filme tem como tema principal a expansão comercial e marítima, cujos agentes foram grandes empresas multinacionais – *joint ventures* – comandadas por banqueiros e comerciantes que a princípio se encontravam sediados em Veneza, Gênova e Florença, mas por migrarem constantemente criaram uma imensa rede de poder que envolvia uma relação dicotômica. Esse grupo unia-se a reis e príncipes em busca de duas frentes que interessavam aos comerciantes e governantes: riqueza e poder. Em muito pouco tempo, essa relação entre comerciantes, sobretudo judeus, e reis começou a incomodar o catolicismo. Durante toda a

Idade Média, sobretudo a partir de Constantino, por volta do ano de 312, o catolicismo havia dominado em absoluto o mundo ocidental. No entanto, nas décadas finais da Idade Média, seu poder absoluto vinha sofrendo um processo lento de dissolução e em pouco tempo entraria, irremediavelmente, em crise.

O novo quadro que surgiu, num intervalo de um século, a partir da tomada de Constantinopla, como veremos em detalhes, pode ser resumido da seguinte forma: "Houve os descobrimentos geográficos, houve o colapso das relações econômicas feudais, houve o estabelecimento de novas igrejas que não mais reconheciam a supremacia de Roma, houve uma revolução científica que alterou radicalmente as perspectivas do pensamento humano. Houve um crescente número de invenções que redundaram em nova riqueza e aumento demográfico, houve a descoberta da imprensa, houve a consolidação de vagos e incipientes localismos em Estados nacionais, centralizados e eficientes."[2]

Não foram poucas as mudanças e a humanidade talvez tenha avançado em cem anos, nesse seu périplo em direção ao desconhecido, o que não havia avançado nos últimos mil anos.

A Igreja Católica, uma das principais vítimas dessas imensas mudanças, passaria por um processo lento em que deixaria de ser protagonista e se tornaria coadjuvante. Ferida de morte por uma nova civilização urbana e comercial, pela Reforma Protestante e pela revolução científica, a Igreja não se renderá e venderá caro o desprestígio iminente e a perda de poder. Essas mudanças provocaram a valorização do conhecimento antigo. Não por acaso esse período – levado à Europa pelos muçulmanos e judeus, divulgadores do conhecimento na Espanha e em Portugal – ficará conhecido como Renascimento. Como veremos, desse passo inicial surgirão um Copérnico, um Kepler, um Bacon, um Giordano Bruno – que foi queimado na fogueira – e um Galileu – que escapou por pouco, porque, após condenado, se viu obrigado a se desdizer.

Esse novo mundo, no entanto, a despeito da fúria da Igreja, avançou de forma galopante e inexorável. Isso porque comerciantes e príncipes se "[...] complementaram um ao outro e seus benefícios mútuos unificaram os dois componentes heterogêneos do agente de expansão, numa relação de intercâmbio político em que, por um lado, a busca de poder pelo componente territorialista criou oportunidades comerciais lucrativas para o componente capitalista e, por outro, a busca de lucro por este último fortaleceu a eficácia e a eficiência do aparelho produtor de proteção do componente territorialista".[3] A riqueza experimentada a partir desse sistema novo fez com que o medo do desconhecido e do proibido começasse a se dissipar. O prazer que proporcionava fazia valer o risco imediato.

No século XV, sobretudo depois da tomada e queda de Constantinopla, "[...] os governantes territorialistas ibéricos e os banqueiros mercantis capitalistas uniram-se pela simples razão de que cada um dos lados era capaz de fornecer ao outro aquilo de que ele mais precisava; e o relacionamento durou porque essa relação de complementaridade foi continuamente reproduzida pela exitosa especialização dos dois lados nas respectivas atividades. Aquilo de que a classe capitalista mais precisava no século XV era uma ampliação de seu espaço comercial, que fosse suficiente para acolher seu imenso excedente de capital e recursos humanos e para manter vivas suas extensas redes comerciais".[4] É preciso notar que vigorava na época o mercantilismo, ou seja, ninguém produzia nada. A lógica era obter lucro na compra e venda de mercadorias, sobretudo produtos primários ou apenas artesanalmente fabricados.

Pode-se dizer que os comerciantes faziam o que hoje conhecemos como *startups*, ou seja, a busca de parcerias em negócios lucrativos. Nesse contexto, financistas sediados em Gênova, Florença e Veneza intensificaram o financiamento às explorações portuguesas e espanholas e à "[...] medida que essa associação se formou e os chamados grandes descobrimentos a consolidaram, o capitalismo foi finalmente liberto de sua longa crise e disparou rumo a seu momento de maior expansão".[5]

Mas não nos antecipemos, os grandes descobrimentos marítimos e a expansão do mercantilismo, do capitalismo e do liberalismo europeus só foram possíveis depois de anos de investigação e prospecção de novos mercados. Os comerciantes e financistas não eram amadores – muito tempo antes de a bomba explodir, eles já pressentiam que algo estava prestes a ocorrer no Oriente. As notícias se avolumavam a cada viagem. Em matéria de negócios, a vida é muito dinâmica, as inovações surgem constantemente e mudanças bruscas ocorrem em questão de horas, quiçá minutos, de modo que a grande roda da fortuna gira seus dentes e o que parecia enraizado torna-se volátil – como diz Karl Marx: "Tudo que é sólido se desmancha no ar."[6]

O primeiro passo da conexão entre os banqueiros e comerciantes genoveses, florentinos e venezianos e a Península Ibérica vai ser dado em parceria com Portugal, um país que, voltado para o Atlântico – até então, portanto, distante do palco principal do teatro das nações poderosas, o Mediterrâneo –, era por isso mesmo completamente inexpressivo. A tomada da cidade de Ceuta, em 1415, vai ser o laboratório, o passo inicial de todo aquele grande projeto que vai desvendar de vez o mundo e se estender para a América – vai fazer girar forte a roda da fortuna dos habitantes desse mundo, como veremos mais adiante. Desse capítulo inicial ao capítulo derradeiro – o encontro e a exploração do Brasil e da América – foi só uma questão de tempo. Grãos de areia corriam fluidos nas ampulhetas como água de um rio caudaloso. Os pobres habitantes da América e da Terra *Brasilis* que se acautelassem. Como se pode ver, os descobrimentos do Brasil e da América se darão em meio a um movimento de forças poderosas. Nascemos no olho de um furacão que lambeu a terra e devastou tudo o que encontrou pelo caminho. Mas até chegar ao Brasil, devastou outras terras. Vejamos.

A *STARTUP* MAIS LUCRATIVA DA HISTÓRIA: A TOMADA DE CEUTA

Muito tempo antes de esse revés acontecer no comércio do Mediterrâneo, as nações, que eram apenas caudatárias nesse processo e participavam dele como coadjuvantes, se viravam como podiam. Um caso emblemático é o de Portugal, que, por isso mesmo, colocará em movimento um plano ambicioso que terá como consequência, entre outros, o descobrimento do Brasil.

E tudo isso começa da seguinte forma: a partir do final da guerra entre Castela e Portugal, em 1385, na batalha de Aljubarrota, com o início da dinastia de Avis, Portugal passou a exigir de si mesmo uma espécie de protagonismo no comércio e nas relações internacionais, dada a localização estratégica do porto de Lisboa, entreposto quase obrigatório no caminho entre o Mediterrâneo e o Atlântico Norte. Até então, Portugal comercializava apenas produtos secundários – azeite, sal e bacalhau – e assistia, como mero espectador, à leva de mercadorias que passava pelo porto de Lisboa oriunda, sobretudo, de Gênova e Veneza, em direção à Inglaterra e a outros países do norte da Europa. A partir da revolução de Avis, d. João I começou a pensar seriamente em entrar no negócio do

Oriente, mas era preciso arrumar um parceiro. Portugal, por si só, não tinha o cabedal necessário para tal empreitada.

Mas as oportunidades sempre aparecem, e a Guerra dos Cem Anos, entre a França e a Inglaterra, tornou praticamente impraticável o transporte de cargas pelas rotas terrestres entre as principais cidades italianas e Londres, pois atravessavam todo o território francês. O frio e a peste negra também foram outros obstáculos que dificultaram sobremaneira o trânsito do comércio por terra pelo interior da Europa, pois geraram um quadro de miséria generalizada e, consequentemente, constantes episódios de saques e roubos de mercadorias. Nesse contexto, o porto de Lisboa passou a ganhar cada vez mais importância, sobretudo para os ingleses, pois ter um porto à disposição a meio caminho entre Londres e as cidades italianas era contornar de forma definitiva os enormes e quase intransponíveis obstáculos que haviam surgido na rota terrestre.[1]

Desse modo, dadas as condições favoráveis para ambos os lados, surge o acordo entre Portugal e Inglaterra – Tratado de Windsor –, selado com o casamento, em 1387, entre d. João I e Filipa de Lencastre e que foi fundamental para que Portugal pudesse se dedicar – protegido que agora estava contra os ataques espanhóis – à expansão marítima. O centro do mundo era o Mediterrâneo e a Inglaterra. Com esse casamento e essa parceria, Portugal procurou também entrar num negócio extremamente lucrativo do qual a Inglaterra figurava apenas como subsidiária. A primeira etapa estava resolvida.

Com o tempo, no entanto, Portugal e Inglaterra – que em meio a uma crise que envolvia frio, fome e guerra buscavam meios de sair do estado de prostração e também novas alianças – passaram, então, a nutrir outra forte ambição: o negócio com o Oriente. No ano de 1415, o rei d. João I queria fazer dos seus filhos cavaleiros e, para tal, pensou numa festa ou numa justa para consagrá-los. Mas o diabo estava atrás da porta pronto para se intrometer em tudo. João Afonso, vedor da fazenda real, propõe a d. João I um evento muito mais intenso, muito mais épico. Entre uma taça de vinho e outra, ele destila seu veneno e sugere a tomada de Ceuta. Nada mais, nada menos que um dos mais importantes entrepostos comerciais do norte da África, no estreito de Gibraltar. Não era o porto mais importante, mas já era alguma coisa. Era sair da região de conforto e começar a pleitear algo infinitamente melhor.

A tomada da cidade de Ceuta vai ser fundamental para Portugal. Lisboa havia se tornado, com o tempo, um porto importante, muitos comerciantes venezianos e genoveses tinham armazéns e estaleiros nesse porto, sobretudo por causa do acirramento e da deterioração da situação no continente. A sua importância era estratégica, o porto ficava a meio caminho entre o Mediterrâneo e os portos da Alemanha, Inglaterra e Holanda, com quem os comerciantes venezianos e genoveses comercializavam os cobiçados produtos do Oriente. Já pelos portos da região do Magreb, Ceuta era por onde se escoava para a Europa toda produção de ouro do Sudão e outras riquezas da África, como diamantes. Ceuta seria, na concepção dos portugueses, um importante elo entre o comércio do Oriente e o Atlântico Norte, pois surgia como uma alternativa ao comércio do Mediterrâneo.

Outro aspecto importante de Ceuta, até mesmo simbólico, é que a região havia sido – em todas as invasões que Espanha e Portugal sofreram ao longo da história – o "[...] ponto de reunião e partida tanto dos exércitos dos mouros como dos corsários".[2] O aspecto meramente econômico da tomada de Ceuta deveria ser, no entanto, travestido de outros motivos. E o motivo universal das incursões do mundo ocidental no mundo oriental foi sempre um só: o religioso. As Cruzadas, desde os primórdios, disfarçadas sob o manto da guerra religiosa, sempre foram batalhas econômicas, e naquele momento tínhamos o início de uma crise econômica que se agravaria com o frio e a peste negra.

D. João I entusiasmou-se com a indicação de seu vedor-mor da fazenda, pois de uma só vez resolveria dois problemas que surgiram em Portugal concomitantemente. O primeiro deles: o fato de os filhos do rei já estarem moços e a necessidade de engajá-los na política do reino. O segundo: a própria situação deficitária do reino que lucraria muito com a pilhagem da cidade de Ceuta, além de levar consigo a Inglaterra para contatar diretamente os mercadores do Oriente.

Antes, porém, era preciso consultar o conselho para saber se era da "vontade de Deus". Recebeu como resposta do frei Joham Xira e do frei Vasco Pereira a seguinte afirmativa: "Saiba vossa mercê que o estado militar é muito louvado entre os cristãos por guerrearem os infiéis [...] todo rei deve guardar seu povo contra os infiéis."[3] Portanto, absolvição perpétua para quem morrer combatendo os infiéis. Desse modo, a primeira questão do rei estava resolvida. Travestida de luta contra os infiéis, é claro que Deus estava de acordo com a tomada de Ceuta, e, inclusive, respaldado por uma bula para uma santa cruzada "[...] que d. João I tinha impetrado junto ao papa em favor daqueles que tomassem parte na conquista de Ceuta".[4]

A segunda questão posta por d. João I era a financeira: "Para semelhante feito se requerem grandes despesas, para as quais é necessário muito dinheiro, o qual eu não tenho."[5] Esse problema seria resolvido com o auxílio, ou antes, com o consórcio que o rei de Portugal faria com banqueiros e comerciantes judeus, alguns deles residentes na Inglaterra. Daí também a recomendação do rei d. João I para que, com a pilhagem, a cidade saísse o mínimo possível da rotina de porto estratégico. Enfim, acertadas as coisas com Deus, era hora de acertar com o diabo, ou seja, tratar da divisão dos dividendos da pilhagem.

Portugal soube como ninguém contemporizar os interesses de comerciantes e da Igreja, que, no fundo, não eram tão diversos assim. Na verdade, o espírito cruzadista, que era o aspecto menos racional das nações ibéricas, era tudo que os comerciantes e banqueiros precisavam para pôr em marcha seus interesses meramente financeiros. O aspecto religioso era "[...] uma excelente garantia de que a expansão ibérica por águas desconhecidas prosseguiria, sem ser estorvada por constantes cálculos racionais sobre custos e benefícios pecuniários".[6] Os cálculos racionais e os benefícios pecuniários ficavam a cargo dos banqueiros.

E esse aspecto bipolar, por assim dizer, da expansão ibérica ficou claro nas questões postas por d. João I aos filhos quanto à tomada de Ceuta. A questão moral foi facilmente resolvida e a questão financeira seria resolvida pelos comerciantes e banqueiros, que, na esteira da loucura jihadista da Igreja contra os infiéis, prospectariam grandes oportunidades de negócio.

Desse modo, o espírito cruzadista foi um forte aliado dos banqueiros e comerciantes, sem o qual dificilmente eles teriam conseguido superar as derrocadas cíclicas do comércio com o Oriente. Para qualquer projeto de expansão dos horizontes territoriais que surgisse, mesmo os mais absurdos, oriundos das mentes mais doentias, lá estavam os investidores judeus – comerciantes e banqueiros – para patrocinar a empreitada. Ceuta foi a primeira grande aventura de uma parceria fecunda que duraria décadas.

Acertados os detalhes, a expedição se fez de vela com vento favorável no dia 25 de julho, dia da festa de Santiago, indicado pela rainha Filipa – que na época já havia falecido – como o melhor dia para a partida. Segundo relatos da época: "Muitos aventureiros distintos da Inglaterra, França e Alemanha fizeram parte dessa empresa. Um barão deste último país trouxe consigo quarenta cavaleiros, e um rico inglês acompanhou a expedição com quatro navios carregados de provisões. O armamento era de extraordinária grandeza para aquela época. Zurita, nos seus *Anais de Aragão*, refere que a esquadra se compunha de 33 galeões, 27 menores de três ordens de remos, 32 galeras e 120 outros vasos menores, com 50.000 homens, dos quais 20.000, ao que parece, já tinham militado, e os outros eram remadores e marinheiros."[7]

Com tudo resolvido, Portugal parte para uma conquista épica, que se inicia em Ceuta e vai se estender por mares desconhecidos e lugares até então inimagináveis, por exemplo, a América. O sucesso da tomada de Ceuta vai entusiasmar os portugueses e servir como padrão para as ações futuras de pilhagem e anexação de novos territórios ao reino de Portugal.

Tanto entusiasmou, sobretudo pelas oportunidades de negócios, que o que antes era proibido – o comércio de cristãos com muçulmanos, dada a possibilidade até então inédita de negócios que se abriu tanto para Portugal quanto para a Igreja – passou, consequentemente, a ser viável, tanto que o papa Martinho V publicou a bula *Super Gregem Dominicum*, em 1418, na qual remediava essa prática, relativizando esse aspecto do direito canônico, pois "[...] a conquista de Ceuta gerou a necessidade de comercializar com eles e portanto a dispensa de tal proibição. João I de Portugal suplicou ao papa Martinho V que o desejo de converter à fé cristã os muçulmanos vizinhos não se podia fazer senão 'por amor ou temor'. Estabelecer relações comerciais com eles promoveria o comércio com um fluxo econômico muito necessário que podia facilitar a convivência e as boas relações entre os sarracenos e os cristãos, com o qual se garantiria a conservação de Ceuta em mão portuguesas e, por último, em um ambiente assim, a possível conversão dos muçulmanos poderia ser uma realidade. O pontífice concedeu a Portugal a licença para comercializar com os muçulmanos com exceção das mercadorias proibidas pelos concílios lateranenses III e IV, como ferro, madeira, cordas, barcos e armas. Assim, Ceuta se converteu não somente em um ponto geopolítico estratégico para a expansão portuguesa pela África, mas também em um mercado alternativo para os produtos portugueses e para obter as mercadorias africanas sem intermediários".[8]

Na expansão portuguesa, temos uma mescla de motivos religiosos, demográficos, mas sobretudo econômicos. O sucesso obtido com a invasão de Ceuta, no entanto, chocou o ovo da serpente, e, de certo modo, pode-se dizer que esse ataque do Ocidente contra o mundo islâmico teria como resposta final a tomada de Constantinopla, em 1453.

Numa relação de causa e efeito, um inverno rigoroso na Inglaterra vai desencadear o movimento de forças que permaneceram estagnadas durante séculos. O Brasil vai aparecer no meio do caminho de um processo irreversível de mudanças históricas e vai ser simplesmente anexado a ele, devorado por ele, como um bebê que acaba vindo à luz sem que desejasse e sem ter a menor ideia de onde estava chegando.

Mas, antes de chegar ao Brasil, foi preciso que diversos desafios tivessem sido superados, diversos problemas fossem contornados e muitos enigmas resolvidos. Para a solução desses problemas, os homens lançaram mão de vários estratagemas: magia, traição, conspiração e ciência. Vejamos as cenas dos próximos capítulos.

A VIAGEM DO INFANTE D. PEDRO E O MANUSCRITO SECRETO DE MARCO POLO

Ceuta foi o laboratório e o ensaio geral de toda a expansão comercial e marítima do mundo moderno. Não se tratava de encontrar parceiros comerciais, as necessidades urgentes exigiam soluções mais imediatas. Tratava-se de, mediante o uso da violência extrema, conquistar, pilhar, feitorizar, escravizar e colonizar, de modo que a negociação e o diálogo fossem substituídos pelo frio aço das espadas.

Cronistas da tomada de Ceuta relataram esse novo *modus operandi*. "Foi feita naquele dia grande mortandade a qual jazia espalhada pelas ruas da cidade [...] eram dez mil mortos que por força dos golpes jaziam por terra e nem podiam ser reconhecidos [...] muitos jaziam espedaçados e tantos eram o atormentado das feridas que não demoravam as almas para sair das carnes e tais se lhes partiam os espíritos apressados, que deixavam as caras tão feias que verdadeiramente arremedavam a semelhança dos anjos infernais cuja fera e áspera companhia eles em breve tempo haviam de conhecer."[1]

Em outro trecho se dizia que "[...] passou-se a noite em grande vigília. Na manhã seguinte, quando os portugueses entraram na cidade, foram achá-la no mais profundo silêncio. Apenas encontraram os corpos dos que jaziam mortos, alguns velhos, mulheres e crianças, que hesitaram se haviam ou não de abandonar seus lares queridos, apesar do risco de ficarem escravos dos cristãos vitoriosos. O despojo foi muito abundante em ouro e prata, e joias de alto preço, além de mercadorias e drogas em grande quantidade. A destruição e estrago foram, porém, imensos".[2]

Como se pode notar, a batalha foi duríssima, e para amenizar o sentimento de culpa dos cristãos pela matança indiscriminada, pelo saque, roubo e destruição da cidade, o rei de Portugal solicita ao papa Martinho V a possibilidade de conceder indulgência, ou seja, clemência, misericórdia, absolvição de pena preventiva e plena para todos aqueles – cristãos, obviamente – que residissem em Ceuta ou que estivessem por lá a serviço de Portugal. Em atendimento à demanda do rei a Santa Sé publica, em 1419, a bula *Ab eo qui humani sumens*.

Depois dos esforços para tomar a cidade, aquele era, no entanto, apenas o início. O que viria depois? Qual seria a reação? Imprevisível, restava o mais importante, que era a organização da defesa, pois não se sabia se os fugitivos voltariam para reconquistar a cidade. Desse modo, a defesa de Ceuta era o objetivo prioritário que consumiria, além de recursos, um número substancial de pessoas que estivessem dispostas a desafiar o inesperado, o desconhecido, e arriscar ali as próprias vidas. Isso não era qualquer coisa, e, para estimular os soldados cristãos, Igreja e rei articularam a isenção do pagamento de dízimo para aqueles que se alistassem nas ordens militares, cujo destino único e exclusivo era a defesa de Ceuta.

Mas Ceuta era apenas a ponta de um iceberg. Prima pobre do comércio do Oriente e nota de rodapé da milésima página do livro do comércio das Índias Orientais, por isso mesmo é que tinha sido tomada de forma relativamente fácil. Entretanto, foi um ponto fora da curva, e a continuidade da expansão europeia não seria tão fácil assim. A reação estava a caminho e em breve, como veremos, estaria às portas de Roma para cobrar a fatura.

Entusiasmadíssimos com o sucesso de Ceuta, o que saltou aos olhos foi que a empreitada havia sido mero golpe de sorte que se seguiu a uma coragem inicial quase juvenil. E, em matéria de guerra e pilhagem, não se pode apenas contar com a sorte nem ter apenas coragem para se conquistar inimigos infinitamente mais poderosos, é preciso *expertise*.

Em 1418, em decorrência da dificuldade desse tipo de empreitada e da necessidade de se adquirir *expertise* em matéria de guerras, conquistas e navegação, o infante Pedro, filho mais jovem de d. João I, foi o escolhido para fazer uma longa viagem que duraria dez anos. O primeiro objetivo era diplomático, ou seja, estabelecer ou estreitar relações entre Portugal e outros países limítrofes ou distantes. O segundo objetivo, este oculto, era o de buscar notícias, conhecimentos científicos, mapas, relatos e tudo o mais que pudesse auxiliar Portugal e Inglaterra em sua grande ambição de acessar, sem intermediários, as riquezas do Oriente e se tornar gente grande em matéria de negócios.

É uma pretensão do Ocidente imaginar que a história começa no século XV com o Renascimento, a Reforma Protestante e a revolução científica. Isso talvez seja verdadeiro para o mundo ocidental, mas a civilização é muito mais complexa do que o Ocidente, e outras civilizações desenvolveram igualmente suas religiões, seus conhecimentos científicos e seus projetos sociais. Basta pensarmos na riqueza e opulência da biblioteca de Alexandria. Desde há séculos, os povos antigos – chineses, fenícios, babilônios – conheciam não só técnicas avançadas de navegação, como também navegavam por mares e terras que para o Ocidente ainda eram completamente desconhecidos.

No livro *Tratado dos descobrimentos antigos e modernos*, escrito por Antônio Galvão, por volta de 1560, há relatos de viagens "[...] feitas até 1550, com os nomes particulares das pessoas que as fizeram e em que tempos, e suas alturas, e dos desvairados caminhos por onde a pimenta e as especiarias vieram das Índias às nossas partes". Nesse tratado, constam diversas rotas terrestres e marítimas de que os povos se utilizaram para poder conectar-se. O comércio sempre foi o motor da humanidade, e em busca de oportunidades de negócio muitas civilizações enfrentaram o medo e se lançaram em aventuras terrestres e marítimas.

É impressionante notar como havia, já em tempos remotos, um conhecimento e, de certa forma, até uma relativa constância nas rotas comerciais marítimas que ligavam a Europa ao Oriente contornando, inclusive, o cabo da Boa Esperança. Com o tempo essa rota foi caindo em desuso. Primeiro, porque era contraproducente, pois ao longo da costa ocidental da África, embora houvesse diversas tribos, o tino comercial delas era quase nulo, de modo que nada compravam e nada vendiam. Uma situação muito parecida com a que os portugueses encontrariam nesses mesmos locais e mais tarde no Brasil. Segundo, porque era muito custosa. Essa rota, que segundo alguns relatos havia existido antes da empreitada portuguesa, foi substituída por rotas terrestres em que as mercadorias e os produtos do Oriente chegavam até os portos no Mediterrâneo e eram comercializadas com os europeus. Nos dias de hoje, pelo canal de Suez, passam cerca de dezoito mil navios por ano – é a maior rota de comércio do mundo, tendo encurtado a viagem de navio entre a Europa e as Índias Orientais em mais de sete mil quilômetros.

Ousado, o autor do *Tratado* vai além de simplesmente revelar essa rota comercial e propõe que outras rotas também já haviam sido exploradas. Escreve o autor "[...] no ano de 590 antes da Encarnação de Cristo partiu da Espanha uma armada de mercadores cartaginenses feitos a suas custas, e foi contra o Ocidente por esse mar grande ver se achavam alguma terra: diz que foram dar nela. É agora a que chamamos de Nova Espanha [...] que Cristóvão Colombo nos deu dela mais vera certeza".[3]

Mais para a frente o autor relata que "[...] no ano de 535 antes de Cristo, diz que navegavam os cartaginenses espanhóis por todos os mares, até chegarem às praias das Índias, Arábia e suas costas, donde levavam e traziam muitas e diversas mercadorias. E andavam nestes tratos e outros por diversas partes do mundo em grandes navios".[4]

Há também relatos de que na expansão da Escandinávia do século X, eles haviam chegado à América "[...] onde haviam desembarcado por volta do ano mil na costa norte americana, terra à qual havia dado o nome de Vinlandia".⁵ Quem sai hoje em dia para caminhar na marina de Shilshole Bay, em Seattle, nos Estados Unidos, vai se deparar com uma enorme estátua de Leif Erikson, o grande explorador escandinavo que havia pisado na América quinhentos anos antes de Colombo.

Tendo crescido ouvindo essas histórias, o infante d. Pedro havia projetado uma viagem para o Oriente, de onde ambicionava trazer mapas, livros e notícias precisas sobre circum-navegação, além de toda sorte de conhecimentos. A intenção era retomar, por meio da leitura desses mapas, livros e tratados, o conhecimento processual da antiga rota usada pelos cartaginenses da Espanha – herdeiros dos conhecimentos fenícios –, que levava da Europa até o Oriente por meio do Atlântico Sul e do cabo da Boa Esperança. O mais importante documento era, sem dúvida, um manuscrito secreto de ninguém mais, ninguém menos que Marco Polo, que só seria publicado em Lisboa no ano de 1502; claro, quando do descobrimento da América e do Brasil, pois já não haveria mais motivos para guardá-lo em segredo.

Entre os anos de 1418 e 1428, portanto, o infante d. Pedro empreendeu uma verdadeira odisseia pelas cortes europeias, seguindo em direção ao Oriente, à Terra Santa, na busca do reino do Preste João, um reino católico incrustado no coração da África e em contato direto com o trato do Oriente.⁶ O Preste João – caso existisse mesmo esse reino – seria um aliado importantíssimo no projeto de Portugal para a conquista do Oriente. Seria uma aliança mais que estratégica dialogar com um reino cristão, em meio aos arredios muçulmanos. Seria um grande avanço, portanto, nas relações comerciais com o Oriente.

A viagem foi toda financiada por banqueiros entusiasmados em ampliar seus negócios com a auspiciosa tomada de Ceuta. O objetivo principal era obter o máximo possível de informações sobre as rotas comerciais, marítimas e terrestres, cartas de marear, narrativas de viagem, documentos, mapas de todo tipo e o conhecimento processual sobre comércio e navegação oriundo dos intensos movimentos dos homens e dos conhecimentos cosmográficos acumulados.

As informações colhidas pelo infante nas regiões da Espanha habitadas por mouros e judeus dão conta de que o incêndio da biblioteca de Alexandria, no ano de 642, havia destruído apenas parte do acervo. Outra parte havia sido salva e estava espalhada por bibliotecas, mosteiros, priorados em vários países do Oriente Médio, da Ásia, África e Europa. Dos mais de um milhão de documentos, havia obras de Euclides, Arquimedes, Galeno, Ptolomeu, entre tantos outros. Durante sete séculos, a biblioteca de Alexandria abrigou o maior patrimônio cultural e científico da humanidade. Era justamente nessas obras que o infante d. Pedro estava interessado, pois, em muitas delas, certamente, encontraria informações preciosas sobre o mundo e as navegações, que permaneciam desconhecidas no Ocidente.

A viagem do infante d. Pedro começa em Veneza não por acaso, pois é dessa cidade, e de Gênova e Florença, que partiam com frequência os navios mercantes em direção ao Mediterrâneo oriental. Essas províncias italianas detinham o monopólio dessas rotas comerciais e, com o tempo de navegação por essas águas, dominavam como ninguém o *savoir-faire* e expressavam todos esses segredos nas chamadas cartas portulanos. Essas cartas eram um material preciosíssimo, pois continham todas as informações que um navegador precisava para navegar pelo Mediterrâneo, pelo mar Negro, pelo Báltico, pelo Atlântico Norte até a Inglaterra, pelas regiões de abrangência do comércio das províncias italianas.[7] As cartas eram tão completas que se podiam encontrar nelas, com certa precisão, várias localidades como vilas, cidades e portos, além de acidentes geográficos e perigos iminentes.[8] Essas cartas interessavam muitíssimo ao infante, que as reuniu na medida do possível.

A primeira parada da expedição foi no Chipre e dali seguiu o seguinte roteiro: Constantinopla, Terra Santa, Jerusalém, Armênia,

Alexandria, Meca, Índia, Etiópia, Fez e Castela.[9] Essa viagem do infante d. Pedro foi um verdadeiro divisor de águas para Portugal. É nela que ele vai descobrir ou confirmar a possibilidade do caminho para as Índias por meio da transposição do cabo da Boa Esperança. Sessenta anos depois, quando Colombo descobriu a América e Bartolomeu Dias e Vasco da Gama viabilizaram de fato essa rota, estes seriam os fatos mais revestidos de sentido de toda a história das navegações. Era um segredo que deveria ser guardado a sete chaves. Quem tivesse essa informação, o conhecimento processual, seria certamente senhor do mundo.

Outra notícia valiosa obtida pela expedição do infante d. Pedro era a de que a tomada de Ceuta havia despertado sentimentos de fúria e vingança e que, por isso, os turcos estavam em franco processo de expansão do império otomano e que mais dia, menos dia, as cobiçadíssimas rotas das especiarias do Oriente e a rota da seda da China poderiam ser bloqueadas.

Quando isso acontecesse uma tragédia sem precedentes se abateria sobre a Europa, e quem tivesse um plano B – outra rota para acessar o Oriente, por exemplo –, ou melhores relações com os turcos, otomanos, certamente tomaria conta de um comércio que, naquele momento, determinava nada mais, nada menos que a divisão entre a riqueza e a pobreza das nações e dos povos. Era como se, nos dias de hoje, alguém descobrisse a fórmula da Coca-Cola. Com essas informações, era hora de pôr mãos à massa.

O INFANTE D. HENRIQUE E
A ESCOLA DE SAGRES

A expansão portuguesa pelo até então desprestigiado oceano Atlântico se iniciou com a tomada de Ceuta em 1415, como vimos, no reinado de d. João I. A tomada de Ceuta foi para Portugal pôr o pé num negócio incrível, que abria uma perspectiva até então inimaginável para as pretensões portuguesas. Em 1419, o infante d. Henrique tinha 25 anos e era o mais destemido dos filhos de d. João I. Sob os seus auspícios, a expansão comercial e marítima portuguesa se sistematiza e ganha uma dimensão homérica que beirava as raias da obsessão e da loucura.

Em 1420, d. Henrique é declarado grão-mestre da Ordem de Cristo, e é dessa ordem que vão sair os imensos recursos necessários para as viagens exploratórias. Por esse motivo é que as caravelas portuguesas vão ostentar nas velas o famoso símbolo da cruz vermelha. Com o avanço das explorações, seria criado também um padrão confeccionado em pedra que era ficando nos territórios conquistados para determinar a posse portuguesa. No Brasil, há um desses marcos fixado no atual estado do Rio Grande do Norte. Não seria completamente impossível que a descoberta do Brasil tenha acontecido nesse local, ainda antes de 1500. O mar do Caribe foi o grande palco dos descobrimentos, pois era por ali que se dava o trânsito imenso que se formou logo após a descoberta da América, em 1492.

O ponto de partida da criação da Escola de Sagres foi o trabalho de campo e a imensa varredura que d. Henrique fez na África, sobretudo acerca dos conhecimentos geográficos e náuticos. Um trabalho paralelo à conquista militar, que só um homem curioso e com o pensamento à frente de seu tempo poderia impetrar. Desse modo, aproveitando-se daqueles que acabavam cativos e antes que fossem passados no aço das espadas, durante sua estada na África, segundo os cronistas Azurara e Diogo Gomes, d. Henrique colheu importantes informações dos mouros "[...] a respeito das populosas nações do interior ou da costa de Guiné [...] o infante obteve notícia da passagem de grandes caravanas, que iam de Túnis a Tombuctu e a Cantor na Gâmbia, o que o moveu a mandar explorar aqueles países por via marítima [...] ouviu dos prisioneiros azenegues notícias da situação de certas palmeiras, que estavam ao norte da embocadura do Senegal, ou do chamado Nilo; o que o habilitou a dar instruções a seus marinheiros a fim do descobrimento daquele rio [...] O fim, que o infante tinha em mira, era alcançar notícia não só quanto aos mouros e suas circunvizinhanças ao sul, como também das terras, tanto da costa oriental como ocidental de África, além do grande deserto".[1]

Era, evidentemente, uma oportunidade única a possibilidade de interrogar os prisioneiros em Ceuta e obter deles informações impossíveis de serem obtidas espontaneamente, pois os europeus, sobretudo genoveses e venezianos, "[...] guardavam segredo de suas relações comerciais. A única grande fonte dos conhecimentos geográficos da África eram os comerciantes dos reinos do interior, com os quais se fazia esse comércio".[2]

Naquele mar de infiéis que era a África o qual tornava a missão de ocupar a região uma tarefa quase impossível, o que o infante mais desejava saber era se não haveria em toda a África um "[...]

rei cristão ou potentado que viesse ajudá-lo. Por isso estava ansioso por saber se viveriam naquelas partes alguns príncipes cristãos que, pelo amor de Cristo, quisessem ajudá-lo contra os inimigos da fé".[3]

O infante d. Henrique unia esse trabalho de campo na África às primeiras notícias reportadas pelo infante d. Pedro que chegavam a Portugal. O material que enviava – mapas, instrumentos, cópias de livros da biblioteca de Alexandria, cartas portulanos – seguia sob os cuidados de sábios convidados também a fim de ir a Portugal para seguir o périplo africano de d. Henrique, que havia pessoalmente mandado vir da ilha de Mallorca "[...] um mestre Jácome, homem mui douto na arte de navegar, que fazia cartas e instrumentos náuticos, o que lhe custou muito pelo trazer a este reino para ensinar sua ciência aos oficiais portugueses daquele mister".[4]

Tratava-se de um dos maiores cartógrafos europeus do século XV que se chamava Jehuda Cresques – *el judio de las brújulas*, devido, claro, à sua grande experiência na fabricação de bússolas. A sua participação na empreitada do infante d. Henrique seria fundamental, ou seja, ficaria a cargo dele treinar os pilotos portugueses nos fundamentos básicos da navegação e na eventual produção de cartas portulanos e instrumentos náuticos.

A tomada de Ceuta e a grande aventura em direção ao Atlântico, anunciada por d. Henrique, inflamavam corações e mentes de aventureiros, sábios, mercenários, navegadores e piratas. O próprio infante, tomado pela aventura do seu empreendimento, resolveu aprofundar-se nos estudos de cosmografia e astrologia. Para isso, funda numa vila no Algarve uma fortaleza que funcionaria como um centro de estudos. Nascia dessa iniciativa a mítica Escola de Sagres com o intuito de "[...] mais cabalmente e sem embaraço poder levar avante seus projetos. Autorizado por el-rei, escolheu o infante para habitação o promontório de Sagres no reino do Algarve, do qual foi nomeado governador perpétuo, depois de regressar com as tropas com que foi socorrer Ceuta em 1419".[5]

Foi nesse lugar remoto e solitário, afastado das badalações de Lisboa e "[...] com o vasto Atlântico que se alongava infinito e misterioso diante dele que dedicava-se o infante d. Henrique ao estudo da astronomia, das ciências matemáticas e a despachar navios para explorações aventurosas".[6]

O objetivo de d. Henrique, ao reunir navegadores experimentados, astrólogos, cosmógrafos, magos, entre outros, em Sagres, era se dedicar exclusivamente a um objetivo: navegar pela costa ocidental da África até encontrar uma passagem para as Índias orientais. Era do conhecimento de todos que esse trajeto, ou esse percurso, já havia sido encontrado em outros tempos. Tudo indicava que há cerca de três mil anos os homens já navegavam o oceano Atlântico. Segundo uma narrativa dos gregos "[...] o oceano é um mar ou um sistema de mares [...] era um rio circular que rodeava a terra. Todas as águas fluíam dele e não tinha nem desembocadura nem nascentes".[7] Essa certeza de que os mares eram interligados formando um único oceano e de que outros povos, em outros tempos, haviam navegado por mares desconhecidos fez com que a Escola de Sagres desenvolvesse a obsessão por encontrar novamente tal caminho. Toda a fase de estudos, de preparativos, e as próprias expedições seriam feitas à custa do infante.

Assim que retornou a Portugal, o infante d. Pedro uniu-se ao seu irmão, o infante d. Henrique, nos estudos científicos, entre os quais a arte da cartografia ocupava o principal lugar, e "[...] não se pode duvidar do que ao gênio e conhecimentos adquiridos por d. Pedro, seu irmão mais velho, deveu o infante d. Henrique grande estímulo e luz para prosseguir com suas investigações geográficas [...] o Manuscrito de Marco Polo, e o mapa trazido do Veneza haviam provavelmente de atuar como poderoso incentivo destas investigações".[8]

Segundo Antônio Galvão, o conteúdo desses mapas continha todo o âmbito da terra "[...] ao Estreito do Magalhães chamavam Cola do Dragão e o Cabo da Boa Esperança chamavam fronteira da África, assim como outros pontos, e que deste padrão se ajudara o infante d. Henrique em seu descobrimento".[9]

Outros mapas que foram cotejados traziam indicações semelhantes, como, por exemplo, o mapa de Marino Sanuto, produzido em torno do ano de 1306. Outros dois mapas que orientaram as expedições do infante d. Henrique, as quais resultariam mais tarde nos descobrimentos, foram o do veneziano Andrea Bianco, de 1436, que seria completado mais tarde pelo mapa do famoso geógrafo Fra Mauro, do Mosteiro de São Miguel de Murano, em Veneza.

Além dos mapas, *brainstorms* cotidianas conduzidas pelo infante objetivavam a busca dos conhecimentos antigos. Ele sabia que era lá que encontraria o mapa da mina. Embora muitos dos relatos fossem literários ou míticos, havia sempre a esperança de que eles tivessem sido baseados em fatos verídicos. E como onde há fumaça há fogo, não custava nada averiguar.

Desse modo, partiu-se das referências mais longínquas, e a mais antiga de que se tem notícia sobre outras terras e outros mares é a do historiador grego Teopompo. Platão também, no seu *Timeu e Crítias*, cita as inscrições sagradas da cidade egípcia de Saís – ou Sa el-Hagar –, onde se pode ler sobre uma ilha chamada Atlantis, ou Atlântida, como passou para a história.

Lendas, ficções ou mitos à parte, quanto aos fenícios, estes certamente navegaram pelo oceano Atlântico e fundaram na região da Andaluzia, na Espanha, um povoado chamado Gadir, ou, como conhecemos hoje, Cádiz. Quem vai hoje em dia para essa cidade espanhola pode visitar, mais precisamente em Doña Blanca, um sítio arqueológico com vestígios não só de um porto púnico, mas de muralhas, casas, cemitério, entre outras ruínas de edificações.

O historiador antigo Diodoro Sículo, em sua obra *Biblioteca histórica*, faz referência a uma viagem de uma frota fenícia pelo oceano Atlântico, onde relata que os navegadores tinham visto num dos seus destinos "[...] templos e palácios suntuosamente construídos, regiões montanhosas cobertas de bosques com uma grande variedade de árvores frutíferas, diversas espécies de animais vivendo em um clima temperado".[10] Nos últimos anos, novas tecnologias de varredura via satélite tornaram recorrentes a descoberta de ruínas de cidades antigas – palácios e templos – encontradas, por exemplo, na Floresta Amazônica brasileira, peruana e colombiana que ainda estão por ser analisadas.

Os dois primeiros autores discutidos em Sagres foram Eratóstenes e Aristarco. Ambos viveram por volta de 300 a.C. O primeiro, Eratóstenes, era matemático, geógrafo e astrônomo, e não só havia estudado em Alexandria, como foi um dos diretores da mítica biblioteca. O interesse na obra desse homem é porque ele havia calculado a esfericidade e o diâmetro da Terra. O segundo, Aristarco, era astrônomo e matemático, igualmente um dos sábios da biblioteca de Alexandria, o qual havia descoberto que a Terra não era o centro do Universo – pai, portanto, do sistema heliocêntrico.

Para o obscurantista catolicismo medieval, a Terra era plana e constituía o centro do Universo. Para o mundo ocidental, a esfericidade da Terra e o heliocentrismo seriam comprovados pelos estudos de Copérnico e Galileu apenas no século XVI. Os navegadores de Sagres sabiam, portanto, graças ao conhecimento dos antigos, que navegando pelo mar adentro jamais se depararam com o fim do mundo ou com um abismo tenebroso. Desse modo, a chance de se deparar com terras desconhecidas era plausível.

Outro autor que foi objeto das *brainstorms* de Sagres foi Aristônio – também dos quadros de Alexandria –, que escreveu livros sobre as andanças de Menelau, rei dos espartanos. Num trecho, ele afirma que Menelau, "[...] saindo do estreito de Gibraltar, navegou pelo oceano alcançando o mar arábico e pérsico até chegar à Índia".[11]

Outras histórias que inflamaram os ânimos dos homens de Sagres foram as de Heródoto, o pai da história. A primeira, sobre uma circum-navegação realizada pelos fenícios no século VII a.C., comandados pelo faraó Necho II. Não por acaso filho de Psamético I, que havia mudado a capital do Egito de Tebas para Saís, em cujos manuscritos sagrados, como vimos, consta a existência de Atlantis ou Atlântida. A expedição havia navegado pelo mar Vermelho, dobrado o continente africano, entrado pelo estreito de Gibraltar e chegado ao Egito. Segundo Heródoto, o persa Xerxes quando da conquista do Egito, havia feito o caminho inverso, ou seja, navegou pelo mar Mediterrâneo, pelo Atlântico, contornou o promontório africano e retornou ao Egito.

Ainda sobre a navegação na costa ocidental da África, várias nações têm relatos sobre descobridores de terras e rotas. Genoveses, franceses do famoso porto de Dieppe e até escandinavos já tomaram para si a primazia na navegação da costa ocidental da África. Sobre esses feitos existem diversos estudos: *Histoire Maritime de France*, de 1843, *Les Navigateurs Français*, de 1847, e o *Sommario delle indie orientali*, de Ramusio, de 1556.[12]

Famoso também é *O périplo de Hannon de Cartago* – escrito em língua púnica: "*O périplo* é a narrativa da viagem realizada por um rei de Cartago, Hannon, ao longo da costa ocidental de África. De acordo com a tradição, o texto inicial d'*O périplo* – perdido – foi redigido em púnico pelo próprio rei e depositado no templo de Ba'al Hannon na cidade de Cartago. O texto chegou até nós numa tradução grega resumida, talvez do fim do século IV a.C."[13] As cópias conhecidas mais antigas, de origem grega e bizantina, são os manuscritos *Palatinus Graecus 398*, que se encontram atualmente na Universidade de Heidelberg, na Alemanha, e o *Vatopedinus 655*, que tem parte na British Library e parte na Biblioteca Nacional da França.

Outros autores da própria Península Ibérica, sobretudo judeus, foram objeto de estudo em Sagres. Eram mestres nos domínios da matemática, da astronomia, da geografia, das ciências básicas para a arte náutica. Entre eles, destacam-se os nomes de Abraham bar Chia, autor do estudo *Forma da Terra*, de *Cálculo do movimento dos astros* e da *Enciclopédia*; de Abraham ibn Ezra, autor dos estudos *Utensílios êneos*, *Tratado do astrolábio*, *Justificação das tábuas de Kwarismi* e *Tábuas astronômicas*; de João de Luna foi estudada a obra *Epítomes de astrologia* e o *Tratado do astrolábio*; de Jacob ben Machir, inventor do chamado quadrante de Israel, um instrumento de observação, estudou-se o *Tratado do astrolábio*; de Isaac ibn Said foi aproveitado um compêndio organizado pelo autor sobre a astronomia dos gregos e dos árabes; de Rabí

Levi ben Gershon – a quem é atribuída a invenção de uma espécie de telescópio – estudaram-se o *Tratado sobre a teoria e prática do cálculo, Dos números harmônicos, Tábuas astronômicas sobre o Sol e a Lua*; e, por fim, de Isaac Zaddik foram estudadas as obras *Tábuas astronômicas, Tratado sobre instrumentos astronômicos* e *Instruções para o astrolábio de Jacob ben Machir*.

De todo esse grande aprendizado, o infante d. Henrique subtrai a convicção da existência dessa rota pelo Atlântico Sul, faltando apenas reunir informações e o conhecimento técnico e processual exigido para se levar a cabo tal empreendimento.

Os mais importantes documentos, no entanto, foram, sem dúvida, os mapas e o manuscrito de Marco Polo levados a Portugal pelo infante d. Pedro. O livro, conhecido como *Livro de Marco Polo*, continha informações preciosas sobre regiões, cidades, costumes e, claro, riquezas de quase todo o Oriente. Da Armênia relata "[...] mercadorias, especiarias e preciosas riquezas". Detalha a Turquia, a Tanzânia, Mossul, Baldach, e da Pérsia diz que "[...] há grande abundância de tâmaras, de algodão, de trigo, cevada e vinhos".[14] De Cianguamor diz que tem "[...] muitas cidades e castelos e é a província de um rei chamado Preste João". De Cipango diz que "[...] o assoalho das salas de muitas casas é coberto de tábuas de ouro e é muito rica em pérolas e pedras preciosas".[15]

Contudo, o que menos importava naquele momento eram as riquezas que todos sabiam existir, o mais importante eram as informações técnicas sobre navegação, rotas, portulanos que pudessem auxiliar Portugal a encontrar atalhos preciosos no seu périplo pelo Atlântico Sul.

Havia no livro informações preciosas sobre a composição geográfica da região, seus países, suas gentes, seus usos e costumes, os animais e as plantas, os produtos naturais, as especiarias, as drogas, os metais, as pedras preciosas e o que naquele primeiro momento era extremamente importante: informação sobre a religião desses povos. Seriam todos muçulmanos ou haveria entre eles algum reino cristão?

Além disso, no livro podiam-se encontrar informações igualmente preciosas sobre o grau de sofisticação da cultura e da civilização dos povos do Oriente. Teriam eles algum conhecimento de cosmografia, de técnicas de navegação marítima ou até mesmo mapas e equipamentos que ainda eram desconhecidos no Ocidente?

Todas essas informações, unidas às que d. Henrique havia tomado pessoalmente junto aos mouros em Ceuta, práticos na costa da África, foram suficientes para que partissem para a parte prática do projeto. Era hora de seguir em busca do caminho para as Índias.

O CAVALEIRO DE PEDRA

Não demorou para que os esforços começassem a render frutos. Em 1419, os arquipélagos da Madeira e dos Açores foram encontrados por João Gonçalves Zarco, Tristão Teixeira e Bartolomeu Perestrelo, promovendo em todos um entusiasmo enorme em saber que, a princípio, os estudos antigos estavam cobertos de razão em relação à existência de tais localidades. Essa região estava detalhadamente traçada e indicada já nos documentos trazidos por d. Pedro de Veneza, entre eles, por exemplo, o mapa portulano nomeado *Carta Laurenziana*, de 1351.

A peculiaridade das descobertas dessas primeiras incursões está no fato de que ao partirem de Sagres e descobrirem a ilha da Madeira, os navegadores foram em direção sudoeste no Atlântico; e para descobrir a ilha dos Açores navegaram quase em sentido oposto, ou seja, na direção noroeste. Esse aspecto é revelador, pois deixa claro que, no início das prospecções, nenhuma evidência tinha sido descartada: tanto a da existência da rota para as Índias pelo Atlântico Sul, pelo cabo da Boa Esperança, e nesse sentido eles haviam navegado e encontrado a ilha da Madeira, quanto a rota para as Índias, navegando para oeste, e nesse sentido eles haviam navegado e encontrado o arquipélago dos Açores, bem distante da Europa – quase dois mil quilômetros de Sagres – duas de suas ilhas, a do Corvo e a das Flores, já se localizam na placa tectônica norte-americana. Nunca na história da Europa moderna navegadores haviam feito incisões tão profundas no oceano Atlântico. Eram, no mínimo, corajosos.

Em 1434, Gil Eanes e Afonso Gonçalves Baldaia avançam para além do cabo Bojador, que era o limite até onde se havia navegado em direção ao Atlântico Sul. A partir dali, o cenário era tenebroso. Relatos medievais falavam em monstros aquáticos, sereias, precipícios e sumidouros. Em 1435, Gonçalves Baldaia enfrentou o desconhecido e tocou a costa ocidental da África. A partir desse contato inicial, uma nova era se abre para o parco comércio português.

Em 1441, Antão Gonçalves inicia um tipo de comércio que vai se tornar, futuramente, a menina dos olhos dos portugueses e objeto de intensa disputa comercial: o negócio com escravos. Tal comércio faria a riqueza de várias nações europeias, entre elas a Inglaterra e a Holanda. Além dessa "mercadoria", outras afluem para Lisboa, tais como o ouro em pó e o marfim. Eram os lucros iniciais de uma aventura que até então havia demandado apenas um imenso investimento.

À medida que as notícias das descobertas ou dos encontros das localidades, que alguns duvidavam e outros supunham existir, se espalharam pela Europa, atraíram navegadores e aventureiros de várias nacionalidades. Um deles foi o veneziano Alvise Cadamosto, que, em sua viagem exploratória, viria a descobrir, em 1456, seguindo o périplo em direção ao sul da costa ocidental da África, as ilhas de Cabo Verde. As condições impostas por d. Henrique para as viagens de terceiros eram as seguintes: no caso de ela ser empreendida com os recursos do próprio navegante, o infante cobrava um quarto de tudo que auferissem; caso a viagem corresse por conta do infante, este ficaria com metade de tudo. Esse modelo de negócio era inteiramente novo para os padrões comerciais da época.

À medida que os descobrimentos vão avançando, d. Henrique vai transformando imediatamente as ilhas em capitanias e estabelecendo os respectivos descobridores como donatários. Uma das condições impostas foi que os donatários desenvolvessem nas ilhas diversos cultivos. Nesse mesmo contexto, um novo produto estava começando a ganhar terreno no aguçado paladar da nobreza europeia: o açúcar. Portugal vai ser pioneiro na produção do açúcar, que demandava, no entanto, dois aspectos que eram escassos em Portugal: gente para trabalhar e terras.

Era uma espécie de cultivo experimental para dominar, aos poucos, as técnicas de plantio, processamento e todas as demais etapas da produção do açúcar. Um engenho não era algo simples de se fazer, ao contrário, demandava conhecimentos técnicos muito sofisticados para a época, tais como o domínio da fundição de ferro. Foi assim que desembarcaram nas ilhas, a 2 de março de 1450, Jácome de Bruges, Willem van der Haegen e Jobst van Heurter, trazendo consigo navios cheios de colonizadores de Flandres. Eles não sabiam, mas estavam começando ali a ensaiar a cadeia produtiva do maior negócio do mundo ocidental dos próximos séculos e que faria, direta ou indiretamente, a riqueza de diversas nações, não só a de Portugal.

Portugal vai implantar, portanto, nas ilhas, em parceria com os donatários, um sistema de produção de açúcar baseado em três princípios novos para os padrões de produção europeus: a monocultura, o latifúndio e o trabalho escravo. Esse modelo vai dar tão certo que bem mais tarde só ele será estendido para as novas terras descobertas. No entanto, o interesse imediato de Portugal era a busca de produtos comercializáveis que auferissem o máximo de lucro possível. No caso do Brasil, como veremos adiante, eles se expandiriam a partir do *know-how*, ou seja, a produção de açúcar mediante o arrendamento de terras.

Mas a realidade era dura e o fato é que havia se passado duas décadas e o caminho das Índias tão cobiçado pelo infante d. Henrique não havia sido ainda encontrado. Mas o contato com gente da costa ocidental da África e o avanço das expedições indicavam a cada dia que eles realmente estavam no caminho certo. O custo exorbitante das expedições obrigava que algum lucro fosse obtido em cada uma delas para que, ao menos, elas se pagassem. Essa necessidade mais imediata foi protelando o objetivo final, que era o caminho das Índias.

Certa manhã, uma descoberta fez com que todo o investimento de d. Henrique valesse a pena. Numa das ilhas que compõem o arquipélago dos Açores – a ilha do Corvo – e que também aparecia no mapa portulano *Laurenziano*, de 1351, nomeada como *Insula Corvi Marini*, os exploradores encontraram uma estátua em tamanho natural de um homem montado num cavalo. Uma de suas mãos fazia menção de sacar uma espada e a outra apontava para o poente – em direção ao Brasil. No paredão, logo abaixo, foram encontradas inscrições nas rochas numa língua desconhecida. Possivelmente teriam sido deixadas na ilha – a estátua e as inscrições – por aqueles mesmos navegadores fenícios que circum-navegaram o continente africano em 600 a.C., cuja história – tratada por muitos como lenda – foi determinante para o início da grande aventura ultramarina de d. Henrique e da Escola de Sagres.[1]

Em 1749, na ilha dos Açores, a mais ocidental das ilhas do Atlântico, foi descoberto um vaso cheio de moedas fenícias. Não por acaso também, quando Colombo partiu para descobrir a América fez uma escala exatamente na ilha dos Açores, uma espécie de ponto intermediário entre o Velho e o Novo Mundo, conhecido desde as antigas navegações.

Ao longo dos séculos, muitos outros vestígios da presença dos fenícios seriam encontrados pelo mundo afora, inclusive no Brasil. Uma das gravações mais famosas do país está na pedra do Ingá, na Paraíba, uma rocha imensa que foi descoberta em 1598 pelo cientista holandês Elias Eckerman. Existem também inscrições em rochedos atribuídas aos fenícios na ilha do Arvoredo, em Santa Catarina; na pedra da Gávea, no Rio de Janeiro; na pedra lavrada, em Jardim do Seridó, no Rio Grande do Norte; às margens de vários

rios no Amazonas, entre outras tantas inumeráveis ocorrências em todo o território brasileiro e também em toda a América Latina e a do Norte.²

Um manuscrito misterioso encontrado na época do império nos arquivos da biblioteca do imperador d. Pedro II traz um estranho relato sobre a descoberta de uma cidade fantasma: "Divisamos da lagoa uma povoação grande, persuadindo-nos pelo dilatado ser alguma cidade da corte do Brasil [...] confirmaram não haver povo [...] a entrada se dá por três arcos de grande altura onde divisamos haver letras [...] passada a rua em bom comprimento, demos em uma praça regular e no meio dela uma coluna de pedra preta de grandeza extraordinária e sobre ela uma estátua de homem ordinário com uma mão na ilharga esquerda e o braço direito estendido mostrando com o dedo índex o polo do norte [...] vimos lajes cobertas com figuras lavradas na pedra."³

Mistérios. O infante d. Henrique não viveu para ver quanto a sua intuição em seguir o périplo dos fenícios ao redor do mundo renderia frutos.

O fato é que, com tudo isso, se pode supor que a rota para as Índias pela costa da África e pelo cabo da Boa Esperança já era conhecida, porém muito onerosa por ser uma viagem longa. O comércio com o Oriente estava centrado no Mediterrâneo, nos portos de Alexandria, Constantinopla, entre outros. Somente quando os turcos tomam a cidade de Constantinopla, em 1453, e os outros portos, quando então os preços sobem vertiginosamente, é que a viagem pela costa da África se viabiliza – com lucros menores, mas, mesmo assim, sem as incertezas e sem os atravessadores. A possibilidade de negociar direto com os produtores torna o negócio viável. A partir daí, Portugal vai estar na vanguarda porque já estava havia anos luz à frente de outras nações no desbravamento do caminho das Índias pela rota do Atlântico Sul. Quando isso acontecer, começará uma espécie de anos dourados para os navegantes portugueses.

Mas não nos antecipemos.

AS MORTES DE D. HENRIQUE, D. PEDRO E A INTERRUPÇÃO DO PROJETO DAS ÍNDIAS

Com o tempo, naturalmente, as configurações vão se alterando e os quatro irmãos que se dedicaram à tomada de Ceuta tomam rumos diferentes. Desse modo, ao projeto particular que havia se tornado quase uma obsessão de d. Henrique – explorar a costa ocidental da África –, no qual era irrestritamente apoiado por d. Pedro; seguiu-se seus outros dois irmãos, d. Fernando e d. Duarte, um projeto paralelo que tinha como direcionamento o roteiro iniciado em Ceuta, que era a conquista do norte da África. Projeto muito mais concreto e rentável do que a quimérica, embora auspiciosa, rota das Índias pelo Atlântico. Contudo, numa dessas incursões, na tomada da cidade de Tânger, d. Fernando foi feito prisioneiro em uma malsucedida batalha e morreria ali no ano de 1437. D. Duarte morreria no ano seguinte, em 1438, vitimado pela peste negra que, como vimos, assolava a Europa nesse início de século XV e havia sido, inclusive, um dos motivos de terem se iniciado as grandes navegações.

D. Afonso, filho de d. Duarte, era o herdeiro do trono de Portugal, mas, como era menor, o velho d. Pedro assume como regente. O período regencial foi conturbado, uma verdadeira guerra pelo poder entre d. Pedro e dona Leonor de Aragão, rainha consorte de Portugal e mãe de d. Afonso. A nobreza portuguesa certamente estava irritada com o alto custo das incursões de descobrimento e o baixo retorno. Em 1439, Leonor de Aragão é expulsa de Portugal e d. Pedro assume a regência. Em 1447, d. Afonso casa-se com a filha de d. Pedro, Isabel de Aragão, sua prima, que morre aos 23 anos, deixando antes como herdeiro o futuro d. João II. No ano de 1448, d. Afonso assume seu reinado, agora como d. Afonso V, e parte para a ofensiva. Une-se à classe aristocrática e volta-se contra o sogro, d. Pedro, com o intuito de vingar a mãe. Essa desavença vai culminar em 1449, por fim, na morte de d. Pedro numa batalha pelo poder em Alfarrobeira.

O espírito de expansão pelo Atlântico, embora tenha ido à lona com a morte de quase toda a chamada ínclita geração, mantinha-se, porém, vivo, mas com a morte do velho d. Henrique, em 1460, pai e mentor de toda a expansão portuguesa pelo Atlântico, d. Afonso V vai abandonar o projeto de seus tios visionários. D. Afonso V vai abandonar um projeto utópico e investir num projeto mais palpável, mais realista e imediato, ou seja, a conquista do norte da África, iniciada, como vimos, com a tomada de Ceuta.

D. Afonso V se caracterizaria, portanto, pelas expedições e conquistas de cidades importantes do norte da África, tais como Tânger, Marrocos, Alcácer-Ceguer, Anafé e Arzila. Crescera obcecado por essas conquistas, sobretudo porque tinha sido exatamente na tentativa de conquistar esses territórios que Portugal havia sofrido suas maiores derrotas. O espírito de D. Afonso V era o de vingar não somente Portugal, mas o tio d. Fernando, o próprio pai, d. Duarte, mortos em decorrência dessa derrota na África, e o tio d. Henrique, na sua tentativa fracassada, como vimos, de conquistar Tânger em 1437.

O projeto de retomar as investidas contra o norte da África e expandir os negócios de Portugal para além de Ceuta contou, desde o primeiro momento, com o beneplácito da Igreja. Em 1452, o papa Nicolau V publicou a bula *Dum Diversas*, com o intuito de respaldar e legitimar o projeto do rei Afonso V diante do perigo iminente que era o avanço do império turco-otomano no norte da África. Na bula pode-se ler: "[...] outorgamos por este documento presente, com a nossa Autoridade Apostólica, permissão plena e livre para invadir, buscar, capturar e subjugar sarracenos e pagãos e outros infiéis e inimigos de Cristo onde quer que se encontrem, assim como os seus reinos, ducados, condados, principados, e outros bens e para reduzir as suas pessoas à escravidão perpétua."[1]

Com o aval do papa e, consequentemente, de Deus para pilhar, conquistar e escravizar, d. Afonso V inicia o planejamento do seu projeto de conquista do norte da África. Em 1453, no entanto, o maior temor que rondava o Ocidente torna-se realidade com a queda da cidade de Constantinopla. O avanço dos turcos-otomanos pegará d. Afonso V de surpresa. Preocupado com a situação, em 1455 o papa Nicolau V emitirá outra bula, a *Romanus Pontifex*, por meio da qual vai entregar o continente africano aos portugueses: "Por isso nós, tudo pensando com devida ponderação, por outras cartas nossas concedemos ao dito rei Afonso a plena e livre faculdade, dentre outras, de invadir, conquistar e subjugar quaisquer sarracenos e pagãos, inimigos de Cristo, suas terras e bens, a todos reduzir à servidão e tudo aplicar em utilidade própria e dos seus descendentes. Por esta mesma faculdade, o mesmo d. Afonso ou, por sua autoridade, o infante legitimamente adquiriram mares e terras, sem que até aqui ninguém sem sua permissão neles se intrometesse, o mesmo devendo suceder a seus sucessores. E para que a obra mais ardentemente possa prosseguir."[2]

Em meio ainda ao desespero, o papa Calisto III convoca os países do Ocidente para uma grande cruzada contra os mouros e, em 1456, publica a bula *Etsi Cuncti*, que ampliava a abrangência das bulas anteriores, *Dum Diversas* e *Romanus Pontifex*. Nesse ambiente propício, d. Afonso V avança sobre o norte da África tomando a cidade de Alcácer-Ceguer em 1458 e, finalmente, vingando os membros da ínclita geração, tomando Tânger e Arzila no ano de 1471.

Profundamente concentrado e ocupado com as conquistas no Norte africano, d. Afonso V arrendou a exploração da costa ocidental africana para Fernão Gomes – mais tarde cognominado da Mina. Esse modelo novo de exploração se revelaria muito produtivo para Portugal, uma vez que novas conquistas e novos produtos foram descobertos, entre eles a pimenta-malagueta. No ano de 1471, Fernão Gomes chegou à região que ficaria conhecida como a Mina, pois o explorador descobriu ali uma imensa quantidade de ouro de aluvião, de modo que fez vicejar para a Coroa portuguesa um lucrativo comércio. É esse ouro que vai animar d. Afonso V, bem como a Igreja, a financiar e ampliar as conquistas no norte da África.

É a primeira vez, desde a tomada de Ceuta, em 1415, que o projeto de avanço pela costa ocidental da África em direção ao Atlântico Sul saía das mãos do Estado português. Somente em 1481, com d. João II, é que a exploração do Atlântico Sul vai ser novamente objeto de um projeto de Estado.

Um aspecto curioso da personalidade e da biografia de d. Afonso V, que ele certamente herdou do tio d. Henrique, é o gosto pelos estudos. Teria escrito pelo menos dois tratados, um militar – *Tratado da milícia, conforme o costume de batalhar dos antigos portugueses* – e outro astrológico – *Discurso em que se mostra que a constelação chamada Cão celeste constava de vinte e nove estrelas e a maior de duas*. Outra faceta pouco conhecida do rei era a sua iniciação no hermetismo, ou seja, no estudo do conjunto de doutrinas místicas, astrológicas, alquímicas e mágicas, cuja origem remonta à Antiguidade clássica e a autoria é atribuída a Hermes Trismegisto. Sobre esse tema, o rei escreveu dois tratados: *Lápis filosófico* e *Separação dos quatro elementos*. Existem hoje dois exemplares dessas obras, reunidas e traduzidas para o inglês sob o seguinte título: *Five Treatises of the Philosophers Stone*, no frontispício da capa se lê *Alphonso, King of Portugal*. Um exemplar encontra-se na British Library, em Londres, e o outro na Biblioteca da Universidade de Glasgow, na Escócia.[3]

Como se pode notar, a relação das nações e dos reis católicos com a Igreja era pragmática. Ao mesmo tempo em que defendiam o cristianismo, o catolicismo, não se furtavam a flertar com ciências ocultas, como a magia, a astrologia e a alquimia. Do lado da Igreja, o mesmo espírito pragmático, ou seja, a Igreja fechava os olhos para certas práticas de seus aliados com o fim de promover o avanço de seus interesses mais auspiciosos. A lógica era a de sempre: para os amigos tudo e para os inimigos a ira de Deus e o fogo do inferno.

A TOMADA DE CONSTANTINOPLA

Mesmo com toda a riqueza auferida nas conquistas – territórios, ouro ou mesmo produtos novos que eram desconhecidos na Europa e que podiam ser introduzidos no comércio –, os portugueses não haviam descoberto, ou conquistado, ainda algo que se assemelhasse com o intenso intercurso comercial entre o Ocidente e o Oriente nos portos e rotas do Mediterrâneo.

O parco e incipiente comércio na costa ocidental da África – igual ao que encontrariam mais tarde na costa do Brasil, para decepção de todos – contrastava com o viçoso e pulsante comércio da costa oriental, aquele que eles queriam verdadeiramente abocanhar. Na verdade, eram muito tímidos os negócios que se faziam por meio da navegação, uma vez que as comunicações marítimas, sobretudo a navegação de cabotagem, eram fundamentais para o comércio, para o pequeno deslocamento. Todavia, o grosso do comércio se dava mesmo por meio de imensas caravanas que os diversos povos formavam para transportar por terra as mercadorias com que alimentavam um tráfico constante, que se estendia de Constantinopla até a Índia e a China, do interior da África até Astracã, no mar Cáspio, do Oriente Médio até os países da Europa.

Era por isso que, para a expansão portuguesa, a costa ocidental da África significava pouco, mas a esperança de chegar à Índia pelo extremo sul da África era, para eles, objeto da mais alta ambição, visto que jamais minguara, em toda a Europa, mesmo em tempos de escassez, de guerra ou de crise, "[...] aquele amor do luxo e profusão, que dava impulso ao comércio e navegação".[1]

A verdade é que desde os primeiros contatos entre o Oriente e o Ocidente, na época de Alexandre, o Grande, é que o Ocidente havia se acostumado com produtos orientais, como a pimenta, o açafrão, a canela, o cravo, a noz-moscada, o anis, o gengibre etc., que haviam melhorado em muito a minguada culinária ocidental. Isso tudo numa época em que a armazenagem dos alimentos era precária e a refrigeração algo ainda inimaginável. Era comum que os alimentos fossem consumidos deteriorados e até mesmo putrefatos em épocas de estiagem ou de frio prolongado. Desse modo, os temperos do Oriente foram fundamentais para a alimentação ocidental, como seria também mais tarde o açúcar.

Mas não eram apenas os produtos primários, artigos de luxo, como a seda da China, o marfim, porcelanas, perfumes, tapetes, tinturas, como o sangue de dragão, e também pedras preciosas, ouro, adereços, roupas etc., que faziam a alegria dos comerciantes e das cortes. As vastas operações mercantis dos árabes tinham enchido a Europa de ricos produtos do Oriente e abasteciam de luxuosos trajes as cortes mouriscas de Sevilha e Granada, que eram, ato contínuo, imitadas pelos príncipes católicos de Aragão e Castela e seu *entourage*.

Em 1453, o assalto a Constantinopla e consequentemente ao que havia de melhor em termos de rotas e entrepostos comerciais, elevará os preços às alturas e o lucro dos comerciantes ocidentais vai entrar em ritmo cada vez mais decrescente. O cenário não poderia ser mais catastrófico, pois o pedágio imposto pelos otomanos nas rotas terrestres recém-conquistadas, que ligavam os produtores da Ásia e da Índia aos comerciantes nos portos do Mediterrâneo, estava altíssimo, e com o tempo tornaria o comércio praticamente impraticável.

Era a roda da fortuna girando ferozmente seus dentes, pois a partir daquele momento o "tráfico" do mundo havia simplesmente "caído em mãos de novos possuidores. O vasto domínio adquirido pelos sectários de Maomé dera-lhes a supremacia de um comércio gigantesco".[2] Era certo que as hostilidades entre o Oriente e o Ocidente se tornariam do dia para a noite mais implacáveis, de modo que "a falta destes objetos de luxo começava a fazer-se sentir, para os quais, pelo menos os que eram ricos, o uso desses artigos se tinha convertido em necessidade".[3]

Diante da repentina ruptura, duas frentes de reação surgiram concomitantemente. A primeira delas era o enfrentamento. O papa Calisto III chegou a propor uma aliança no Ocidente para realizar uma grande cruzada contra os turcos. Mas, já naquele momento, as duas únicas nações que apoiavam incondicionalmente o catolicismo eram Portugal e Espanha, justo aqueles que tinham quase nada a perder com o revés no comércio do Mediterrâneo. Num segundo momento, a própria Igreja notou o erro estratégico que seria a cruzada, e a iniciativa minguou. A segunda frente era a busca de alternativas comerciais para abastecer a vasta demanda. Tratava-se de arrumar, urgentemente, outra forma de acessar as Índias e os seus produtos, e é nesse ponto que Portugal tinha um ás na manga.

A queda da cidade de Constantinopla inverterá uma lógica secular: se até aquele momento os países que participavam do comércio no Mediterrâneo, de forma secundária, buscavam *know-how* na navegação e no comércio, agora os velhos e experimentados mercadores das rotas do Mediterrâneo é que passarão a buscar o *know-how* de países que navegavam e comercializavam pelo Atlântico.

Essa inversão vai fazer com que cada vez mais, a partir de 1453, o temido oceano Atlântico fosse submetido a verdadeiras varreduras. Um lugar, antes pouco conhecido e até mesmo inóspito, tornar-se-ia o palco principal onde se desenvolveria o enredo de todas as principais cenas de uma verdadeira epopeia. Na esteira, portanto, de se encontrar uma nova forma de se acessar as Índias, passando ao largo do Mediterrâneo e das rotas terrestres, os olhos de todos se voltaram inevitavelmente para o Atlântico. É aqui que a América e o Brasil entram na rota do desenvolvimento e da expansão do mundo moderno.

Portugal, que havia deixado a imensidão do Atlântico em *stand by*, vai ganhar a inesperada e abrupta concorrência sobre uma infinidade de navegadores e aventureiros. A Escola de Cartografia de Dieppe foi, por exemplo, uma das primeiras a aceitar o desafio dos reis para tentar encontrar soluções. Foram necessários quase trinta anos para que elas surgissem. Inglaterra, Holanda e Espanha entrariam apenas mais tarde no negócio das grandes navegações. Jean Cousin se lançou ao mar, o ano era o de 1488, e consta que ele teria se deixado levar ao sabor do vento e teria chegado à costa da África, ao futuro cabo da Boa Esperança – navegando a oeste, teria chegado às futuras Américas do Sul e Central.[4] No entanto, o fato de não ter encontrado o caminho para as Índias e nenhuma civilização que tivesse no comércio sua principal atividade fizeram com que as descobertas de Cousin despertassem pouco interesse.

Um fato bem significativo e que dá credibilidade à longa navegação de Cousin é que o seu imediato, o seu prático nessas viagens, era ninguém mais, ninguém menos que Vicente Yáñez Pinzón. Não terá sido, portanto, por mero acaso ou coincidência que Colombo, quando reuniu e selecionou os homens para montar sua expedição em direção oeste do oceano Atlântico, em 1492, ordenou como comandante em chefe da caravela *Niña* o experiente Pinzón, como veremos.

Com a morte de d. Afonso V, em 1481, seu filho, d. João II assume o trono de Portugal. Com d. João II, o sonho do caminho das Índias reaparece novamente como projeto de Estado. Internamente, o rei toma algumas providências para viabilizar seus projetos. Primeiro levanta-se contra a aristocracia, procurando anulá-la e, num segundo momento, associa-se a comerciantes, banqueiros e financistas com o intuito de retomar o sonho do tio d. Pedro – de quem vai procurar a todo custo vingar a morte – e, é claro, realizar também o sonho do tio d. Henrique.

A MAÇÃ DA TERRA

Por volta de 1440, anos antes da queda de Constantinopla, um homem contava pelos quatro cantos de Florença curiosas histórias sobre o Oriente – chamava-se Niccolò di Conti. Desejava, com certa urgência, conversar com o papa. Queria pedir perdão, pois durante os mais de vinte anos que havia permanecido em viagens pelas terras dos muçulmanos, por questão de sobrevivência, havia se convertido ao islamismo.

O papa Eugênio IV condicionou o perdão ao relato pormenorizado que o desconhecido devia fazer sobre tudo que tinha visto e ouvido em suas viagens. Inicialmente, o papa encarregou o experiente historiador Poggio Bracciolini para sondar a veracidade do discurso de Niccolò di Conti. O que contava era muito parecido com o que narrava o antigo livro *Pratica della Mercatura: Libro di divisamenti di paesi e di misuri di mercatanzie e daltre cose bisognevoli di sapere a mercatanti*, muito conhecido na Europa, escrito pelo banqueiro florentino Francesco Balducci Pegolotti, que era, na medida do possível, um guia do comércio entre o Mediterrâneo, o norte da África, a Ásia e a Índia. Por via das dúvidas, Poggio achou por bem avisar Paolo Toscanelli, o famoso cientista, matemático, astrônomo, cosmógrafo e geógrafo da corte dos Médicis. Qualquer informação sobre o comércio no Oriente interessava aos Médicis, pois era uma época de intensa disputa, inclusive entre as próprias cidades italianas, como o caso de Veneza e Gênova, que chegaram a travar combates no mar Mediterrâneo por causa do porto de Caffa.

Toscanelli havia se tornado famoso por reunir o conhecimento de Ptolomeu, das narrativas de Marco Polo e de relatos que pessoalmente havia recolhido dos comerciantes e navegantes italianos que frequentavam o Oriente. Ouviu de Conti que ele tinha passado vinte e cinco anos viajando pelas principais rotas orientais com os mais experimentados navegadores do Oriente e estava disposto a passar todo o conhecimento acumulado sobre técnicas de navegação, cartas de marear, instrumentos etc.

Era uma oportunidade raríssima, pois pela primeira vez alguém que havia penetrado no obscuro mundo oriental voltava pessoalmente à Itália com informações preciosas. Até então, a única descrição crível que se tinha era a de Marco Polo. Desse modo, reunindo e conectando todos esses conhecimentos, Toscanelli tornou-se um dos homens mais sábios da Europa no tocante às questões voltadas para a navegação por regiões pouco conhecidas e sobre a geografia do mundo.[1]

Quando Toscanelli e os Médicis perceberam que havia algo de diferente naquele relato, optaram por levar o caso até os portugueses que já estavam avançados em matéria de navegação. A queda de Constantinopla também, alguns anos depois do depoimento de Conti, elevou a importância desse relato que, num primeiro momento, poderia ter até passado despercebido. A necessidade de uma nova rota reavivou o interesse por outras rotas, e nesse cenário Portugal era protagonista.

Pode-se dizer que a Igreja tratou a questão de Conti como sempre tratava essas questões mundanas, ou seja, com os seus já tradicionais dois pesos e duas medidas. Como era do interesse dos ricos, tudo bem o desenvolvimento do conhecimento. Já para os pobres mortais que ousassem contestar as verdades da Igreja restava a danação eterna. Entre tantos outros, podemos citar os casos de Giordano Bruno e o de Domenico Scandella, conhecido como Menocchio,[2] os quais foram acusados de heresia e queimados na fogueira em 1600 e 1599, respectivamente.

Quando a notícia chegou a Portugal, deve ter entusiasmado mais o infante d. Henrique, que morreria em 1460, que d. Afonso V. Certamente foi por iniciativa e ordem de d. Henrique que d. Afonso V requereu informações pormenorizadas e encomendou inclusive um mapa, se possível, do Oriente.

Quando soube da disposição de Portugal para retomar as navegações e o projeto de encontrar a rota para o Oriente, Toscanelli escreveu uma carta para o rei de Portugal propondo um projeto de navegação diferente daquele iniciado por d. Henrique. Em vez de seguir bordejando o continente africano, Toscanelli defendia que navegando em direção ao poente poder-se-ia chegar ao Oriente. A tese foi enviada de Florença no dia 25 de junho de 1474, tendo como destinatário Fernando Martins, cônego da Sé de Lisboa. Nela Toscanelli dizia, em determinada parte: "[...] Diz-me que quer agora Sua Alteza de mim alguma declaração e demonstração que se pode tomar o dito caminho. E ainda que eu pudesse mostrar em forma de esfera, como é o mundo, determinei que seria mais fácil e mais inteligente mostrar o dito caminho por meio de uma carta semelhante àquelas que se fazem para navegar e assim a envio para S.M. feita e desenhada por minhas próprias mãos na qual está pintado todo o fim do poente tomando desde a Irlanda até o fim da Guiné, com todas as ilhas que existem nesse caminho em frente das quais, direto ao poente está desenhado o começo das Índias com as ilhas os lugares onde podeis desviar para a linha equinocial e por quanto espaço tem para saber quantas léguas podeis chegar a aqueles lugares fertilíssimos e de toda maneira de especiaria e joias e pedras preciosas a maravilha que eu chamo poente onde nascem as especiarias. [...] Esta pátria é populosíssima e nela existem várias províncias e muitos reinos e cidades que vivem sob o senhorio de um príncipe chamado Grande Cão, que vive na província de Cataio. [...] Nesta há muitas coisas, ouro, prata, pedras preciosas e todas as espécies de especiarias em grande quantidade, das quais nunca se traz a essas nossas partes e é verdade que os homens sábios e doutos, filósofos e astrólogos e outros grandes sábios, em todas as artes e engenhos governam a magnífica província e ordenam as batalhas. [...] Assim fico à disposição para oferecer e servir a Sua Alteza imediatamente quando quiser. Cidade de Florência, 25 de junho de 1474."[3]

Junto com a carta, seguiu o mapa-múndi que havia sido encomendado por Afonso V e cuja produção ficou aos cuidados de Fra Mauro e Andrea Bianco, que o finalizaram entre os anos de 1457 e 1459 no Mosteiro de São Miguel de Murano. O mapa teria sido baseado nos relatos de Marco Polo e de Niccolò di Conti. Andrea Bianco havia desenvolvido também um atlas, o *Atlas de Andrea Bianco*, que constava de diversos mapas, a saber: mapa das costas do mar Negro; mapa das costas orientais do mar Mediterrâneo; mapa das costas da parte central do mar Mediterrâneo; mapa das costas da Espanha, de Portugal, da África do Norte e das ilhas do oceano Atlântico (Açores, Madeira, Cabo Verde e duas ilhas chamadas Antillia e Satanaxio, situadas a oeste dos Açores); mapa das costas do norte da Espanha, da França, de Flandres e das Ilhas Britânicas; mapa das costas do mar Báltico, da Dinamarca e da Escandinávia; mapa integrando, numa escala menor, o conjunto de mapas com as costas da Europa e da África do Norte; mapa circular do mundo com vinte e cinco centímetros de circunferência; e, por fim, um mapa do mundo ptolemaico com a projeção cônica de Ptolomeu.

Como se pode ver, não era um material qualquer, pelo contrário, tratava-se de um compêndio sofisticado e completíssimo sobre tudo o que se sabia a respeito do mundo e de sua geografia até aquele momento. Ambas as produções estão expostas ao público. Quem chega a Veneza sempre faz o passeio turístico a Murano para visitar a famosa produção de vidros. Nessa localidade, no Mosteiro de São Miguel de Murano, está exposto o mapa de Fra Mauro. Há um detalhe misterioso no mapa de Fra Mauro que naquele momento passou despercebido, mas que em 1500 faria todo sentido, um território chamado Berzil.[4] O *Atlas de Andrea Bianco* atualmente se encontra na British Library.

D. João II não se deixa seduzir pelos relatos de Toscanelli e, em 1484, o rei de Portugal envia Diogo Cão para retomar as viagens pela costa ocidental da África para além da Mina, a costa do ouro. Numa dessas viagens, embarcou para efetuar estudos de campo Martin Behain. Certamente havia ordenado a ele que observasse minuciosamente a geografia, a posição dos astros, estrelas etc., para tentar estabelecer da forma mais minuciosa possível uma carta de marear. Todo o conhecimento acumulado seria fundamental para projetar, anos mais tarde, as viagens posteriores de Bartolomeu Dias e Vasco da Gama, como veremos. Entre 1493 e 1494, de volta a Nuremberg, sua cidade natal, Behain desenvolveu o primeiro globo terrestre de que se tem notícia na história da humanidade. Nesse projeto, foi auxiliado pelo artista Georg Glockendon. O globo, resultante da parceria, foi batizado de Erdapfel (maçã da terra) e nos dias de hoje pode ser visto no Germanisches Nationalmuseum de Nuremberg. Era, certamente, o recomeço do périplo português no Atlântico Sul.

DE D. JOÃO II A MAQUIAVEL

D. João II foi nomeado pelo pai, d. Afonso V, comandante da marinha portuguesa, o mesmo cargo que fora do tio, o infante d. Henrique. Não era qualquer coisa, depositava nos seus ombros uma tradição enorme de navegadores e conquistadores portugueses.

Talvez não seja por acaso que d. João II tenha se fixado de forma tão obstinada na ideia de retomar, a qualquer custo, o plano original dos tios. Desse modo, d. João II não leva em consideração a proposta de Toscanelli de navegar no sentido oeste pelo Atlântico, o que vai fazer com que Toscanelli envie a mesma carta para outro personagem importante da história. Esse outro personagem, no entanto, se entusiasmará de tal modo com a tese de Toscanelli que fará dela o seu projeto de vida. Esse personagem chama-se Cristóvão Colombo.

Deslumbrado com a aventura que a ele se apresentava, por diversas vezes Colombo tentou convencer d. João II de que a tese de Toscanelli era verossímil, porém, sempre sem sucesso. Estava certo de que para convencê-lo seria preciso muito mais que argumentos, era preciso que se apresentassem fatos. Certo dia, em visita a parentes, na ilha da Madeira, caminhando pela orla da praia, ele encontra algo que, embora corriqueiro na ilha, lhe poderia ser muito útil no processo de convencimento do rei de Portugal em encampar e financiar seu projeto.

Frequentemente chegavam até as praias da ilha de Porto Santo, cujo donatário era Bartolomeu Perestrelo, pai de Filipa Moniz e sogro, portanto, de Colombo, restos de animais marinhos mortos, algas, plantas aquáticas, madeiras entalhadas e toda sorte de escombros trazidos pela maré, até mesmo cadáveres, provavelmente de piratas. Um desses escombros, no entanto, chamou a atenção de Colombo por ser completamente desconhecido na região: tratava-se de um bambu que, segundo se levantaria na literatura da época, era nativo do Oriente. Impossível, a princípio, ter chegado até ali. Salvo, no entanto, se navegando pelo oceano Atlântico, como afirmava Toscanelli, na direção oeste, fosse realmente possível chegar às Índias. Para um aventureiro nato como Colombo, essa possibilidade era nitroglicerina pura.

Ainda em 1481, no primeiro ano em que d. João II assumiu o trono, Colombo lhe remete uma carta na qual dizia: "[...] falando com homens do mar, pessoas diversas que navegavam nos mares ocidentais, sobretudo nas ilhas de Açores e Madeira, entre outras coisas, lhe disse um piloto do rei de Portugal, chamado Martín Vicente, que estando certa feita a quatrocentos e cinquenta léguas do poente o cabo de São Vicente, viu e recolheu no navio, em alto-mar, um pedaço de madeira lavrado com engenho e, ao que parecia, não com ferro; o que o fez imaginar, por terem estado ventando havia muitos dias ventos poentes, que aquele pedaço de pau vinha de alguma ilha ou ilhas que haveria ao poente."[1] Um personagem de nome Pero Correia, que era casado com a irmã da esposa de Cristóvão Colombo, havia garantido a Colombo outros detalhes. E Colombo os adicionou na argumentação da carta que remeteu ao rei: "[...] na ilha de Puerto Santo tinha visto outra madeira chegada até lá com os ventos e lavrada da mesma maneira e que também [tinha] visto varas tão grossas que em seu interior caberiam três medidas de água ou de vinho [...] que as tais varas de algumas ilhas ou ilha não muito distante, ou trazidas das Índias com o ímpeto do vento e do mar, pois em todas as nossas partes da Europa não as havia, ou não se sabia que as houvesse daquela maneira. Essa convicção se reforçava pelo que havia dito Ptolomeu, no livro 1, cap. 17, de sua *Cosmografia*, sobre haver nas Índias tais varas."[2]

As investidas de Colombo foram todas infrutíferas, embora seu projeto tivesse o consentimento e o beneplácito advindos da maior autoridade intelectual da época: Toscanelli. Mas o verdadeiro e irredutível desejo de d. João II, a sua obsessão, na verdade, era retomar o projeto do seu tio d. Henrique. Então, d. João II se aproximou de outros sábios.

Nesse contexto, partiu para Lisboa, assim que d. João II retomou a ideia das navegações, o cosmógrafo e astrônomo Martin Behain, que foi contratado para integrar a equipe liderada por Abraão Zacuto. Os cosmógrafos contratados por Zacuto a mando de d. João II – numa tentativa de reedição da Escola de Sagres de d. Henrique – tinham como objetivo principal levar a cabo pesquisas que melhorassem os instrumentos de navegação já existentes, o astrolábio, por exemplo, e que desenvolvessem novas tecnologias de navegação e localização espacial e náutica.

Sem perder tempo – só o suficiente para destituir Fernão Gomes do arrendamento dos negócios de Portugal na costa da África –, d. João II organizou uma expedição com onze navios e mais de seiscentos homens para construir uma feitoria na região da Mina, que depois ficaria conhecida como castelo de São Jorge da Mina e, por fim, Fortaleza de São Jorge da Mina. O capitão-mor da empreitada foi Diogo de Azambuja, e, depois de estabelecida, as minas renderam para Portugal trezentos e dez quilos de ouro por ano.

A imensa riqueza auferida por Portugal na região da Mina foi fundamental para o projeto de expansão marítima, e fez com que Portugal desistisse de uma luta dinástica com a Espanha que vinha se arrastando havia anos. A morte do rei de Castela, Henrique IV, em 1574, havia alçado sua filha Joana de Trastâmara ao trono, e como ela era casada com Afonso V de Portugal, pai de d. João II, isso significava a união das Coroas. Uma *fake news* surgida de última hora, a qual se alastrou convenientemente pelo reino, dava conta de que Joana não era filha legítima do rei, de modo que sua irmã Isabel reivindicou o trono de Castela. Essa guerra de sucessão se estenderia com batalhas campais e navais até 1579, quando, certamente por influência de d. João II, se assina o Tratado de Alcáçovas-Toledo, pondo fim à guerra.

Com o tratado, ficou acertado, primeiramente, que o rei Afonso V de Portugal renunciaria ao trono de Castela; em segundo, que a repartição dos territórios descobertos, e a descobrir, na costa ocidental da África ficaria da seguinte forma: Portugal manteria a posse da Guiné, do arquipélago da Madeira, do arquipélago dos Açores, do Cabo Verde, de todo o espaço marítimo e territorial do Atlântico Sul e, é claro, da costa da Mina. Castela aceitou ficar, além do reino só para si, também com as ilhas Canárias. Esse excelente negócio certamente foi todo arquitetado e tramado pelo astucioso d. João II, que abriu mão de um pequeno reino secundário, Castela, e se tornou senhor de um império. Nada mal para um imberbe jovem de vinte e quatro anos.

Com a ascensão de d. João II ao poder retoma-se, de forma agressiva, como se pode ver, o projeto das grandes navegações que havia sido praticamente interrompido no reinado de d. Afonso V. A notícia da retomada do projeto da Escola de Sagres corre a Europa e muitos navegadores, cosmógrafos, geógrafos e sábios afluem novamente para Lisboa.

A sanha de d. João II em seguir com as conquistas pelo continente africano e em buscar um caminho para o Oriente faz com que ele tome duas atitudes drásticas e que no fundo estão conectadas. A primeira delas é, de um lado, a conexão imediata com os proprietários das grandes empresas comerciais, sobretudo aquelas que já atuavam desde o início na produção de açúcar no arquipélago da Madeira e na captura e venda de escravos africanos; e, de outro lado, a ligação com os bancos e empresas que financiavam as grandes e custosas viagens – todas elas de propriedade de judeus. A segunda é a animosidade com a nobreza, com a aristocracia, que já era inimiga dos comerciantes e passou a ser inimiga mortal de d. João II.

A conspiração contra d. João II, por parte dessa nobreza, não tardaria. Pragmático, o rei tratou logo de cortar o mal pela raiz e tomou duas providências. A primeira delas foi contra o mais poderoso aristocrata português, d. Fernando II, duque de Bragança, que foi decapitado em praça pública a mando do rei e teve seus bens confiscados. A segunda delas foi chamar para uma reunião no palácio o duque de Viseu e, antes que ele pudesse argumentar, assassiná-lo pessoalmente a punhaladas.

Quanto aos outros traidores, alguns haviam se refugiado em Castela, foram caçados um a um pelo fiel e leal escudeiro do rei d. João II, Pero da Covilhã. Não há notícias sobre como havia agido, mas provavelmente teria matado todos com as próprias mãos. Dois deles – o marquês de Montemor e o conde de Faro – morreram envenenados, conforme o costume da época.

Segundo consta, "Pero da Covilhã tinha uma excelente memória, capacidade e facilidade de aprender idiomas, apurada arte de criar disfarces e assumir diferentes identidades e maestria no manejo de todas as armas da época".[3]

Essas notícias e essas histórias se propagaram. Em Portugal, serviram para amedrontar a aristocracia, que arrefeceu as críticas e resignou-se. Nos países vizinhos, serviram para fazer a fama de mau do rei d. João II. Mais tarde, nas primeiras décadas do século XVI, de tanto ouvir histórias de reis que faziam de tudo para atingir seus objetivos, até mesmo sujar as próprias mãos de sangue, elas serviriam de modelo para um jovem pensador escrever sua obra-prima. Nela, ele introduziu uma ruptura decisiva na prática comum da época que era a divisão do poder entre a Igreja e o rei. Para ele, o poder central e soberano pertenceria exclusivamente ao rei, que não deveria compartilhá-lo com absolutamente ninguém. O poder, portanto, requer a onipotência e não admite fraquezas. Ele morava em Florença, tinha 20 e poucos anos, se chamava Nicolau Bernardo Maquiavel e seu texto, inspirado, entre outras, nas histórias de d. João II, viria a se chamar *O Príncipe*. Nada mais, nada menos que o livro fundador da filosofia política moderna.

O CAMINHO PARA AS ÍNDIAS: ESPIONAGEM COMERCIAL NO SÉCULO XV

Resolvidos os problemas internos, o caminho para as grandes façanhas dos descobrimentos estava pavimentado. Certamente àquela altura não havia mais dúvidas sobre o caminho para as Índias pelo Atlântico Sul, e foi essa certeza que fez d. João II articular o Tratado das Alcáçovas. Era preciso, no entanto, apenas descobrir atalhos preciosos, e para isso d. João II espalha por Europa, Ásia e África a sua rede de informantes e espiões. O objetivo era, num primeiro momento, recolher toda e qualquer informação privilegiada sobre astronomia, geografia, instrumentos náuticos e, sobretudo, rotas comerciais e seus detalhes, portos, correntes marítimas, monções.

O segundo objetivo da expedição era secreto. O maior desafio era manter essas informações muito bem escondidas, cifradas e criptografadas. No século XV, para fugir da perseguição religiosa, ou para manter determinada informação ou conhecimento em segredo, seja ele científico, seja ele militar, era comum o uso de códigos e cifras. Muitos alquimistas, filósofos, artistas, membros de confrarias, priorados, exércitos escreveram suas obras e comunicados por meio do uso de um vocabulário cifrado para preservar seu conteúdo da perseguição dos censores e dos inimigos. Dois famosos alquimistas que cifraram muitos dos seus escritos foram Nicolas Flamel, a sua obra intitulada *Testamento de Nicolas Flamel* foi escrita num alfabeto codificado e criptografado e Paracelso, físico, astrólogo, alquimista que fez importantes pesquisas nos campos da química e escreveu parte dos seus trabalhos num alfabeto próprio, conhecido como *Alfabeto dos reis magos*. O manuscrito *Voynich*, um livro do século XV, contemporâneo do período das grandes descobertas marítimas e das perseguições religiosas, foi escrito numa língua que se utiliza de letras, números, símbolos e figuras justamente para se tornar ininteligível. Para decifrá-lo existe certamente outro livro ou um manual que descodifica o livro e que sempre era, obviamente, guardado em lugar distinto. Ainda hoje o livro permanece indecifrado e está guardado na Universidade de Yale, nos Estados Unidos. Esse expediente era muito comum num momento tão decisivo da história da humanidade e, é claro, com tanta riqueza e poder envolvidos.

Os mais importantes espiões de d. João II foram Pero da Covilhã e Afonso de Paiva, que durante suas incursões e viagens por terra e mar pela Europa, África, Ásia, Índia, China e Golfo Pérsico, numa espécie de reedição da expedição do infante d. Pedro, tinham como objetivo levantar e enviar notícias preciosas sobre o caminho das Índias. Num momento decisivo como aquele, era preciso tirar a limpo tudo o que se sabia apenas por meio de livros e relatos de viajantes. Antes de iniciar uma epopeia de proporções nunca antes empreendida, e que poderia resultar, ou não, num grande ganho para Portugal, era preciso, ao menos, sondar bem o terreno e era imprescindível confirmar, *in loco*, se as Índias eram realmente tudo aquilo que diziam ser. Esse pacote de informações era, na verdade, o que faltava para dar um *start* no projeto secreto de d. João II.

Em 1487, aos trinta e dois anos, d. João II resolve partir para a ação direta, bem no estilo de seu tio, o infante d. Henrique, e convoca Pero da Covilhã para uma missão. Diante dele, o rei é enfático, quando diz em segredo que "[...] esperava um grande serviço dele porque sempre o achara bom e leal servidor e ditoso em seus feitos e serviços. O serviço era que ele e outro companheiro que se chamava Afonso de Paiva haveriam ambos de ir descobrir e saber onde acha a canela e outras especiarias que daquelas partes ia a Veneza por terras de mouros".[1]

Para a missão, Pero da Covilhã e Afonso de Paiva passaram por uma espécie de treinamento para a projetada viagem de espionagem. Tratava-se de encontros secretos com os maiores astrônomos e geógrafos do reino: os lendários José Vizinho, Moisés, Rodrigo das Pedras Negras, o físico oficial da corte de d. João II, e d. Diego Ortiz Vilhegas, reconhecido professor de astronomia da Universidade de Salamanca.

Um dos principais mapas consultados foi, claro, o de Fra Mauro, as informações de Niccolò di Conti e o *Atlas de Andrea Bianco*, que só circulavam no alto escalão português, uma espécie de sociedade secreta. Entre esses documentos, havia aqueles que haviam sido descriptografados, uns comprados e outros até mesmo roubados durante a tomada de Ceuta e durante as incursões pela região da Andaluzia – a região mais culta da Europa no século XV –, onde árabes e judeus cultivavam vastas bibliotecas como a de Córdoba, capital do califado do Ocidente, que contava com cerca de 400 mil exemplares.

Antes de Pero e Afonso partirem de Lisboa, em 1487, a última etapa dos preparativos foi uma visita ao banqueiro Bartolomeu Marchionni, mercador de Florença e agente dos banqueiros florentinos em Lisboa, para resolver a questão das cartas de crédito dadas a eles por d. João II. Na Europa já funcionava, na época, um grande sistema de bancos que surgira ainda com os templários para conter os saques aos viajantes, pois era comum nas transações comerciais a demanda de transporte de um grande volume de dinheiro, que era alvo de salteadores. Para evitar o transporte de valores em espécie, o comerciante depositava o dinheiro em sua cidade de origem, levava consigo uma carta de crédito e trocava na cidade de destino essa carta pelo dinheiro que havia depositado na cidade de origem, claro, mediante o pagamento de uma taxa, que era o lucro dos bancos. Mas o limite desse serviço eram os portos do Mediterrâneo. No Oriente, só com dinheiro vivo, o que tornava perigosa a jornada de Pero da Covilhã e Afonso de Paiva e de qualquer um que ostentasse, nos movimentados portos das Índias, uma bolsa repleta de moedas e ouro.

Foi esse Bartolomeu Marchionni que, além de articular essa logística de troca de dinheiro, ao menos nos trechos europeus, entrou também como sócio da empreitada, ajudando a financiá-la como gerente de um consórcio de comerciantes e banqueiros florentinos. O interesse dos banqueiros na empreitada de d. João II era óbvia: não perder o monopólio no trato das especiarias do Oriente.

É assim que se iniciará a incrível viagem de Pero da Covilhã por reinos pouquíssimo visitados por europeus e que pode ser considerada uma das mais impressionantes epopeias que envolvem a expansão marítima portuguesa. Tão ou até mais grandiosa que as viagens de Bartolomeu Dias e de Vasco da Gama, que, diga-se de passagem, são caudatárias diretas da expedição de Pero da Covilhã. Sem essa primeira, as duas posteriores talvez nem tivessem se dado da forma que ocorreram.

Da viagem sabe-se apenas, pelo registro dos cronistas e de acordo com eles, que a primeira parada foi em Nápoles, onde tiveram um encontro secreto relativo ao segundo objetivo da viagem. Em seguida, passaram à ilha de Rodes, importantíssima cidade na Grécia que sempre foi peça-chave no comércio do Mediterrâneo, pois estava cravada numa espécie de cruzamento entre as principais rotas marítimas que abrangiam três continentes. Nessa cidade foi construído, na Antiguidade, uma das sete maravilhas do mundo, o Colosso de Rodes, destruído num terremoto. Nesse importante porto, os espiões se encontraram com dois religiosos portugueses, frei Gonçalo e frei Fernando, que os auxiliaram com dicas no trato com o Oriente. Ali, ambos os espiões assumiram características árabes, deixando a barba crescer e se inteirando dos macetes dos comerciantes mouros. Todo cuidado era pouco, pois estava terminantemente proibido aos cristãos negociar nos mares e portos do Oriente. Na hora de fazer negócios, portanto, ser mouro era conveniente. Dias depois, encerrados os preparativos, embarcaram para Alexandria, o ponto de contato entre o Ocidente e o Oriente.

Nas andanças pelo Oriente, na sua missão secreta, disfarçado de mercador, Pero da Covilhã chega ao Cairo e lá encontra comerciantes persas, árabes, turcos, venezianos, gregos e magrebinos de Fez com quem vai por terra a Áden, principal porto do oceano Índico, Cananor, Calecute, Goa e Ormuz. O grande mérito de Covilhã, e motivo pelo qual ele foi escolhido para essa importante tarefa, era o seu domínio da língua árabe. D. João II já havia anteriormente designado a Covilhã a espinhosa tarefa de ir ao Marrocos negociar o resgate da ossada de d. Fernando, morto na tentativa frustrada de invadir a cidade de Tânger. Tarefa que ele havia realizado com êxito.

A demanda mais importante no momento era levantar o potencial econômico, comercial e bélico das principais cidades e dos portos – já que Portugal tinha intenção de atacá-los.

No porto de Calecute, Pero da Covilhã conseguiu, enfim, entrar em contato com tudo aquilo que tanto ansiava. Segundo seus relatos, "[...] havia juncos com porcelanas e sedas do reino do Cataio, zambucos do Ceilão com fardos de canela, rubis e safiras. Barcos de Malaca com noz-moscada, cravo das Molucas, cânfora-de-bornéu, laca de Pegu e aloés do Sião".[2] Calecute era, sem dúvida, o paraíso das mercadorias do Oriente.

A principal constatação de Covilhã foi a de que as especiarias chegavam a Portugal com preços exorbitantes. Se Portugal pudesse ter acesso direto aos portos, poderia auferir lucros igualmente exorbitantes. Obteve também informações preciosas sobre navegação: "[...] informou-se de algumas outras cousas, e veio numa nau em direção ao mar Roxo e subiu a Zeila, e com alguns mouros mercadores quis percorrer aqueles mares d'Etiópia que lhe foram mostrados em Lisboa na carta de marear, para que fizesse tudo para descobri-los; e tanto andou que chegou por fim ao lugar de

Sofala, onde soube pelos marinheiros e alguns árabes que toda a dita costa se podia navegar para o poente, sem se lhe saber o fim, onde havia uma ilha grandíssima e muito rica, que tinha mais de 900 milhas de costa, a qual chamavam da Lua."[3]

Covilhã foi ao porto de Sofala – navegando pela costa oriental da África – numa rota muito usada por comerciantes mouros até a Índia. Era essa rota que os astrônomos e cartógrafos de Lisboa insistiram para que ele confirmasse. De tanto burilar, descobriu com esses marinheiros que havia, sim, uma passagem ligando o oceano Índico ao Atlântico. Não era novidade, estava explícito nas mais diversas narrativas antigas – se para o Ocidente era uma novidade, no Oriente era algo amplamente conhecido. O intenso comércio que se tinha entre a costa oriental e ocidental da África se fazia por rotas terrestres. O comércio entre Ocidente e Oriente se dava inteiramente pelo Mediterrâneo. As antiquíssimas rotas marítimas pelo oceano Índico e pelo mar Vermelho, que ligavam a Ásia, a Índia, a África, eram de uma extensão quase inimaginável para os padrões de navegação da época e, no entanto, de uma frequência quase cotidiana. Entre Sofala, na África – uma das primeiras cidades conquistadas pelos portugueses e que era um importante centro de comércio –, e Malaca, uma outra importante colônia portuguesa na Malásia, havia uma distância de sete mil quilômetros. Entre Sofala e Goa, na Índia, cinco mil quilômetros, e entre Sofala e Ormuz, no Golfo Pérsico, quatro mil quilômetros. A distância entre Sofala e o cabo da Boa Esperança é de apenas mil e oitocentos quilômetros, ou seja, era impossível que a passagem entre os oceanos não fosse conhecida. A verdade é que, se não era utilizada, é por que não havia nenhum sentido comercial, mas para quem estava completamente alijado do comércio estabelecido, como era o caso de Portugal, uma possibilidade como essa de acessar o Oriente era o Santo Graal, a arca da aliança. Por essa informação matava-se e morria e sobretudo ganhava-se muito dinheiro. Qualquer mercador ou banqueiro florentino daria uma verdadeira fortuna para quem conseguisse a proeza de descobrir tal passagem.

Havia séculos essa navegação na costa oriental da África e da Índia era utilizada. Se esses marinheiros não haviam passado para o Atlântico era porque não tinham interesse algum. O comércio pelos mares do Oriente era o suficiente. As principais cidades ao longo dessa jornada eram Zeila, Melinde, Mombaça, Quíloa e a principal delas, Sofala. Havia entre essas cidades um intenso comércio de tudo quanto é tipo de mercadoria, entre elas o ouro e o marfim. Covilhã teve a certeza de que a tomada do porto de Sofala colocaria Portugal em contato direto com os principais fornecedores da Ásia e da África, sem intermediários. As informações colhidas por Covilhã, como se pode ver, eram preciosas.

Encerrada essa primeira parte da missão, era hora de partir para a segunda etapa da expedição, ou seja, estava na hora de concentrar esforços na demanda secreta de d. João II, que era encontrar o reino do Preste João.

O CAMINHO PARA AS ÍNDIAS: A DEMANDA SECRETA PELO REINO DO PRESTE JOÃO

Quando d. João II encomenda a Pero da Covilhã uma missão na costa oriental da África, no Oriente Médio e na Índia, em 1487, ele encomenda conjuntamente a Bartolomeu Dias uma missão pela costa ocidental da África. Ele já sabia, certamente, da possibilidade do caminho do cabo da Boa Esperança, restava apenas encontrar pontos de apoio para a investida final. Em dezembro de 1488, com a volta da exitosa expedição de Bartolomeu Dias, que confirmou a passagem pelo cabo da Boa Esperança, d. João II envia seus agentes atrás de Covilhã – achar alguém no caos do intenso comércio do Oriente era como achar uma agulha num palheiro, o que reforça a ideia de que eles mantinham comunicação frequente – para que ele mude de planos e continue sua missão, mas agora com outra demanda.

No ano de 1490, três anos, portanto, após o início da missão, Covilhã planejava seu retorno para Portugal e Paiva havia morrido no Egito. Mas quando já estava no Cairo, pronto para embarcar, Covilhã encontra, no porto, dois enviados de d. João II, Rabi Abraão de Beja e Josef de Lamego. Quando achava que a missão estava encerrada, recebe outra demanda. O rei queria que Covilhã desse um passo fundamental e decisivo para a expansão portuguesa: encontrar, caso ainda não tivesse encontrado, o lendário reino do Preste João e estabelecer com ele conexões tais que permitissem a Portugal contar com um forte aliado na empreitada que estava por vir. Para isso, enviou uma carta a ser entregue ao Preste João, na qual pedia ajuda militar contra os muçulmanos, na tentativa de estabelecer uma aliança poderosa entre o Ocidente cristão e o reino do Preste João, no sentido de acabar com a supremacia muçulmana na África e, no longo prazo, em todo o Oriente Médio, para dominar, assim, é claro, todo o comércio. Como o terreno era desconhecido, um aliado seria estrategicamente indispensável.

Esse encontro entre os espiões foi documentado pelos cronistas da época. Segundo João de Barros, "[...] em as quais cartas el-rei encomendava muito a Pêro da Covilhã que se ainda não tinha achado o Preste João que não receasse o trabalho até se ver com ele, e lhe dar a sua carta e recado: e que em quanto a isto fosse, per aquele judeu Josepe lhe escrevesse tudo o que tinha visto e sabido, porque a este efeito somente o enviava a ele".[1]

Covilhã escreve, então, uma carta com as últimas notícias ao rei de Portugal e a envia por meio de Josef de Lamego, na qual anuncia que "[...] tinha descoberto a canela e pimenta na cidade de Calecute e que o cravo vinha de fora, mas que tudo ali haveria e que fora nas ditas cidades de Cananor, Calicute e Goa, todas na costa e que por isto se poderia bem navegar por costas e mares da Guiné vindo demandar a costa de Sofala".[2]

Dessa vez, em meio aos milhares de histórias, livros e mapas, com rotas e relatos, que a todo momento chegavam ao conhecimento de reis, homens de comércio e banqueiros, havia realmente algo de novo e promissor. Depois dos estragos imensos causados nas relações entre o Ocidente e o Oriente, entre cristãos e muçulmanos, pelas Cruzadas, perseguições e pela tomada de praticamente todo o norte da África e o leste da Europa, a existência de um reino cristão incrustado no meio de todo aquele mundo novo, repleto de oportunidades de negócio, era tudo que os reis católicos do Ocidente queriam ouvir, era música para os ouvidos dos comerciantes. O reino do Preste João seria um aliado importantíssimo, e é em busca desse aliado, desse elo que faltava no promissor plano de tomar as Índias, que d. João II vai concentrar suas forças.

Depois de vários contatos, Covilhã conseguiu então embarcar e seguir pelo mar Vermelho até Jidá, visitou Meca e Medina, de onde partiu para Zeila, e de lá penetrou no interior do continente africano rumo à Abissínia (Etiópia) em busca do reino do Preste João. Esse roteiro prova que Covilhã sabia exatamente onde estava localizado o reino do Preste João, já que havia estado em Zeila anteriormente. Ele descobrira ali que, no interior do continente, havia um reino cristão, só não havia empreendido a viagem até lá, o que faria somente agora, após novas determinações de d. João II. Mas quem era esse Preste João? Qual a dimensão do seu reino? E por que esse era o aspecto secreto da missão de Covilhã?

Desde os séculos iniciais que o cristianismo vivia imerso numa cisão que envolvia cristãos do Oriente e do Ocidente. A questão está relacionada aos chamados "diferendos cristológicos", ou seja, a discordância entre as condições divina e humana de Cristo que acabou por dividi-los em segmentos diversos. O império romano oprimia os cristãos coptas do Oriente, ou seja, a dissidência que, a partir do Concílio de Calcedônia, em 451, adotou o chamado monofisismo e se radicou no Egito. No século XV, por conveniência e interesse dos reis católicos, os franciscanos conseguiram converter parte da comunidade copta egípcia à fé católica e nos séculos seguintes avançaram também na conversão dos coptas da região da Abissínia. Essa comunidade só passou a se sentir relativamente protegida com a invasão do Egito pelos muçulmanos, quando o assédio católico sofreu um importante revés.

Desde a Idade Média, durante as Cruzadas, período em que se uniram cristãos do Ocidente e do Oriente, havia o conhecimento de um reino cristão na Abissínia. Como toda a vida do mundo oriental se concentrava no litoral devido ao comércio, qualquer reino localizado mais para o interior do continente ficaria certamente isolado e, portanto, pouco conhecido, daí o mistério que cercou o chamado reino do Preste João por séculos.

Quando os cristãos da Abissínia quiseram se livrar, em determinado momento, no concílio de 1477, da tutela da Igreja de Alexandria, à qual eram subordinados, criou-se aí uma oportunidade para a Igreja ocidental ter um importante aliado no Oriente.[3]

Os italianos – pelo monopólio que tinham no comércio no Mediterrâneo – saíram na frente em busca da parceria com o reino do Preste João. São vários os relatos de visitas de abissínios à Itália, e os contatos, que eram frequentes, se intensificaram muito após a queda de Constantinopla, em 1453, quando então se estreitou o interesse de parcerias para combater o avanço do império turco-otomano.

Já em 1456, uma delegação da Abissínia esteve em Roma e foi recebida pelo papa Calisto III, que enviou ao imperador etíope, Zara Yacob, uma carta na qual pedia ajuda militar contra os muçulmanos.[4] No ano de 1481, uma delegação de seis etíopes chegou a Roma, liderada por um importante eclesiástico e acompanhada por Giovanni Bocchi da Imola, um italiano a serviço do papa que vivia na Etiópia. Os etíopes foram recebidos em consistório secreto por Sisto IV e interrogados sobre a situação religiosa, militar e política de seu país.[5]

Em 1481, a cidade italiana de Otranto havia caído para os turcos-otomanos, que desde 1453, quando tomaram Constantinopla, haviam avançado sobre o norte da África e o leste da Europa. Com a invasão de Otranto, os muçulmanos nunca haviam chegado tão próximos de Roma, do centro do cristianismo ocidental – cerca de quinhentos quilômetros.[6]

A questão da Abissínia, do reino do Preste João, se torna, então, uma guerra comercial entre Portugal e Itália. Com a Itália enfraquecida, Portugal parte para o ataque e tenta estabelecer um contato inicial com o Preste João, para, dessa forma, firmar parceria e tomar conta do comércio no Oriente, o que de fato vai acontecer. Este é o objetivo da viagem de Pero da Covilhã.

Não era, portanto, como muitos creem, uma lenda a história do reino do Preste João, a conquista da Abissínia foi uma ação milimetricamente orquestrada. Já se conhecia a passagem pelo cabo da Boa Esperança, faltava mesmo o apoio do reino cristão, pois a viagem era muito longa.

Covilhã viveu na Abissínia entre o povo do Preste João durante 26 anos. Após enviar as importantes informações de que d. João II precisava, não quis voltar para Portugal. O padre Francisco Alvarez o encontrou muitos anos depois no reino do Preste João, quando em Portugal se julgava que estava morto. Era o ano de 1520, quando Portugal estabeleceu uma embaixada na Abissínia, e então Covilhã veio a saber da morte de d. João II e também das exitosas aventuras de descobrimento de Portugal pelo mar.

Disse-lhe então Covilhã: "Nos primeiros anos deste meu desterro – diz, com um suspiro, o antigo escudeiro de d. João II, parecendo despertar de um sonho –, perdida toda a esperança de sair daqui, sentia-me ainda mais descorçoado por não ter novas do reino. Um dia, porém, ouvi os mercadores mouros falarem de galeões que andavam às presas no estreito do Mar Vermelho, tendo atacado Mombaça e Quíloa, tomado Socotorá e incendiado Zeila. Rejubilei. Era a confirmação de que Bartolomeu Dias havia descoberto a passagem para o Índico e que os portugueses navegavam já pela costa oriental de África e pelo mar Roxo a dar santiago nos mouros."[7]

O CAMINHO PARA AS ÍNDIAS: QUEM PLANTA TÂMARAS NÃO COLHE TÂMARAS

Como se pode ver, era um jogo de xadrez. Essas viagens de Covilhã serviram também para comprovar as teses e os estudos de cosmógrafos portugueses, ou a serviço de Portugal, e o mais importante deles foi, sem dúvida, Abraham bar Samuel Abraham Zacut, ou simplesmente Abraão Zacuto, que, como vimos, esteve ao lado de d. João II desde o início de seu reinado. Zacuto era judeu sefardita, rabino, astrônomo, matemático e historiador. Foi pela vida toda professor da Universidade de Salamanca, onde teve como aluno o judeu nascido em Covilhã mestre José Vizinho, que se tornaria mais tarde médico da corte de d. João II. Havia anos o rei cortejava Zacuto, e, quando da expulsão dos judeus da Espanha em 1492, acolheu-o em Lisboa, onde pôde desfrutar melhor dos seus conhecimentos.

Sua obra principal é o *Almanach Perpetuum Celestium Motuum*. O livro foi fundamental para a expansão marítima portuguesa, pois traz uma série de tábuas astronômicas que abrangem os auspiciosos anos de 1497 a 1500, que utilizadas juntamente com o astrolábio, o qual ele havia aperfeiçoado muitíssimo, orientaram a navegação portuguesa pelo Atlântico e foram determinantes para encontrar o caminho das Índias e o Brasil. O livro, antes um verdadeiro código secreto que era mantido a sete chaves, pode ser consultado livremente hoje na Biblioteca Nacional de Portugal, em Lisboa.

Por meio dessas inúmeras informações, todas elas extremamente confidenciais e, é claro, muito bem criptografadas, enviadas a d. João II por seus espiões, é que foi se materializando a constatação de que era possível contornar o continente africano e se ter acesso às Índias e ao Oriente.

Essa intercomunicabilidade entre os oceanos Índico e Atlântico foi descoberta já em 1487 e era, como se pode imaginar, a informação mais preciosa que se poderia ter naquele momento. Era o fim de uma jornada que havia começado em Ceuta e passado por todas as etapas que vimos da intermitente, porém nunca abandonada, expansão comercial e marítima portuguesa. Foi, sem dúvida, uma epopeia, que contou com a dedicação do infante d. Pedro, com o sonho e poder de ação do infante d. Henrique, com a coragem dos infantes d. Fernando e d. Duarte no Marrocos e, é claro, com todos aqueles que de forma direta ou indireta haviam contribuído para aquele momento. Quando fundou a Escola de Sagres, d. Henrique jamais poderia imaginar que o seu sonho seria realizado por seu sobrinho, quase um século depois. Há, porém, um provérbio árabe que diz "quem planta tâmaras não colhe tâmaras", pois o tempo que leva do plantio ao crescimento é superior ao tempo de vida do ser humano. Desse modo, pode se dizer o caminho para o Oriente é a tamareira que d. Henrique e os outros plantaram, e que, se não tivesse sido plantada, não teria frutificado e glorificado d. João II.

Isso posto, era hora de partir para a ação direta, para a colheita.

Bartolomeu Dias partiu para sua viagem exploratória em 1488, um ano depois do início da viagem de exploração e espionagem de Pero de Covilhã. Esse não foi certamente um acaso, embora a história insista em creditar a descoberta do cabo da Boa Esperança, ou das Tormentas, a um ato fortuito, produto de uma tempestade que havia desorientado a tripulação e os conduzido – como num passe de mágica – justamente para onde eles queriam. Quanta sorte, não? A verdade é que a viagem de Bartolomeu Dias não foi um tiro no escuro, ele certamente já partiu munido de informações privilegiadas sobre a ligação entre o Atlântico e o Índico, sobre a possibilidade de ter acesso ao Oriente navegando pela costa ocidental da África, e para essa região navegou decididamente.

A viagem, elaborada em sigilo absoluto pelo rei d. João II, era uma viagem de reconhecimento, de verificação, de constatação. Quando Bartolomeu Dias aportou em Portugal, no fim do ano de 1488, é que se soube que o resultado não poderia ter sido mais promissor. As informações enviadas por Covilhã estavam exatas. O alto investimento aplicado na viagem havia sido, enfim, recompensado pela prospecção de Bartolomeu Dias.

Em 1488, oficialmente, portanto, Bartolomeu Dias dobrou o cabo da Boa Esperança e teria sido o primeiro a descobrir, para todos os efeitos, a ligação entre os oceanos Atlântico e Índico. Não custa nada perguntar: descobriu o caminho para o Oriente por meio da navegação pela costa ocidental da África e a passagem pelo cabo da Boa Esperança ou foi apenas o primeiro a constatar o caminho já longamente navegado do Atlântico Sul?

O primeiro grande navegador dessa segunda era de expansão portuguesa no Atlântico havia sido Diogo Cão, que avançara muito no ano de 1486 na navegação em direção ao sul da costa da África. No estuário do rio Zaire, encontra-se até os dias de hoje a chamada pedra de Ielala, que, além de ser o primeiro símbolo deixado pela conquista portuguesa para identificar sua posse, serviria de guia para as viagens seguintes. Seguindo as trilhas abertas pelo primeiro, vem Bartolomeu Dias, que, como vimos, encontrou a marcação de Diogo Cão e, na sequência de sua viagem, o cabo da Boa Esperança. Seguindo as trilhas abertas por Bartolomeu Dias, veio Vasco da Gama. Esse é o cara! É Vasco da Gama quem vai seguir, em 1497, o continente africano até o extremo sul e descobrir que era possível, por meio dessa rota, acessar o oceano Índico e, consequentemente, as tão cobiçadas Índias orientais.

Graças à façanha de Vasco da Gama, "Portugal entra agora em contato direto com a região das especiarias, do ouro e das pedras preciosas, conquistando, praticamente, o monopólio desses produtos na Europa [...] a abertura da rota marítima das Índias assume, assim, importância verdadeiramente revolucionária na época, e as suas consequências imediatas ultrapassam mesmo as do maior acontecimento da história moderna das navegações: o descobrimento da América por Cristóvão Colombo".[1]

Confirmado o caminho alternativo para se ter acesso às riquezas do Oriente, restava agora o trabalho em três grandes frentes. A primeira delas: estabelecer contato com o reinado do Preste João e firmar com ele uma parceria. Como vimos, essa foi a ordem enviada por d. João II a Covilhã no Cairo, ordem levada pelos informantes judeus, ou seja, descoberta a informação mais importante, a da existência da ligação entre os oceanos, o objetivo era partir em busca da parceria e do consórcio com o Preste João. Ter um parceiro cristão, que conhecia todos os tratos do Oriente, era fundamental para fincar os dentes nas veias abertas de um Oriente tomado por "infiéis" mouros.

A segunda frente: programar uma grande expedição de reconhecimento, que em sua longa duração teria como objetivo atracar no porto de Sofala, estabelecer contato com os fornecedores e iniciar, se possível, um trato comercial. Caso contrário, o plano B era atacar, saquear e feitorizar a região, seguindo o exemplo precedente do norte da África. Aliás, uma das principais características de d. João II era a de trabalhar questões de curta e longa duração, ou seja, em duas perspectivas de tempo. Os mercadores venezianos, genoveses e todo o comércio no mundo mediterrâneo trabalhavam na perspectiva do tempo imediato, o aqui e agora do comércio. Os portugueses, alijados do comércio no Mediterrâneo, historicamente trabalhavam com outra perspectiva de tempo: a longa duração, pois os seus projetos demandavam tempo. Nesse sentido, d. João II havia unido em sua personalidade dois aspectos distintos das personalidades de d. Henrique e de d. Afonso V, seu pai – projetos de longa duração do primeiro e projetos de curta duração do segundo. Com esse senso organizacional e estratégico, não por acaso havia chegado a resultados tão auspiciosos.

Em 1492, como veremos, Colombo descobre a América. Quando a notícia chega a Portugal, imediatamente d. João II pede a interferência do papa Alexandre VI para deixar determinado, por meio de uma bula, quais seriam os limites dos territórios descobertos, conquistados e os a descobrir e conquistar por Portugal e Espanha. Desse modo, a bula *Inter Coetera*, de 1493, traçava uma linha imaginária que passava 400 quilômetros a oeste do arquipélago de Cabo Verde. Tudo que ficava a oeste da ilha era da Espanha e a leste de Portugal. As primeiras informações da América indicavam que, se parecia num primeiro momento que o negócio era desanimador, no longo prazo poderia ser auspicioso. Informado por seu *entourage* de sábios e de espiões, d. João II pede uma revisão do tratado e, em 1494, é assinado o Tratado de Tordesilhas, que transferia a linha imaginária da divisão do Atlântico para uma distância certa de 1.700 quilômetros do arquipélago de Cabo Verde. Com essa mudança, d. João II estava assegurando para Portugal uma terra que ainda não havia sido oficialmente descoberta, mas que ele certamente sabia de sua existência – o Brasil.

D. João II sabia, portanto, do caminho por mar para as Índias, que seria conquistado, no entanto, pela armada de Vasco da Gama em 1497, após sua morte. Mas a pergunta que fica é a seguinte: por que d. João II não decidiu mandar, nos anos que ainda viveu, uma armada para comprovar sua "tese"? Há quem acredite ter havido entre a viagem de Bartolomeu Dias e a de Vasco da Gama armadas secretas. Ou para ele teria servido a sina do provérbio de que "quem planta tâmaras não colhe tâmaras"?

Em 1495, uma expedição comandada por Vasco da Gama zarparia de Portugal. Certamente entre a viagem de Bartolomeu Dias e a de Vasco da Gama, muitas outras expedições secretas haviam ocorrido a fim de ir marcando o território e abrindo a frente, tendo, inclusive, visitado terras brasileiras.

A terceira frente de trabalho: o de inteligência, ou seja, a posse de informações tão decisivas e importantes para os rumos do comércio mundial. O grande desafio de d. João II era manter sigilo sobre essas informações, sobre a fórmula mágica que descobrira. O *fiat lux*, o abre-te, sésamo. O principal objetivo: despistar a concorrência, sobretudo da Espanha, pois não era só ele que dispunha de espiões. E, se fosse possível, até mesmo induzindo-a a erro, com informações falsas, desencontradas, plantadas propositadamente no intuito de confundir. Certamente d. João II lançara mão desse artifício – a contraespionagem – para melhor guardar seu segredo valiosíssimo.

É aqui que entra uma questão que até hoje gera debates calorosos. Terá sido Cristóvão Colombo um desses agentes infiltrados na Espanha por d. João II justamente para confundi-los?

A LENDA NEGRA: A ESPANHA
NO CAMINHO DO PARAÍSO

Enquanto Portugal seguia incansavelmente o seu périplo, sua odisseia, a situação da Espanha era completamente diversa. Encontrava-se fragmentada em diversos reinos, embora fosse reconhecida pelo papa como proprietária das ilhas Canárias. No Atlântico, na costa ocidental da África, próximo à Madeira e aos Açores, não era, portanto, desprovida de sábios e hábeis navegadores – pelo contrário, a Espanha sempre foi um celeiro de ambos.

O fato é que a presença da Espanha no Atlântico Sul, perigosamente a meio caminho entre Portugal e a rota das Índias, incomodava os portugueses. Não por acaso, d. João II negociou com o papa a divisão do Atlântico entre Portugal e Espanha, articulando para que a Espanha ficasse com a parte oeste daquele vasto mundo que "a descobrir" não tinha nada; pelo contrário, já havia sido amplamente vasculhado pelos portugueses, inclusive o Brasil.

Portugal já havia tentado resolver esse contratempo – a Espanha como pedra no sapato – quando da sucessão do trono de Castela, em 1474. Como vimos, com a morte de Henrique IV, rei de Castela, se inicia uma luta pela sucessão ao trono que vai interessar diretamente

Portugal. A herdeira provável do trono era Joana, filha de Joana de Trastâmara, irmã de d. Afonso V e tia de d. João II, e como era contestada por ser filha ilegítima do rei, d. Afonso V lança mão de uma manobra ousada: casa-se com a sobrinha para tentar assegurar para si o trono de Castela. Dona Isabel, irmã do rei Henrique IV, passou a reivindicar para si o trono de Castela. Ela era casada, desde 1469, com Fernando de Aragão e, quando este assumiu o trono de Aragão, em 1479, deu-se a união do reino de Aragão com o de Castela.

Um dos maiores apoiadores de Isabel, para que ela assumisse o trono de Castela, foi frei Tomás de Torquemada, que se tornaria figura-chave na expansão comercial e marítima espanhola e, consequentemente, na descoberta da América em 1492. E que não por acaso, como veremos, receberia a alcunha de "a lenda negra".

Em 1469, Fernando de Aragão toma uma decisão drástica, contrariando até mesmo uma decisão do papa, e se casa com Isabel de Castela, sua prima, união que resultaria na fusão do reino de Aragão e de Castela. Essa união o tornou um rei um pouco mais poderoso e frustrou, em alguma medida, o desejo português de unificar os tronos e a necessidade de frear a expansão espanhola no Atlântico.

Na cabeça de Fernando, o próximo passo, no processo de unificação dos reinos da Espanha, seria a tomada de Granada. Já era, certamente, uma indicação de Torquemada – que havia se tornado o confessor real. Da mesma forma que o vedor da fazenda de d. João I de Portugal, como vimos, havia indicado ao rei a tomada de Ceuta. Os motivos eram óbvios: riqueza e poder.

A guerra travada pelos reis católicos contra os reinos islâmicos da Península Ibérica se iniciou logo após o casamento e a união dos reis de Aragão e Castela e teve alguns momentos decisivos. O primeiro deles, em 1482, com a tomada de algumas cidades e que, num processo contínuo, se estenderá até 1492, com a tomada do palácio e da Fortaleza de Alhambra, em Granada. Nota-se que a guerra se inicia pouco depois de instaurado por Torquemada, em 1478, o Tribunal do Santo Ofício da Inquisição na Espanha. Isso porque a instauração do Santo Ofício, do ponto de vista de

Torquemada, era fundamental para sustentar um dos pilares da guerra, que era a capitalização do reino, por meio da perseguição e condenação de mouros e, sobretudo, de judeus.

A instalação da Inquisição na Espanha só foi possível com a interferência de Torquemada, pois o papa Sisto IV, Francesco della Rovere, travava uma luta pessoal com os Médicis, os banqueiros florentinos. Fernando de Aragão condicionou – a pedido de Torquemada, claro – o apoio ao papa contra os Médicis à instituição do Tribunal da Inquisição na Espanha. O papa acabou cedendo à condição e aceitando o auxílio do rei Fernando.

Criada a Inquisição, os reis católicos elevaram sua importância a um grau nunca antes visto, e ela passou a ser um dos poderes do Estado, atuando diretamente em consonância com os interesses dos reis. Esse aspecto – a Inquisição como projeto de Estado – era inédito na história do Tribunal do Santo Ofício. Na medida em que a guerra contra os mouros e judeus ia avançando, mais tribunais eram criados nas cidades e regiões tomadas, de modo que, em 1483, foi preciso a instituição de um inquisidor-geral, cargo este que ficou com Torquemada.

Com esse poder nas mãos ele parte para a ação direta. Seu projeto pessoal era expulsar todos os judeus e muçulmanos da Espanha e a sua insistência, nesse sentido, com os reis causava imensa saia justa, pois a comunidade judaica espanhola era a que mais pagava impostos ao erário espanhol e também a que mais contribuía com doações para as guerras de conquista dos territórios mouros. A Espanha vinha de grandes bancarrotas internas. Por outro lado, havia a necessidade de capitalização para as navegações que estavam no horizonte da Coroa espanhola. O saque às riquezas e às propriedades de mouros e de judeus capitalizou o erário do Estado e a Igreja. Já que não era possível expulsá-los, Torquemada passa a exigir dos judeus a conversão ao cristianismo, e é sobre os "convertidos" – ou sobre aqueles que simulavam estar convertidos, mas que mantinham em segredo os ritos judaicos – que ele vai concentrar toda a sua perseguição.

A lógica de Torquemada era simples: a perseguição da Inquisição espanhola aos judeus estava intrinsecamente ligada às questões econômicas, de modo que, para arrancar dos judeus suas riquezas, era preciso criar fatos novos que levavam a processos e, consequentemente, a confiscos de bens. Torquemada sabia que os judeus jamais abandonariam sua crença e seus rituais. A obrigação de conversão ao cristianismo os levaria, necessariamente, a professar sua fé em segredo, de forma clandestina e ilegal. Sendo, portanto, "cristãos", a Inquisição tinha por obrigação corrigir "os erros de fé dos católicos". Isso significava abrir processos, condenar à morte, exilar e, é claro, o mais importante, confiscar bens.

Em 1488, a notícia de que Bartolomeu Dias havia descoberto a passagem pelo cabo da Boa Esperança havia se espalhado pela Europa como rastilho de pólvora. Se essa rota existia, a outra – em direção oeste, pelo oceano Atlântico, aventada por Toscanelli, e que havia se tornado a obsessão de Colombo – também haveria de existir, e isso despertou o interesse dos reis católicos por um projeto que até então haviam desdenhado. Colombo havia apresentado esse "projeto" para os reis, de fazer a rota pelo oceano Atlântico, sua obsessão, como dissemos, em janeiro de 1486. À medida que essa expedição ganha possibilidades reais de acontecer, a Inquisição espanhola vai se tornando mais rude e agressiva.

Em 1483, quando Tomás de Torquemada assume a direção e o controle da Inquisição na Espanha, a face assustadora da instituição se revela por meio dos autos de fé. De 1486 a 1492 – com o decreto de expulsão dos judeus da Espanha –, Torquemada penitenciou cerca de trinta e cinco mil pessoas e cerca de sete mil foram mortas na fogueira. As pessoas que condenou à revelia, queimou-as em efígie. Paralela à perseguição aos judeus, corriam as perseguições aos mouros – que se intensificaram com o avanço sobre os territórios da região da Andaluzia –, aos místicos, alquimistas, pensadores, que também foram alvos da fúria de Torquemada.

Com a tomada de Granada, em 2 de janeiro de 1492, era hora de alçar voos mais altos, produtivos e rentáveis. Era hora de monetizar o grande poder auferido. Havia toda uma região, a Andaluzia, habitada por mouros e judeus, e essa conquista – de cidade em cidade, de povoado em povoado, de vila em vila – se faria a ferro, fogo e, sobretudo, à custa de muito sangue, rios de sangue. É notório que a incursão da Espanha na Andaluzia seria um estágio importante no processo não só de unificação dos reinos espanhóis, mas também no de acumulação do capital necessário para a grande empreitada de 1492: a viagem de Colombo. Sem a sangrenta monetização da Andaluzia certamente a expedição não teria se realizado e a descoberta da América teria sido irremediavelmente adiada.

Vencida a guerra contra os mouros, um frenético e soberbo Torquemada, depois de ter saqueado e espoliado à míngua os povos conquistados, parte para sua última ofensiva: a vingança final e o auge do seu projeto eugenista, que era a expulsão dos judeus da Espanha.

Para convencer o povo e colocá-lo a favor da expulsão e pressionar os reis católicos, Torquemada urde uma verdadeira trama, caso que ficou conhecido como El Santo Niño de la Guardia. Numa retomada do *modus operandi* da Inquisição medieval, que tinha sido responsável por espalhar o horror e a incompreensão pelo território europeu, Torquemada invocará a sórdida história que fazia parte do imaginário cristão propagado pela Inquisição e baseado nas palavras do *Código Las Siete Partidas* do rei Afonso X, de 1255. O documento descrevia um crime ritual no qual "[...] os judeus tinham o costume de roubar crianças cristãs e crucificá-las no dia da Sexta-feira Santa". Havia vários precedentes como "[...] o exemplo de Santo Domingo de Val, criança de Saragoça, que havia sido supostamente crucificada em 1250; o roubo e ultraje da hóstia consagrada em Segóvia, no ano de 1406; a conjuração de Toledo, onde as ruas por onde passaria a procissão de Corpus Christi foram preenchidas de pólvora no ano de 1445; no município de Zamora, os judeus haviam enchido de pregos as ruas por onde os cristãos caminhariam descalços, roubando hóstias consagradas e queimando casas; o sequestro e crucificação de um garoto em Valladolid, no ano de 1452; outro caso em Almarza, em 1454; outro em Segóvia, em 1468".[1]

O caso de Guardia seguia o mesmo roteiro, retomando os relatos antigos: segundo a Inquisição, no ano de 1488 um menino havia sido sequestrado e crucificado na Sexta-feira Santa. Um processo foi instaurado, em 1490, e foram condenados e queimados na fogueira os seguintes judeus: Yuce France, de Templeque, e Moshe Abenamias, de Zamora, além de seis conversos: Alonso, Lope, García, Juan Franco, Juan Ocaña e Benito García. Quem vai hoje à cidade de Toledo pode ver na Porta do Perdão da Catedral de Toledo o menino crucificado em referência a esse episódio do século XV.

Com a comoção que essas histórias geraram, foi fácil para Torquemada conseguir vencer, enfim, a resistência de Fernando e Isabel. A 31 de março de 1492, Torquemada obteve, diante do clamor popular, a assinatura do chamado Decreto de Alhambra, que determinava a expulsão de todos os judeus da Espanha.

No édito pode-se ler: "Em nosso reino existe um considerável número de maus cristãos que judaízam e se desviam de nossa santa religião católica [...] para impedir esse mal, decidimos, juntamente com as cortes, reunidos em Toledo, em 1480, isolar os judeus e atribuir-lhes locais delimitados para a residência [...] segundo relatório que os inquisidores nos encaminharam, é certo que o contato dos cristãos com os judeus é extremamente pernicioso [...] tudo isso conduz inevitavelmente à subversão e ao enfraquecimento de nossa religião. Por essa razão chegamos à conclusão de que, para acabar com esse mal, o mais eficaz consiste em proibir formalmente todas as relações entre judeus e cristãos. Isto só pode ser obtido expulsando-se os judeus do nosso reino [...] por isso decidimo-nos expulsar para sempre os judeus de ambos os sexos das fronteiras de nosso reino. Decretamos que todos os judeus que vivem em nosso reino, sem distinção de idade ou sexo, devem deixar nossas terras ao mais tardar no fim do mês de julho do ano em curso (1492) [...] e proibimos que voltem a se estabelecer no país, que o atravessem e que nele penetrem por qualquer motivo. Os contraventores desta ordem serão condenados sumariamente à pena de morte e ao confisco de seus bens."²

Uma última tentativa de demover os reis católicos da ideia de assinar o édito de expulsão partiu do comerciante Isaac Abravanel, que, em nome da comunidade judaica da Espanha, havia oferecido aos reis a quantia de 30.000 ducados, uma verdadeira fortuna. Torquemada, ao saber da oferta, invadiu a sala na qual eram feitas as negociações e vociferou aos reis, repreendendo-os e citando que Judas havia traído Cristo por 30 moedas, ao fim jogou um crucifixo na mesa e disse que se os reis aceitassem aquele dinheiro o estariam traindo novamente. E os reis recuaram.³

O último prazo dado era o de 31 de julho de 1492, que passaria, não por acaso, para a meia-noite do dia 2 de agosto de 1492, exatamente o dia precedente da partida de Colombo para "descobrir" a América, dia 3 de agosto de 1492. Até que ponto também a tomada de Granada e a expulsão dos muçulmanos e judeus que viviam na região não foi a gota d'água para que judeus viabilizassem o financiamento da viagem de Colombo? Sabemos que a viagem foi quase toda financiada por Luis de Santángel, que havia adiantado para os reis de Espanha a quantia de 17.000 ducados. Estariam os judeus em busca de um novo mundo para começar novamente suas vidas?⁴

Muitas das famílias judias expulsas da Espanha e que foram para Portugal ou para a Holanda, poucas décadas depois, construiriam, no Brasil, como veremos, no complexo de plantação de cana-de-açúcar e de engenhos do Nordeste, uma das mais opulentas zonas produtoras de açúcar do mundo.

Torquemada não se contentava em apenas perseguir os judeus, e "[...] estendeu seu rigor aos livros e, em 1490, em Salamanca, ordenou a queima de incontáveis Bíblias hebreias, mais de seis mil livros em uma cerimônia pública na praça de San Esteban, acusando-os de propagar a incredulidade judaica, a feitiçaria, a magia, a bruxaria e coisas supersticiosas".⁵ Desse modo, Torquemada fez um grande mal para o povo judeu, e para a humanidade em geral, ao queimar os livros das bibliotecas e procurar estancar o avanço do conhecimento. Mas, ato contínuo, a sua atitude desencadeou dois outros movimentos importantes para o mundo moderno: a Reforma Protestante. E o que Maquiavel determinaria na sua obra – a necessidade do fim da divisão de poder entre o rei e a Igreja. O que marcaria o começo do absolutismo e da luta dos reis contra a Igreja. Torquemada vai armar uma bomba que explodirá nas décadas seguintes e cujas batalhas principais terão como palcos vários locais do mundo, inclusive o Brasil, que ainda nem sequer havia estreado na história.

A viagem de Colombo está, portanto, intimamente ligada à crise que a comunidade judaica espanhola vivia no fim do século XV. Colombo e os outros navegadores sabiam que era possível se ter acesso ao Oriente navegando para oeste. Trazido à Espanha por árabes e judeus, esse conhecimento era o maior tesouro espanhol. Eles sabiam, porém, que seria preciso transpor um imenso obstáculo chamado continente americano, que era imprestável para o comércio.

O próprio Colombo fez várias viagens na esperança de encontrar tal transposição. A primeira, em 1492; a segunda, em 1493; a terceira, em 1498; e a quarta, em 1502. Colombo foi, sem dúvida, o grande navegador de d. Fernando nas tentativas infrutíferas de encontrar a passagem para o Oriente. Na história que escreveu sobre seu pai, Fernando Colombo fala sobre a obsessão de Cristóvão Colombo em encontrar tal passagem que desse à Espanha acesso ao Oriente. Fernando Colombo dirá que, depois de seu pai ter sido informado por uns naturais da terra de que havia uma localidade com muitas riquezas, "[...] não quis ir até lá [...] seguiu seu desígnio de descobrir o estreito de terra firme para abrir a navegação do mar do meio-dia de que tinha grande necessidade para descobrir as terras das especiarias e assim determinou seguir o caminho do Oriente, onde imaginava e acreditava que estivesse o referido estreito".[6]

Colombo morre em 1506. No ano seguinte ao da sua morte, d. Fernando chama à corte para uma reunião secreta quatro experimentados navegadores: Juan Díaz de Solís, Vicente Yañez Pinzón, Juan de la Cosa e Américo Vespúcio. A ideia era armar uma flotilha para, segundo suas palavras: "[...] porquanto por mim mandado, nossos pilotos, a descobrir a parte do Norte." Em outro trecho, ordenava que "[...] continuassem a navegação, para descobrir aquele canal ou mar aberto que se ia principalmente procurar e que quero que se procure".[7] A flotilha devia descobrir a passagem que o rei julgava existir – desde as informações de Colombo – na linha equinocial. Sabia-se, portanto, que Colombo não havia chegado às Índias e que para se chegar até lá devia existir um estreito que dividisse o novo continente e permitisse aos espanhóis chegar até o Oriente sem passar pelas possessões portuguesas.

A América irá passar por um verdadeiro escrutínio. Vamos ver o que vai acontecer!

CRISTÓVÃO COLOMBO: AGENTE SECRETO DE D. JOÃO II?

"Cristóvão Colombo.
Nós d. João [...] vos enviamos muito saudar. [...] E quanto à vossa vinda cá, certo, assim pelo que apontais como por outros respeitos para que vossa indústria e bom engenho nos será necessário e prazer nos há muito de virdes porque o que a vós toca se dará de tal forma de que vós deveis ser contente. [...] E por tanto vos rogamos e encomendamos que vossa vinda seja logo e para isso não tenhais pejo algum e vos agradeceremos e teremos muito em serviço. Avis, 20 de março de 1488. A Cristóvão Colombo nosso especial amigo em Sevilha."[1]

Essa carta de d. João II, endereçada ao seu "especial amigo em Sevilha", abre uma raríssima porta para penetrarmos no conturbado universo da vida de Cristóvão Colombo. Depois de ter enviado Pero da Covilhã para o Oriente e Bartolomeu Dias para o Atlântico Sul, o que queria d. João II com Cristóvão Colombo ao convidá-lo para ir a Lisboa dizendo que "o que a vós toca se dará de tal forma de que vós deveis ser contente"?

Exausto da travessia do mar tenebroso, Cristóvão Colombo observou com os olhos marejados aquele pedaço de terra que surgiu no horizonte. Corria o mês de março do ano de 1493. Ele havia há pouco acabado de executar uma das maiores façanhas da humanidade: atravessar o oceano Atlântico e descobrir a América. Voltar a ver com os próprios olhos e estar a poucos quilômetros de tocar com os próprios pés o território do Velho Mundo era algo em que pouquíssimos acreditavam, quando ele partiu da Espanha, do Puerto de Palos, na Andaluzia, rumo ao desconhecido.

Trazia muitas novidades. Pudera, havia acabado de descobrir, ou encontrar, como é mais provável, um novo continente. Mas tinha de prestar conta disso tudo aos seus financiadores. Durante a longa viagem de volta certamente elaborou seus relatórios de viagem, organizou as amostras de tudo que havia encontrado e trazia junto com ele, inclusive, amostras de ouro e pedras preciosas.

Na Espanha, Fernando de Aragão, Isabel de Castela e Luis de Santángel aguardavam ansiosos os relatórios com as informações preciosas que trazia. Esse dossiê valia uma vida inteira. Por séculos navegantes de várias nacionalidades haviam labutado no mar em busca daquela rota secreta. Quantos homens morreram e quantos homens dariam a vida por aquelas informações? Os reis da Espanha sabiam que restava a eles a obrigação de tornar altamente confidencial a descoberta de Colombo, pois os lobos franceses, ingleses e portugueses andavam à espreita.

Reconhecido como genovês, existem muitas teorias dando conta de que Colombo era português ou até mesmo judeu espanhol. Não por acaso sua expedição rumo à América havia partido da Espanha, no horário limite do prazo determinado no édito de Alhambra para que os judeus deixassem o território espanhol. Além de sua viagem ter sido inteiramente financiada por banqueiros e mercadores judeus – fato corriqueiro na época –, Colombo exigiu que toda a sua tripulação estivesse a bordo antes da meia-noite do dia 2 de agosto de 1492. Ou seja, zarpou da Espanha no mesmo dia e poucas horas antes do horário em que expirava o prazo dado pela Coroa espanhola para que os judeus abandonassem o país ou morressem nas fogueiras.

Não por acaso também, Colombo havia feito uma parada estratégica na ilha dos Açores. Na viagem de ida, teria certamente deixado na ilha um grupo de imigrantes judeus que havia retirado da Espanha. Esses imigrantes seriam recebidos pela colônia de judeus sefarditas que colonizaram a ilha e lá desenvolveram toda a cadeia produtiva do açúcar que, em poucas décadas, seria toda transferida para o Brasil. Seria a única vez na história que o Brasil receberia uma transferência de tecnologia de ponta e estaria, portanto, na vanguarda de tudo que havia de mais moderno no mundo em termos de produção mecanizada.

Quanto ao enigma Colombo, existe uma assinatura cabalística do navegador – em que se vê uma letra S e abaixo uma sequência de letras S A S e uma sequência de letras X M Y e a frase *Xpõ Ferens*. – que deixou margem para diversas interpretações sobre sua real personalidade e que acabaram por suscitar mais dúvidas do que elucidações. Para os adeptos da tese do Colombo judeu espanhol, essa assinatura, que só aparece na correspondência íntima enviada a seu filho Diego, contém uma oração ou uma fórmula religiosa que para os judeus significa: (S) Shaday; (S) Shaday, (A) Adonay, (S) Shaday; (Y) Yehova, (M) Moleh, (X) Chessed. Que quer dizer "Senhor; senhor Deus, senhor; Deus, Tende Piedade".[2]

Já os adeptos do Colombo português traduzem a assinatura da seguinte forma: a sequência de três letras seria (S) Servus; (S) Sum, (A) Altissimi, (S) Salvatoria; (Y) Yesu, (M) Maria, (X) Xriste. As saudações católicas o aproximariam de uma origem portuguesa, além, é claro, da forte relação com Portugal.

Outra interpretação, mais impressionante, é a que interpreta a sequência de três letras S como uma saudação *"com salves"*, muito comum na época, que, advindo do latim, teria dado origem ao nome Gonçalves. A assinatura que aparece abaixo desse código é *Xpõ Ferens*. *Xpô*, em grego, quer dizer Cristo, e *Ferens*, aquele que leva, que transporta, que salva, ou seja, salvador. Por fim, a pontuação no final do nome, ./, cujo nome em latim é *colon*, mas que em hebraico é *zarco*, vindo a formar, portanto, o verdadeiro nome de Colombo: Salvador Gonçalves Zarco, filho do navegador português João Gonçalves Zarco, descobridor da ilha da Madeira.[3]

A favor da tese que trata Colombo como sendo de nacionalidade portuguesa, ou no mínimo um espião de d. João II, pesa o fato de que segundo consta nos diários de bordo da viagem de descobrimento, na chegada da viagem, Colombo passa quase um mês em Portugal antes de ir para a Espanha. Estranho para um homem que tinha acabado de descobrir nada mais, nada menos que um novo continente, um novo mundo, e que tinha de dar uma imensa e auspiciosa notícia aos seus patrocinadores. Além disso, havia realizado um sonho pessoal que por décadas fora completamente ignorado por todos aqueles que poderiam patrociná-lo.

Ficou mais de um mês em Portugal e depois ainda foi para Sevilha, onde ficou outro mês antes de ir para Barcelona se encontrar com os reis espanhóis. Estaria Colombo profundamente ressentido com o édito de expulsão pelo fato de ser judeu? Teria se vingado da Espanha revelando tudo que havia descoberto primeiramente para o rei de Portugal? Esse tempo não teria sido também o tempo suficiente para que Portugal providenciasse junto ao papa a bula *Inter Coetera*, de maio de 1493, assim como a segunda viagem de Colombo, em 1494, que havia certamente sido mais auspiciosa que a primeira? Não teria sido o motivo para que, no mesmo ano, logo após seu retorno à Europa, Portugal exigisse do papa uma revisão dos limites, conseguindo assinar o Tratado de Tordesilhas?

Colombo chegou ao território europeu no dia 12 de fevereiro de 1493, no dia 13 ele se separou das outras caravelas e foi para a ilha dos Açores; e no dia 24 levantou ferros e pegou o rumo de Lisboa. No dia 4 de março, seu diário registra que "[...] a noite padecemos em forte tormenta com ventos que parecia que iam virar a caravela [...] quando amanheceu, reconheci a terra era Roca de Cintra, junto ao rio Tejo, em Lisboa".[4] De Cabo da Roca, Colombo passou por Cascais e Restelo, onde se encontrou com Diogo Fernandes de Almeida, prior do Crato, que era sócio de Juanoto Berardi, comerciante florentino que morava em Sevilha e foi um dos financiadores da viagem de Colombo. Diogo irá acompanhar Colombo durante dois dias em Vale do Paraíso. Entre os dias 4 e 8 de março, ficou em Lisboa.

No dia 8 de março, seus diários registram a seguinte movimentação: "Sexta 8 de março: hoje o almirante recebeu uma carta do rei de Portugal, pela qual ele lhe rogava que chegasse aonde ele estava [...] mandou o rei aos seus mandatários que tudo de que o almirante e sua gente e a caravela precisassem lhes fosse dado, e cem dinheiros, e se fizesse tudo como o almirante quisesse."[5]

E no dia 9 de março seus diários registram, por fim, o amistoso encontro com o rei d. João II: "Sábado 9 de março: hoje partiu de Sacanben para ir aonde o rei estava, que era o Vale del Paraíso [...] o rei mandou receber os ilustres de sua casa de modo muito honrado e o rei também os recebeu com muita honra e fazendo muitos favores e mandou sentar e conversou [muito bem], oferecendo-se para mandar fazer tudo [...] determinando que fosse hospedado pelo prior de Crato, que era a mais ilustre pessoa a estar ali, da qual o almirante recebeu muitas honras e favores."[6]

A questão que não quer calar é por que Colombo teria ancorado em terras portuguesas e ficado por lá cerca de um mês antes de ir para a Espanha? Já na ida havia ancorado no arquipélago dos Açores, de domínio português, e não nas ilhas Canárias, que eram de domínio espanhol.

Passou três dias em Xira, recuperando-se do seu desfalecimento e ordenando os pensamentos. Nos três dias sabáticos, num povoado inexpressivo, em Vila Franca de Xira, banhado pelas águas do Mediterrâneo, ele não estava sozinho. Passara na companhia de d. João II, rei de Portugal que, naquele momento, era o concorrente número um da Espanha na expansão marítima e de quem, justamente, aquele segredo deveria ser preservado.

Por que Colombo, que estava a serviço da Espanha, passara esses três dias conferenciando com o rei de Portugal? Estaria ele prestando contas ao rei d. João II? Na segunda viagem que empreendeu para a América, Colombo também seguiu o mesmo expediente, ou seja, na volta fez uma parada estratégica em terras portuguesas, em 8 de junho de 1496. Nessa ocasião, aportara na cidade de Vila Nova de Milfontes (Odemira), onde havia uma grande comunidade judaica. O que Colombo teria ido fazer nesse vilarejo?

Como vimos, antes de prestar serviços para a Espanha, Cristóvão Colombo havia tentado por quase uma década, a princípio em vão, oferecer seu projeto de navegação e exploração para o rei de Portugal. Em 1492, quando Colombo descobriu a América, ele estava a serviço de Castela. Bartolomeu Dias já havia, em 1488, constatado que o caminho para as Índias era navegando rumo ao sul e não ao oeste no oceano Atlântico. O fato de o projeto de Colombo ser o de navegar no sentido oeste no oceano Atlântico não teria sido propositadamente com o intuito de desviar a atenção de Castela da rota para o sul? Esse projeto apresentado a Castela não teria sido combinado antes entre Colombo e d. João II com o propósito deliberado de desviar Castela do verdadeiro caminho das Índias?

Se assim foi, porém, as promessas e as amostras de metais e pedras preciosas que Colombo havia trazido da viagem colocaram d. João II em alerta. Numa terra que o rei imaginava ser completamente árida do ponto de vista comercial, havia tesouros ainda mais valiosos do que as especiarias das Índias. O recado de Colombo seria claro: era melhor d. João II não subestimar nada pois o tiro de desviar os espanhóis da rota das Índias poderia sair pela culatra. Se estivesse vivo em 1545, quando os espanhóis conquistaram as minas de prata de Potosí, certamente d. João II teria se arrependido de não ter dado ouvidos aos conselhos do seu agente secreto.

Mas naquele momento o caminho das Índias havia caído no seu colo e era o melhor negócio do mundo, e a América e o Brasil tiveram de esperar por mais alguns anos.

A MISTERIOSA MORTE DE D. JOÃO II

Cristóvão Colombo é um enigma, pois basta dizer que depois de suas viagens à América ele foi completamente relegado ao ostracismo e caiu em desgraça na Espanha. Tendo sido acusado de ser infiel à Coroa espanhola, foi hostilizado e preso por Francisco de Bobadilla na América e enviado para a Espanha. É claro que ser acusado de violência era apenas o pretexto, já que toda a exploração da América, assim como a da África pelos portugueses, foi feita mediante uso da violência. A verdadeira causa da prisão de Colombo talvez esteja ligada à traição cometida contra a Espanha em favor de Portugal. Sua história é tão controversa que o nome do continente é uma homenagem ao navegante Américo Vespúcio. Por que o nome de Colombo foi completamente ignorado?

Consideradas todas essas inconsistências, é bem possível que toda essa história que, num primeiro momento, poderia soar como uma teoria da conspiração tenha o seu lado verdadeiro. O período era crítico, um daqueles momentos históricos em que a roda da fortuna gira suas engrenagens e demanda soluções novas para problemas novos. Todos estavam em busca do comércio. Desse modo, comparada às Índias, tanto a América, descoberta por Colombo, quanto o Brasil, descoberto pelos portugueses alguns anos depois, em 1500, eram territórios imprestáveis – motivo pelo qual permaneceriam abandonados durante décadas. Sobre o Brasil não há praticamente nenhuma citação nos livros dos principais cronistas de Portugal.[1]

Estávamos em pleno período conhecido como mercantilismo. Nesse modelo, pouco se produzia e a regra para se fazer fortuna era buscar produtos primários ou artesanalmente manufaturados em outras regiões pelo menor preço possível ou mediante a guerra, o saque, e obter o máximo de lucro possível na venda. Até onde ou até quando esse mecanismo funcionou? As nações se digladiaram para obter produtos e manter o máximo de exclusividade possível na distribuição e na oferta.

Somente em meados do século XVIII é que a Inglaterra, com a sua Revolução Industrial, vai acabar com a lógica meramente mercantilista e criar um novo mundo, baseado na produção, sufocando, assim, os monopólios mercantilistas. No século XV, a Europa estava acabando de sair de um sistema feudal, em que o grosso do comércio era de produtos locais. Com o advento das cidades e a popularização do trato com dinheiro, que começa a substituir as meras trocas, uma imensa concorrência vai se estabelecendo aos poucos, de modo que o comerciante, e não mais o produtor rural, vai ganhando importância. No início, importância econômica e, em breve, importância política, numa lógica que vai inexoravelmente transformar o mundo.

O momento era crítico e não havia, portanto, espaço para amadores.

Não teria sido também mero acaso que, em 1494, a 7 de junho, Portugal pedisse a intervenção do papa Alexandre VI para assinar o Tratado de Tordesilhas, que dividia o mundo novo entre Portugal e Espanha. D. João II sabia certamente que a oeste, no oceano Atlântico, não havia nada que prestasse, pelo menos imediatamente; já a leste, existia o caminho para uma região que levava às riquezas do Oriente. O tratado só seria retificado mais tarde pelo Tratado de Madri, no qual Portugal reivindicava seu quinhão também na América. Exímio estrategista, essa manobra de d. João II havia assegurado para Portugal a melhor parte do mundo e para Castela uma zona desprovida e hostil, de gente bárbara e com quase nada a oferecer.

Em 1495, d. João II morre. Uma versão de sua morte diz que teria sido envenenado. Teria sido envenenado por algum agente secreto de Castela como uma forma de vingança, uma vez descoberto que Castela havia sido ludibriada por d. João II no Tratado de Tordesilhas ao ficar com toda a parte do Oriente onde justamente se encontrava a rota para as Índias? É possível.

Segundo o cronista Rui de Pina, "[...] depois do falecimento do príncipe (d. Afonso, único filho legítimo do soberano) ou por sobeja tristeza e uma tal dor que nele padeceu, como é mais de crer *ou por peçonha que lhe deram*, como alguns sem muita certidão suspeitaram, nunca foi em disposição de perfeita saúde [...]. Daí a poucos dias o rei tornou a adoecer do mal de que ao diante morreu, e houve suspeitas que foi de peçonha, ficou uma geral presunção que nesta Fonte Coberta lhe fora dada em água que bebeu, a qual presunção e suspeita se confirmou em muitos com as mortes de Fernão de Lima, seu copeiro-mor, e de Estêvão de Sequeira, copeiro, e de Afonso Fidalgo, homem da copa, que, inchados e solutos como el-rei, antes dele poucos dias todos três faleceram".[2]

Mais para a frente escreve o cronista oficial da corte sobre o possível envenenamento do rei d. João II. Diz ele que: "El-rei por uma mulher ou religiosa de santa vida foi avisado que se guardasse bem de peçonha que lhe ordenavam."[3]

A favor da tese do envenenamento está também uma intricada relação. D. João II assim que assumiu o trono, como vimos, mandou matar d. Fernando II, duque de Bragança, e matou Diogo, duque de Viseu e irmão de sua esposa, d. Leonor. D. Afonso, o filho de d. João II, casara-se com Isabel, a filha mais velha dos reis católicos da Espanha, Fernando e Isabel, o que lhe colocou como consorte na sucessão do trono da Espanha e também uniu os tronos de Espanha e Portugal, uma vez que Afonso era herdeiro do trono de Portugal. Com a misteriosa morte de Afonso, d. João II, já no leito de morte, colocou em testamento o cunhado d. Manuel como sucessor no trono. D. Manuel casa-se, por fim, com Isabel, a viúva de Afonso, e inicia uma aproximação com o reino da Espanha nos moldes que os reis católicos desejavam.

Intrigas e vinganças à parte, antes de adoecer d. João II havia deixado projetada para 1497 a saída de Vasco da Gama para a viagem oficial às Índias, que só se realizaria já no reinado de d. Manuel. Todas as informações já haviam sido dadas por Covilhã, bem como o caminho já havia sido trilhado por Bartolomeu Dias. Para Vasco da Gama restou apenas o trabalho de executar o que ordenavam as cartas portulanos – fruto do intenso trabalho de gerações – e receber, ao cabo, as glórias da empreitada.

Pode-se dizer que, na perspectiva de longo prazo, o bloqueio das rotas do Oriente com a queda de Constantinopla vai, de súbito, colocar Portugal no protagonismo do mercado internacional. Dominava as rotas comerciais do Atlântico e o açúcar, um produto até então secundário, comparado aos produtos das Índias, mas que vai ganhar um terreno imenso em toda a Europa. Quando o açúcar se tornar o principal produto na Europa, Portugal vai estar na vanguarda em duas frentes: 1º) na produção e distribuição, e 2º) agregando valor nessa produção com um elemento novo: o escravo. De uma hora para outra, de patinho feio Portugal passava a cisne em todo o processo.

Em 1497, tentando manter um ritmo de normalidade, d. Manuel ordena a viagem de Vasco da Gama, que oficialmente teria sido o primeiro navegador português a ter acesso ao Índico e ao Oriente por meio da passagem do cabo da Boa Esperança, contornando o continente africano. Na verdade, os produtos e o caminho das Índias já não eram – por assim dizer – a menina dos olhos dos portugueses.

A nobreza – que voltava a ganhar a importância que havia perdido no reinado de d. João II – era contra os gastos excessivos com as viagens, como, aliás, sempre fora. Segundo o cronista Damião de Góis, "[...] assim que faleceu d. João, o sucedeu no reino o rei d. Manuel, o qual como herdeiro universal de toda máquina e destas navegações, não contente do que já era descoberto, mas antes muito desejoso de passar adiante, logo no começo de seu reinado, no mês de dezembro de 1495, teve em Monte Mor uma reunião com seu conselho, no qual alguns foram da opinião que se não prosseguisse mais nesta viagem, além do que já era descoberto, por que havia de ser muito invejada de todos os reis e repúblicas da Europa [...] de que haviam de se seguir muitos trabalhos e despesas a este reino, que já bastava o pacífico trato com a Guiné e a já honrosa conquista dos lugares da África, para o ganho dos mercadores e proveito das rendas do reino e exercício da nobreza dele".[4]

Eles já lucravam absurdos com o ouro auferido no castelo da Mina. Estavam, de um lado, lucrando com o monopólio do comércio de escravos para os produtores de açúcar das ilhas portuguesas e, de outro, lucrando com a venda desse açúcar no mercado europeu. Ainda que Vasco da Gama não tivesse logrado êxito na transposição do cabo da Boa Esperança e estabelecido a regularidade no comércio com as Índias, Portugal já não tinha do que reclamar.

Desse modo, a morte de d. João II vai colocar, de certa forma, a expansão ultramarina em xeque. O herdeiro do trono, d. Manuel I, além desse freio imposto pela nobreza portuguesa, estava estabelecendo contatos com o rei espanhol, d. Fernando, para se casar com a sua filha, d. Isabel, viúva de d. Afonso. Essa aproximação com a Espanha – Torquemada ainda estava vivo, morreria apenas no ano de 1498 – abriria em Portugal as portas para a entrada em cena do fantasma da Inquisição. Não demorou para que d. Fernando e a filha Isabel impusessem, como condição ao negócio do casamento, a expulsão incondicional de Portugal de todos os infiéis, quer fossem eles muçulmanos, quer fossem judeus. Como não poderia ser diferente, a comunidade judaica sefardita – apenas os que haviam recentemente [1492] emigrado da Espanha somavam mais de cem mil pessoas – entrou em alerta máximo.

A imposição colocava o rei numa situação difícil. Deveria optar entre o amor e os negócios. Os judeus, como vimos, sempre foram os grandes financiadores de toda a expansão ultramarina. Sem eles, Portugal voltaria a ser um reino comum, desprovido de força de investidura para grandes empreitadas.

Em 5 de outubro de 1496, d. Manuel, inebriado pelo veneno de Isabel, opta por viver o seu amor, cede aos seus caprichos e assina o decreto de expulsão dos judeus. Este seria o início da derrocada do poderio português. A imigração compulsória desses judeus para outros países, entre eles os Países Baixos, daria início à ascensão do poderio holandês, movido, é claro, pelo capital que acompanhou o êxodo dos judeus. Dessa forma, os grandes investidores, banqueiros e comerciantes, vão investir em companhias particulares, e aqui está toda a diferença – a expansão comercial e marítima não seria mais um projeto de Estado, como nos casos de Portugal e Espanha. Não por acaso, os Países Baixos vão se tornar, nas décadas seguintes, uma potência econômica. À medida que as forças conservadoras da Igreja vão se colocando contra o avanço do comércio, com medidas monopolizadoras, a Igreja sofrerá um ataque dos concorrentes em duas frentes: o ataque à Igreja em si, por meio do surgimento de orientações protestantes – anglicanismo na Inglaterra, por exemplo –, e o ataque ao monopólio que era fruto do consórcio entre os reis católicos e os comerciantes e agentes financeiros. Dessa concorrência surgem o intenso incremento da pirataria e o avanço hostil – por meio de guerra e tomada de territórios – das companhias comerciais privadas.

A guerra que vai se travar a partir do alinhamento entre Portugal e Espanha será uma guerra comercial e religiosa.

Ainda com todo o movimento contrário, a viagem de Vasco da Gama se realizou. Outra viagem, realizada por Pedro Álvares Cabral, cristão-novo, teve saída em 1500 de Lisboa e misteriosamente veio parar no Brasil, em 22 de abril. Essa viagem estava programada, mesmo que de forma secundária, desde o exato momento em que Colombo retornou de sua expedição e, atracando em Portugal, deu notícias a d. João II de que havia, sim, como suspeitavam seus cosmógrafos, astrônomos, uma terra na rota para o oeste. Do ponto de vista comercial, a terra nova era imprestável, mas as perspectivas eram as melhores possíveis.

A partir de então um novo cenário se configura, e os países aos quais o catolicismo havia se conectado – Portugal e Espanha – vão estar na vanguarda da descoberta e exploração do Novo Mundo. Mas esse domínio sobre o mundo, que parecia sólido, sofrerá, internamente, importantes reveses tais como a fúria da perseguição religiosa e econômica, e, a partir daí, o caminho se abrirá para que outras nações entrem em cena, mesmo que inicialmente por meio da pirataria ou de incipientes companhias de comércio. Uma batalha feroz que estava sendo arquitetada em silêncio, nos bastidores, se avolumará e se estenderá por séculos e mudará o mundo para sempre. O Brasil estará no centro dessa disputa.

A MISTERIOSA VIAGEM DE PEDRO
ÁLVARES CABRAL AO BRASIL

Em relação à viagem de Pedro Álvares Cabral, a pergunta que se faz é a seguinte: por que a primeira frota enviada por Portugal às Índias, depois dos primeiros contatos feitos por Vasco da Gama, e que tinha um espírito extremamente belicoso – não por acaso embarcaram quase mil soldados –, veio parar no Brasil? E tinha a seguinte ordem: "Trabalhar muito pela amizade do rei de Calicute para fazer lá uma fortaleza [...] se o rei não quiser por amigo, em tal caso de sua parte declare guerra."[1] A resposta é que o Brasil fazia parte de um dos maiores segredos de toda a expansão comercial e marítima portuguesa, guardado a sete chaves por Portugal, pelo menos desde 1488.

Com a morte – ou o assassinato – de d. João II, em 1495, o ímpeto agressivo da expansão portuguesa corria o sério risco de cair de intensidade. Vimos como a nobreza não queria nem ouvir falar em expansão, estava contentíssima com a exploração da costa ocidental da África, sobretudo a rentável região da Mina.

Nesse ritmo morno seguirão as viagens para o Oriente e as possessões portuguesas na África. Uma dessas viagens seria realizada por Pedro Álvares Cabral, que zarpou em 1500 de Lisboa e, antes de tomar o rumo do Oriente para a primeira grande guerra de conquista que estava planejada, esteve inexplicavelmente no Brasil em 22 de abril. Teria sido por alguma espécie de missão secreta?

Entre os dez anos que separam o acontecimento de 1488, a descoberta do cabo da Boa Esperança, com a viagem de Bartolomeu Dias, e o acontecimento de 1498, quando Vasco da Gama chegou ao Oriente, certamente houve viagens secretas. A favor dessa tese pesa o seguinte argumento: não haveria nenhum sentido – sobretudo no caso do caminho do Oriente – para esse intervalo de dez anos. Qual o sentido de Portugal ter, enfim, descoberto o mapa da mina de ouro e tratado dessa questão com desdém? É evidente que se armaram viagens, mas, dada a importância estratégica que tinham, elas foram mantidas em segredo. Se essas viagens foram de alguma forma documentadas, esses documentos jazem escondidos até hoje em algum arquivo secreto ou simplesmente ainda desconhecido.

Assim como entre a viagem de Colombo em 1492 e a viagem de Cabral em 1500, certamente houve viagens secretas, ocasiões em que o Brasil havia, sim, sido descoberto – ou visitado – por frotas portuguesas antes de 1500. O misterioso marco de pedra português fincado numa praia do Rio Grande do Norte pode ser um sinal disso. Essas viagens não foram documentadas por motivos estratégicos, sobretudo numa época em que divulgados os feitos de Colombo, com a expulsão dos judeus de Espanha e Portugal, estimularam-se novas parcerias comerciais. E o resultado direto foi a intensificação da pirataria, de tal modo que o oceano Atlântico se tornou palco do mundo ocidental e, consequentemente, virou terra de ninguém.

A pirataria era uma forma de os países entrarem na onda da expansão comercial e marítima no oceano Atlântico, sobretudo no Atlântico Norte e no Mediterrâneo, sem se envolverem em guerras. Os piratas, embora tivessem obviamente suas origens, suas nacionalidades e atuassem veladamente como espiões e agentes de seus países, para todos os fins atuavam como apátridas, ou seja, agiam por si mesmos. Foi intensa a pirataria tanto no Atlântico como no Mediterrâneo, por ali agiram biscainhos, bretões, normandos, flamengos e ingleses.

Um dos objetivos da viagem de Cabral foi o de procurar dar algum caráter oficial à frágil posse das terras do Brasil. Diante das ameaças de invasores estrangeiros, o rei da França, Francisco I, chegou a dizer que o sol brilhava para todos e que desconhecia "[...] a cláusula do testamento de Adão que dividiu o mundo entre portugueses e espanhóis".[2]

É claro que para quem havia acabado de fincar os dentes nas veias mais suculentas do mercado internacional – o caminho para as Índias e para o Oriente – o descobrimento do Brasil não passou de um acontecimento secundário. Desse modo, ao longo dos primeiros cinquenta anos, pode-se dizer que houve certo abandono em relação à nova descoberta.

O anúncio do descobrimento do Brasil aconteceu num momento de euforia em Portugal com a descoberta quase concomitante do caminho para as Índias. Portugal, assim como a maioria dos países europeus, tais como a França, a Inglaterra, os Países Baixos e a Espanha, estava em busca de produtos para serem comercializados e de mercados consumidores. Tudo que estivesse, portanto, centímetros fora desse círculo de ação era prontamente descartado.

Nesse sentido, o cenário encontrado no Oriente era paradisíaco, vicejava ali uma civilização que praticava um comércio intenso desde a mais longínqua antiguidade. A Estrada Real Persa, com mais de dois mil quilômetros, e as rotas da seda e das especiarias, por exemplo, conectavam lugares como China e Península Arábica, separados por mais de sete mil quilômetros. No Brasil, muito distante dessa realidade, os portugueses só encontraram índios que viviam num estado de natureza. Praticamente nada produziam, nada vendiam, nada compravam. Para o comércio, a terra era, portanto, imprestável. A princípio, uma decepção enorme. Assim como havia sido, oito anos atrás, a chegada de Colombo à América.

É com esse espírito impaciente, num cenário decepcionante, que se deram os primeiros contatos entre portugueses e naturais da terra. Certa madeira que vertia uma tinta vermelha, muito parecida com a produzida por certo corante vindo da Índia, foi a única possibilidade de negócio que de imediato prospectou o treinado faro dos portugueses. Percebeu-se que a viagem não havia sido de todo perdida. Num contato subsequente, no entanto, dentro do navio, onde se encontrava Pedro Álvares Cabral, com um natural da terra, foram trocados vários presentes. O índio tocou num longo colar de ouro do comandante num sinal de que aquele material não lhe era estranho. Questionado, fez sinais apontando para o colar e o continente, como se quisesse dizer que na terra se poderia encontrar ouro.

Para a esmeralda, o diamante e tudo o mais que para ele mostraram em matéria de pedras e metais preciosos, o índio sinalizou que havia na terra. Aquele indígena, sem pronunciar uma palavra em português, começava a falar a linguagem daqueles homens e confirmava as primeiras impressões de Colombo sobre o potencial da América. Mas não era esse o objetivo principal da viagem de Cabral ao Brasil, havia outro.

Em 1500, as relações na Europa estavam deterioradas e se deteriorariam ainda mais – em todos os aspectos: econômico, político e religioso. Nesse sentido, a descoberta de um novo mundo foi providencial num momento em que forças colossais se digladiavam.

Com o casamento, em 1496, de d. Manuel e Isabel de Castela, o furor da expansão comercial e marítima portuguesa declina vertiginosamente. A aproximação com a Espanha e com a Igreja vai colocar em risco o projeto português. Os judeus já tinham sido expulsos da Espanha em 1492, como vimos. Em Portugal, a proposta de expulsão seria objeto de um intenso debate no âmbito do conselho do rei. Houve uma tentativa de dissuasão para que o rei d. Manuel declinasse da ideia de expulsar os judeus, mas aqueles que tentaram foram voto vencido. Segundo Damião de Góis: "D. Manuel resolveu fazer o mesmo em Portugal – a expulsão de mouros e judeus –, mas como o negócio era de qualidade, para ele não tomar decisão sem bom conselho, ouve sobre este assunto vários pareceres. Porque uns diziam que, pois o papa consentia a esta gente em todas as terras da Igreja, permitindo-lhes viverem em sua lei e que o mesmo fazia todos os príncipes e repúblicas da Itália, Hungria, Bohemia e Polônia o que se podia cuidar que não faziam sem causa, a cuja imitação em toda Alemanha e outros reinos e províncias de cristãos os deixavam também viver que causa haveria para os lançarem fora do reino, que não repugnasse com a razão que essas outras nações tinham, porém o consentiram e que, além disto, por lançá-los da terra nem por isso lhes davam azo de nas alheias se tornarem cristãos, mas antes se fossem para mouros, se perdia de todo a esperança de nenhum se converter e que muitos deles vivendo entre nós, movidos de nossa religião de bom se podia deles esperar que fizessem e que havia ainda nisso outros inconvenientes, porque além dos serviços e tributos que o rei perde, ficava obrigado a satisfazer as pessoas a que ele e os reis passados deles fizeram mercê e que não tão somente levavam consigo da terra muitos haveres e riquezas, mas ainda o que era mais de estimar, levavam fortes e delicados espíritos com que saberiam dar aos mouros os avisos que lhes é necessário fossem contra nós e sobretudo lhes ensinariam seus ofícios mecânicos, em que são muito destros, principalmente no fazer das armas, do que se poderia seguir muito dano, trabalhos e perdas, assim de gente como de bens a toda a cristandade. Este foi o parecer e alguns do conselho o repugnaram dizendo que bem era verdade o que diziam, mas que os reis de França, Inglaterra, Escócia, Dinamarca, Noruega e Suécia, como muito outras províncias vizinhas a estas e todo o Estado de Flandres e Borgonha não lançaram os judeus dentre si muitos anos. Quando vissem tempo oportuno abriram as asas da tirania e debaixo de cor dos católicos nos fazer o mal e dano que pudessem [...] perder todos os proveitos e tributos que desta gente tiravam e pôr o inteiro na fé de deus e na sua Santa Sé, por que ele dobraria com suas mercês. A determinação era a de que lançasse fora do reino aqueles que não quisessem receber a água do batismo e crer no que crê a Igreja católica cristã. Determinou a conversão e, desse modo, se assinou a notificação destes negócios que os judeus fossem do reino, com suas mulheres e filhos aos quais o rei limitou a todos o tempo certo e nomeou portos seus de seus reinos para suas embarcações."[3]

A princípio o propósito era o de expulsar todos ou submetê-los à conversão, mas como ninguém quis se converter, ao contrário do que imaginavam os conselheiros do rei, com seus bolsos vazios e a fonte de riquezas esvaindo-se, eles adotaram um desesperado plano B, que era o confisco dos filhos até treze anos – diga-se sequestro, em verdade – para forçar a conversão, pois que nenhum pai judeu iria partir deixando os filhos. Assim, manteriam assegurada a principal fonte de renda de uma classe totalmente parasitária.

Segundo os relatos da época: "[...] muitos dos judeus naturais do reino e dos que entraram de Castela tomaram a água do batismo e os que não quiseram se converter começaram logo a negociar as coisas que lhe convinham para sua embarcação no tempo que o rei, por causas que a isso moveram ordenou que em um dia certo lhes tomassem a estes os filhos e filhas de idade de treze anos para baixo e se distribuíssem pelas vilas e lugares do reino onde a sua própria custa mandava que os criassem e doutrinassem na fé de nosso salvador Jesus Cristo e isso concluiu o rei com seu Conselho de Estado [...] aos mesmos judeus fez fiar tanta crueza esta mesma lei natural que muitos deles mataram os filhos afogando-os e lançando-os em poços e rios e por outros modos querendo antes vê-los acabar desta maneira que não apartá-los de si sem a esperança de os nunca mais ver. E pela mesma razão muitos deles mataram a si mesmos enquanto essas execuções se faziam. O rei mandou fechar os portos e mandou-os todos embarcarem em Lisboa onde se juntaram mais de vinte mil almas e com essas delongas lhes passou o tempo que lhe o rei limitou para sua saída pelo que ficavam todos cativos, os quais se vendo em estado tão mísero cometeram muitos deles por parte do el-rei que lhes tornassem seus filhos e lhes prometessem que em vinte anos se não tirassem sobre eles devassa e que se fariam cristãos o que el-rei lhes concedeu com outros muitos privilégios que lhes deu e aos que não quiseram ser cristãos mandou logo dar embarcação quitando-lhes o cativeiro em que incorreram e se passaram todos à terra dos mouros."⁴

De certa forma a nobreza portuguesa condicionava a continuidade da expansão marítima à capitalização do reino. Não por acaso, depois desse expurgo dos judeus e do confisco de seus bens, d. Manuel viabiliza a viagem de Vasco da Gama em 1497. Nunca foi, portanto, uma mera questão religiosa, mas, antes, uma questão financeira.

Nesse sentido, até que ponto também a viagem de Cabral não estava intrinsecamente ligada à questão judaica, já que em 1496 eles haviam sido expulsos de Portugal? A viagem foi financiada pelo banqueiro judeu Marchionni, que depois de sondar o Brasil iria para as Índias. Cabral havia nascido em Belmonte, uma região judia, e teria convivido de perto com os saberes cabalísticos da Sinagoga de Belmonte. Essa comunidade judaica era famosa em Portugal pelas livrarias especializadas em cabala e alquimia. Isaac Abravanel, rabi-mor do reino e conselheiro particular de d. Afonso V, tentou, em 1492, demover os reis católicos da Espanha da ideia de decretar o édito de expulsão dos judeus.

Em meio à frota de onze navios que seguiria o recém-descoberto caminho do comércio das Índias, a viagem de Cabral ao Brasil teria apenas o caráter de uma sondagem secundária. Duas necessidades se colocaram na época em Portugal, e o Brasil era uma solução para ambas: a questão da expulsão dos judeus em 1496 e a necessidade de expansão da produção do açúcar, que deveria ser replicada nos mesmos moldes das ilhas da Madeira e dos Açores.

Talvez por isso o Brasil pouco apareça nas crônicas portuguesas, devido a ser um território completamente irrelevante no contexto da expansão comercial e marítima. Não estivesse na rota para as Índias, não existisse a demanda dos judeus, a necessidade da produção do açúcar e a oferta do trabalho escravo, o Brasil ficaria por muito tempo completamente desabitado e abandonado. Na crônica do rei d. Manuel, das seiscentas páginas o cronista reserva apenas uma ou duas para falar do Brasil, quando na verdade se refere à segunda viagem para as Índias. Diz ele: "[...] el-rei determinou mandar à Índia uma armada de treze velas e deu a capitania a Pedro Álvares Cabral e foi com ele como capitão, entre outros, Bartholomeu Dias, que descobriu o Cabo da Boa Esperança. Essas naus mandou el-rei aparelhar de todas as coisas necessárias para fazer guerra porque já sabia que haviam de ter disto necessidade pelos negócios que aconteceram a Vasco da Gama tanto na Índia como na Etiópia na qual iam mil e quinhentos soldados. [...] Em 9 de março de 1500 partiram e no dia 14 chegaram nas Canárias e em 22 de março passaram pela ilha de Santiago, a partir daí viajando para oeste no dia 22 de abril avistaram terra que pelo rumo em que jazia não ser nenhuma que até então eram descobertas."[5]

Nas crônicas de d. João III não há uma linha sequer sobre o assunto.

Não por acaso, para os portugueses o Brasil vai ficar abandonado porque as demandas das Índias eram prementes. A nova terra só despertará interesse quando do acirramento da guerra religiosa na Europa, após a Reforma Protestante – a Inquisição foi instaurada em Portugal em 1536. E em 1534 Portugal já havia instituído no Brasil o regime de capitanias hereditárias, justamente para criar territórios – como no caso da ilha da Madeira – onde pudesse acomodar a comunidade judaica. As capitanias serão doadas, sobretudo, para judeus e para a produção de cana-de-açúcar.

Mas não era só isso, a viagem de Cabral ao Brasil tinha ainda outro aspecto secreto. Para se compreender a visita de Cabral ao Brasil, para além da demanda dos judeus, é preciso atentar para um detalhe que muito poucos sabiam no final do século XV: que o Brasil estava na rota das Índias. A rigor, não se poderia ir às Índias, ao oceano Pacífico, à costa oriental da África e ao mar Vermelho sem antes vir ao Brasil. Simples assim. Desse modo, o Brasil fazia parte, desde pelo menos 1488, de um segredo – conhecido apenas por um priorado formado por intelectuais, navegadores, religiosos e o rei d. João II – que era a chave para a expansão comercial e marítima portuguesa, tendo por isso o seu descobrimento permanecido oculto até 1500.

O Brasil, que para os interesses da época era insignificante, teve uma sorte rara: a de estar na rota do único caminho possível para as Índias. Ao contrário do que se podia imaginar na época, que o único caminho possível era bordejando a costa ocidental africana, logo se descobriu que na costa do Brasil corria, e corre ainda hoje, uma combinação de correntes e ventos que permite a navegação no Atlântico Sul, a chamada volta do mar.

Os primeiros navegadores descobriram essa volta por acaso, pois a partir de Cabo Verde uma espécie de parede, de domo, impedia o avanço para o Atlântico Sul. A partir dali, era preciso se deixar levar para o alto-mar no sentido oeste. No período do Tratado de Tordesilhas era óbvio que Portugal sabia do Brasil e do regime das correntes e que pelo tratado anterior – o de Alcáçovas – a rota para as Índias ficaria em território espanhol, daí a revisão no Tratado de Tordesilhas logo após a viagem de Colombo, que teria confirmado para d. João II a existência de tais correntes.

Com o Tratado de Tordesilhas, de 1494, Portugal ficava com quase nada do território do Brasil. A linha divisória passava pela cidade de Laguna, em Santa Catarina, e Belém, no Pará, o que reservava para Portugal apenas a região litorânea do Brasil. Mas o que interessava para Portugal – e isso ele conseguiu assegurar – não era realmente o território, mas, sim, o mar. Se alguém aventasse essa possibilidade na época certamente seria tachado de louco. Somente em 1750, quando as Índias já não eram mais aquela coisa toda e com a descoberta de ouro no Brasil, é que, com o Tratado de Madri, se vão alargar os limites do Tratado de Tordesilhas.

Portanto, no fim do século XV e início do século XVI, navegando a vela, ao sabor do vento e das correntes, podia-se afirmar que "[...] o caminho que ligava dois pontos da superfície do globo não era o geometricamente mais curto, mas aquele por onde as correntes seguiam, ou podiam ser aproveitadas. Por isso o seu conhecimento, que tantas vidas e dinheiro custou, envolvia naturalmente um certo segredo".[6]

Se você soltar um barquinho de papel na altura de Cabo Verde, ele será levado pelas correntes e vai certamente chegar ao Brasil. Assim como as correntes das Canárias, que haviam levado Colombo para a América e provado que, navegando a vela, era impossível qualquer outra rota.

Não era uma vontade humana, era um dado da natureza. Não era Deus, não era magia, não eram as bulas papais, era ciência. Era o conhecimento, que foi desenvolvido por séculos, das regras do mundo natural ao qual se chega por meio da compreensão da natureza, pela multiplicação e difusão do saber. Da mesma forma que a Inglaterra, mais tarde, faria fortuna com a Revolução Industrial – por meio do saber, das ciências, do escrutínio da natureza, do desenvolvimento de máquinas, da química etc.

A volta do mar pelas correntes oceânicas exige que no caminho para a África, atravessando o cabo da Boa Esperança, se passe muito próximo da costa do Brasil, perto de Fernando de Noronha. Diversos navegadores reportaram o avistamento de terras nas viagens.

Bartolomeu Dias, em 1488, viajou em janeiro e fevereiro e enfrentou fortes tormentas – não por acaso apelidou o cabo de cabo das Tormentas. Já Vasco da Gama viajou em julho e encontrou-o mais pacificado. Essas condições para a navegação explicam a breve passagem de Cabral pelo Brasil, ou seja, uma parada estratégica no caminho das Índias para sondar o território e esperar o melhor momento para seguir viagem.

A forma mais segura de se chegar às Índias era, portanto, cortando o Equador entre seis e oito graus oeste entre os meses de abril, maio e junho, quando os ventos e correntes facilitavam a viagem. Por isso, a viagem de Cabral em pleno abril, por isso também foi na frota de Cabral o experiente Bartolomeu Dias, o homem que primeiro navegou a volta do mar e que morreria num naufrágio nessa viagem.

Como se pode ver, não foi um descobrimento acidental, ao acaso, o Brasil não apareceu simplesmente no meio do caminho entre Portugal e o seu paraíso particular.

O BRASIL NO OLHO DO FURACÃO

Está evidente que o interesse e a colonização do Brasil não foram acontecimentos que se deram bruscamente, mas, sim, aos poucos, na medida em que, de um lado, o comércio de Portugal com as Índias e com a Europa vai se intensificando e, de outro, com os problemas internos de Portugal – sobretudo religiosos – se agravando. Da terra em si, pode-se dizer que já se tinha notícias de sua existência desde as primeiras viagens de Colombo à América e até mesmo antes disso. O Brasil já era conhecido desde a Idade Média e constava em diversos mapas como, por exemplo, no *Portulano Mediceo Laurenziano* de 1351, em que consta o nome Brazil; no *Mapa de Pizzigano*, de 1367, consta o nome Braçir; no de Andrea de Bianco e Fra Mauro, entre 1457 e 1459, como vimos, Berzil; e no de Benincasa, de 1482, Braçill.

Não por acaso desde as primeiras horas Portugal buscou assegurar sua posse pelo Tratado de Tordesilhas. Com Cabral, como vimos, se dá apenas um contato superficial com a terra. Mas quando Cabral chega ao Brasil, já existia em Portugal, pelas razões que acabamos de ver, as questões do judaísmo e do açúcar, ou seja, uma determinação de futuramente incluir o Brasil no campo de ação daquela que seria a primeira multinacional da história.

Por isso, paralelamente à exploração dos produtos das Índias, em 1503, d. Manuel I fez mais uma tentativa de sondar o território, e recebeu uma carta de Américo Vespúcio com a desalentadora notícia de que para o comércio a terra era realmente – como já havia reportado Cabral – imprestável: "Pode-se dizer que nela não encontramos nada de proveito, exceto infinitas árvores de pau-brasil." Essa foi a única possibilidade de negócio que o treinado faro dos portugueses conseguiu prospectar no Brasil. É óbvio que comparado às Índias, isso não era realmente nada. O fato é que o próprio comércio com as Índias ainda era incipiente no início do século XVI e o domínio de Portugal vai se impondo aos poucos no comércio entre o mar Vermelho, a África e a Índia. Imposição que se deu mediante muitas guerras que só aos poucos foram redundando em dominação portuguesa. Guerras que custavam muito caro, pois não era só a conquista, mas a defesa, que onerava muito os negócios.

Entretanto, passadas as guerras contra os mouros, Portugal consegue estabelecer o monopólio no Oriente, no norte da Europa e até mesmo no Mediterrâneo, outrora território sagrado de venezianos e genoveses. Só seria traído mesmo, mais tarde, pelo tamanho do seu império, ou seja, seria devorado pelo monstro que ele próprio criou e alimentou, que não teve condições de eliminar quando preciso.

Envolvidos, portanto, inicialmente com a guerra e o comércio no Oriente, a ideia de povoar a América não ocorre nem a portugueses nem a espanhóis. Ao contrário: "É o comércio que os interessa, e daí o relativo desprezo por este território primitivo e vazio."[1] Em verdade, a América com que se depararam, sobretudo os espanhóis, como vimos no caso de Colombo, "não foi para eles, a princípio, senão um obstáculo oposto à realização de seus planos e que devia ser contornado".[2] Quanto a Portugal, significou somente a esperança de um verdadeiro "negócio da China" em terras americanas, mas esse negócio demoraria um pouco para começar – e faria com que fossem desviados "recursos de empresas muito mais produtivas no Oriente"[3] e não se despojassem completamente de suas posses de além-mar.

Desse modo, completamente desinteressado e com muito custo, o rei consegue alguém para tocar, digamos, esse *a priori* "péssimo negócio". Dessa maneira, e não por acaso, uma *joint venture* formada pelo comerciante judeu Fernando de Noronha e pelos banqueiros alemão e florentino, Jacob Fugger e Bartolomeu Marchionni, assumiu o negócio. Fernando de Noronha era sogro de Cabral, que havia se casado com a filha de Noronha, d. Isabel de Castro, logo que chegara daquela sua viagem às Índias, na qual havia "descoberto" o Brasil.

O Brasil era naquele momento, para Portugal, importante e desimportante ao mesmo tempo, e por isso mesmo ficaria em *stand by* até que algo acontecesse. Para Portugal, o caminho para as Índias, estruturado e sistematizado, significava o caminho para o paraíso. Isso porque, embora inicialmente não tivesse conseguido estabelecer seu monopólio, ao menos dominava todo o Atlântico Norte, de modo que "triunfou sem dificuldades na parte atlântica do continente europeu: nos Países Baixos, já desde 1501; na Inglaterra, desde janeiro de 1504, com a chegada a Falmouth de cinco navios portugueses com um carregamento de 380 toneladas de pimenta e especiarias de Calicute. Se introduziu também na baixa e na alta Alemanha a poderosa casa de Anton Welser e Konrad Vöhling, de Augsburgo, se volta em 1503 para o sol nascente de Lisboa; a Magna Societas de Ravensburgo se decide, em 1507, a fazer suas compras de pimenta e especiarias em Antuérpia, estação de trânsito do mercado português".[4]

Menos de uma década depois, o comércio português já dominava outras praças, inclusive penetrando no mar Mediterrâneo, palco antes exclusivo dos mercadores venezianos, de modo que estes passaram a não encontrar mais especiarias, mas particularmente pimenta, nos portos de Alexandria e Beirute, seus antigos fornecedores. O monopólio português chega a um ponto tal que, a partir de 1515, Veneza – uma das maiores potências comerciais e econômicas do mundo – passa a comprar de Lisboa a pimenta que necessitava para consumo interno e em 1527, a situação de Veneza se mostrava tão precária que "o senado veneziano propõe ao rei de Portugal, d. João III, comprar-lhe toda a pimenta que chegava a Lisboa, separando a parte necessária para o consumo dos portugueses. O projeto não prosperou, mas demonstra a marcha triunfal do mercado de Lisboa".[5]

Essa situação de monopólio, no entanto, que foi extremamente rentável no início, não vai se sustentar por muito tempo, sobretudo por causa do "fogo amigo", ou seja, a corrupção – como veremos – praticada pelos próprios encarregados locais portugueses. Por estar na contramão de certo liberalismo econômico que acabava de surgir no horizonte, Portugal será atacado por todos os lados, e essa situação não demorará muito para implodir. São dois os motivos principais. A viagem muito longa acarretava problemas insolúveis, o primeiro: a perda da qualidade do produto – o aroma – por conta dos longos meses de viagem; o segundo – uma questão econômica – obrigado a cobrir os custos da viagem e das perdas, pois a longa rota pelo cabo da Boa Esperança era extremamente onerosa, Portugal ficava com um custo de operação alto e não conseguia compensar isso no preço final dos produtos – que acabavam sendo comercializados a preços baixos. Ou seja, a conta começou a não fechar!

O comércio do Mediterrâneo – veneziano e genovês –, embora cambaleante e extremamente precarizado pelo avanço português, continuava. Ao contrário do *modus operandi* português, o do Mediterrâneo, "com sua espessa rede de intermediários, com seus trajetos mais curtos e bem explorados havia muitos séculos, envolvia menores contratempos e irregularidades. Para os venezianos, o risco se reduzia ao da travessia do Egito, e era compensado por muitos benefícios, em vista das enormes diferenças de preço entre o Oriente e o Ocidente".[6]

Essa diferença fazia com que Veneza pagasse preços melhores, o que, óbvio, atraía o comércio novamente para o Mediterrâneo, aumentando – ato contínuo – em muito a prática do contrabando e, consequentemente, a sistemática sabotagem do monopólio português que acabou por se mostrar cada vez mais frágil.

A fragilidade do império português vinha não só dos produtores que lutavam contra o monopólio português e incentivavam o descaminho, mas das fraudes praticadas pelos próprios funcionários portugueses, pois: "A presença portuguesa, que tão rapidamente se havia estendido por uma imensa área, através do Oceano Índico e mais além, é a causa, não só, da necessidade de criar tráfegos inter-regionais, sem falar também do espírito de aventura e do lucro, havia culminado na criação de um império imenso e frágil. Por si mesmo, Portugal não era bastante rico para manter essa vasta rede, suas fortalezas, suas custosas esquadras e seus funcionários. O império tem que alimentar-se sempre do império. Esta inferioridade financeira converteu rapidamente os portugueses em aduaneiros, porém as aduanas são proveitosas somente na medida em que passam por elas torrentes de preciosas mercadorias. Nestas condições, a fraude, ou o que podemos chamar de fraude, encontrou campo fértil [...] fonte da corrupção dos funcionários portugueses, ansiosos de enriquecer-se o mais rapidamente possível e surdos às ordens que mesmo de muito longe lhes dava seu governo."[7]

Essa foi uma realidade própria do capitalismo português que vai ser cada vez mais comum nesse período, pois era impossível fiscalizar todo o império. Esse efeito vai ser comum também – só que muito mais tarde – no Brasil, como é possível acompanhar pelas inúmeras denúncias do padre Antônio Vieira, quando do Brasil reclamava ao rei de Portugal dizendo que:

"Nem os reis podem ir ao Paraíso sem levar consigo os ladrões, nem os ladrões podem ir ao inferno sem levar consigo os reis [...] em vez de os reis levarem consigo os ladrões ao Paraíso, os ladrões são os que levam consigo os reis ao inferno [...]. O pirata do mar não rouba aos da sua república; os da terra roubam os vassalos do mesmo rei, em cujas mãos juraram homenagem; do corsário do mar posso me defender; aos da terra não posso resistir; do corsário do mar posso fugir; dos da terra não me posso esconder; o corsário do mar depende dos ventos; os da terra sempre têm por si a monção [...]. Navegava Alexandre em uma poderosa armada pelo mar Eritreu a conquistar a Índia. E como fosse trazido à sua presença um pirata que por ali andava roubando os pescadores, repreendeu-o muito Alexandre de andar em tão mau ofício. Porém, ele, que não era medroso nem lerdo, respondeu assim: Basta, senhor, que eu, porque roubo em uma barca, sou ladrão, e vós, porque roubais em uma armada, sois imperador? Assim é: o roubar pouco é culpa, o roubar muito é grandeza. O roubar com pouco poder faz os piratas, o roubar com muito, os Alexandres."[8]

O altíssimo nível do descaminho a que estava sujeito o monopólio português foi possível de ser averiguado pelo estranho fluxo de mercadorias nos portos de Alexandria. Sobre isso mandavam notícias a Portugal seus agentes, interlocutores e informantes, que diziam: "Em Lisboa, onde chegavam em abundância notícias tanto verdadeiras como falsas, se instaurou imediatamente certa inquietude. Se soube que, naquele mesmo ano de 1561, os turcos, como se a corrente natural do tráfico até seus portos não fosse suficiente, haviam se apoderado no oceano Índico de vinte mil quintais de pimenta portuguesa, dirigindo-os, consequentemente, para Alexandria. Imediatamente correu o rumor de que o vice-rei das Índias portuguesas havia se levantado contra seu soberano e havia despachado ao Egito a pimenta das frotas reais. Segundo os dados de seus informantes, o embaixador português em Roma, *expert* nestes problemas, deduziu em novembro de 1560 que, em vista da enorme quantidade de pimenta e especiarias que chegavam a Alexandria, nada tinha de estranho que afluísse uma quantidade tão exígua desses produtos a Lisboa. O embaixador francês em Portugal, Nicot, se regozijava abertamente dele em abril de 1561: se esse trânsito pelo Mar Vermelho se impõe, os armazéns do rei de Portugal se verão muito desabastecidos, que é a coisa que ele mais teme, e para impedir tal descaminho, muito estão combatendo suas armas. O que se temia, o que se esperava, era quase uma revolução econômica."[9]

Desse modo, com esses imensos problemas internos – que, aliás, serão a tônica de toda a queda do império português –, a realidade foi aos poucos se impondo sobre o sonho do enriquecimento e as longas viagens foram tornando a rota para as Índias cada vez mais onerosa e contraproducente.

Ao passo que mantinha a assiduidade da navegação e do comércio com o Oriente, Portugal foi também, astutamente, desenvolvendo o comércio de novos produtos na costa ocidental da África. O primeiro deles foi a cana-de-açúcar, cuja produção havia sido implantada nos arquipélagos da Madeira e dos Açores, como vimos, já no início da expansão. O açúcar era produzido por engenhos particulares e Portugal tinha o monopólio do comércio. À medida que a demanda pelo açúcar aumenta nos principais centros europeus, aumenta também a demanda pela produção, que exigia cada vez mais terras cultiváveis e mão de obra.

O açúcar da Madeira e de outras ilhas do Atlântico no fim do século XV que era exportado todos os anos, de acordo com os dados oficiais, tinha a seguinte dimensão: 40.000 arrobas de açúcar portuguesas para Flandres; 7.000 arrobas para a Inglaterra; 6.000 arrobas para Livorno; 13.000 arrobas para Gênova; 2.000 arrobas para Roma; 15.000 arrobas para Veneza; e 25.000 arrobas para Constantinopla e Quíos. Como se pode ver, não era qualquer coisa, esse mercado já representava uma boa parte do faturamento português.

A necessidade de terras se encontrava relativamente resolvida com a descoberta recente do Brasil – que estava nesse período arrendado para o grupo de Fernando de Noronha. Já a necessidade de mão de obra, no entanto, abriu para Portugal a oportunidade do maior negócio de sua vida: o comércio de escravos. Com o tempo este se tornaria mais lucrativo do que o próprio comércio do açúcar e infinitamente mais lucrativo que o comércio com o Oriente.

A colonização do Brasil se dará só e tão somente na medida em que se criam as condições favoráveis e se ampliam os interesses dos portugueses na produção de açúcar e no comércio de escravos. Apenas a partir dessa condição é que se desvia para as terras da América o interesse português e o consequente esforço de ocupá-las permanentemente. Sem esse *upgrade* no comércio do açúcar, as terras brasileiras provavelmente permaneceriam arrendadas *ad infinitum*.

Com esse impulso colonizador no Brasil, Portugal queria fazer multiplicar o seu empreendimento que era composto por dois polos complementares: um de "produção" de escravos na África e outro de "consumo" de escravos situados nos arquipélagos portugueses – Madeira e Açores – e no Brasil. A partir desse momento, o grande negócio dos portugueses não vai ser mais as especiarias das Índias, mas o monopólio do negócio com açúcar e com escravos.

Esse esquema foi, de certa forma, imposto aos poucos aos portugueses pelas próprias circunstâncias e não foi algo planejado. À crise do monopólio dos produtos das Índias somaram-se os caprichos impostos à navegação pela volta do mar, e ambos criaram a ocasião propícia para a implantação do cultivo de cana-de-açúcar e da produção de açúcar no Brasil. Além, é claro, do aumento da demanda e da questão judaica, como vimos.

Esse pragmatismo português vai selar o destino do Brasil, pois de território abandonado passará a representar uma conexão importante no intricado e sofisticado modelo de negócio intercontinental desenvolvido por Portugal no início do século XVI. O destino do Brasil é, portanto, determinado pelo simplório fato da volta do mar. Essa condição natural determinou a colonização do Brasil e a consequente produção do açúcar, que trouxe consigo a escravidão.

Lisboa foi um grande entreposto de escravos que chegavam de diversas regiões da África. Tudo começava em Lisboa, de onde os navios que seguiam em direção às Índias deixavam os escravos na costa do Brasil, carregavam alguma mercadoria – açúcar e aguardente – e seguiam viagem. Nas Índias carregavam e na volta, bordejando a costa ocidental da África, iam trocando produtos por escravos, de porto em porto das possessões portuguesas até chegar a Lisboa. Esse é o círculo que gira no Atlântico Sul e que resume o comércio ultramarino português. Em pouco tempo, o comércio de escravos vai se tornar mais importante que as próprias especiarias por um motivo muito simples: ao contrário das especiarias, os escravos saíam para os portugueses praticamente de graça porque eram trocados por produtos oriundos do Brasil, que tinham embutido um alto valor agregado. Somente quando Portugal descobre que a produção de açúcar no Brasil demandaria escravos e que o escravo era um "produto" altamente valorizado é que os portugueses vão, enfim, descobrir o Brasil.

Mas sabemos que o negócio por excelência do português era o mar – a aventura, a conquista. Eles eram os grandes responsáveis pela logística, pelo transporte, pela distribuição. Esse sempre foi o ímpeto português. Quando o monopólio português do comércio de especiarias na Europa entra em crise, os olhos de Portugal se voltam para o seu velho negócio na costa atlântica da África. Acostumados, porém, com a riqueza proporcionada pelo breve monopólio, era preciso criar algo maior, era preciso monetizar o Brasil.

Mas não nos antecipemos, essa é uma história que ainda vai acontecer. Por enquanto, outras águas rolavam por debaixo da ponte.

OS VERDADEIROS DESCOBRIDORES DA AMÉRICA: SOLÍS, BALBOA, GARCIA E MAGALHÃES

Se para Portugal os descobridores do caminho das Índias e das terras da América foram, respectivamente, Bartolomeu Dias, Vasco da Gama e Pedro Álvares Cabral, para os espanhóis foram Juan Díaz de Solís, Vasco Núñez de Balboa, Aleixo Garcia e Fernão de Magalhães. Esses quatro senhores fizeram descobertas fundamentais, mas um deles colocaria a América no centro do mundo.

Se Portugal dominava os ventos e as correntes do Atlântico Sul, a Espanha dominava como ninguém os ventos e as correntes do Atlântico Norte. Desse modo, paralelo ao périplo português, a Espanha seguia seu caminho particular em busca de um lugar ao sol no comércio internacional das especiarias. A América com que Colombo havia topado no meio do caminho e que havia se apresentado, de início, como um imenso obstáculo para a realização do sonho espanhol, revelou, aos poucos, sua auspiciosa realidade, e os responsáveis por essa guinada foram esses quatro cavalheiros espanhóis.

Desde a sua primeira viagem à América em 1492, Colombo imaginava que havia um estreito na linha equinocial que daria acesso rumo ao Oriente, e é para encontrá-lo, mais do que por causa dos tesouros da América, que ele vai se dedicar em vão por toda a sua vida. Em 1513 – Colombo morreu em 1506 – uma flotilha comandada por Vasco Núñez de Balboa vai atracar na América e fará Colombo sofrer a mesma sina que d. João II, ou seja, a sina de que quem planta tâmaras não colhe tâmaras.

Vasco Balboa vai submeter uma região ainda pouco explorada pelos espanhóis a um verdadeiro escrutínio, e seu espírito aventureiro, seu empenho e sua ousadia levarão a Espanha ao paraíso sonhado e tocado pela imaginação de Colombo. Seus diários falam por si: nas primeiras linhas, Colombo expõe ao rei da Espanha que havia descoberto o grande segredo dessas terras, onde havia muitas riquezas e muita quantidade de ouro – "aqui nos tem faltado mais comida do que ouro de que Vossa Alteza estará muito bem servido".[1]

"Meu poderoso senhor", diz em correspondência ao rei da Espanha, "o que eu com muito boa indústria, muito trabalho e com muita sorte descobri é isso: nesta província de Darién foram descobertas muitas e muitas ricas minas, há ouro em grande quantidade. Estão descobertos cerca de trinta rios que têm ouro e que saem de uma serra que está duas léguas distantes desta vila. Esta serra vai por esta costa abaixo até o poente. Subindo um rio grande distante trinta léguas na margem direita está uma província que tem muita quantidade de ouro. Tenho notícias muito precisas que tem nesta província rios muito ricos em ouro. Isso é o que me disse o filho do cacique daquela província e outros índios [...] indo este rio comprido trinta léguas acima pela mão esquerda entra um rio formoso e longo, indo [rio] acima dois dias por ele havia um cacique que diz ser Davaive: é um grande senhor de terra extensa e muito povoada, tem ouro em quantidade em casa, e tanto que para quem não conhece as coisas desta terra será bem difícil acreditar: isso eu sei de fonte segura; da casa desse cacique Davaive vem todo o ouro que sai por este golfo, e tudo o que têm esses caciques dessas comarcas, diz-se que têm muitas peças de ouro de um jeito estranho, e muito grandes: dizem muitos índios que viram, que esse cacique Davaive tem certas cestas de ouro que precisam ser levadas às costas por um homem: esse cacique colhe esse ouro porque está afastado da serra, é o modo como é, que a dois dali há uma terra muito linda, na qual há uma gente que é muito cruel e má, comem homens quantos puder haver. Essa é a gente que está sem senhor e não tem a quem obedecer; é gente de guerra: cada um vive por si, são senhores das minas; e são essas minas, pelo que eu soube, as mais ricas do mundo: essas minas estão em uma terra que ficam numa serra que é mais alta do mundo, ao que parece, e creio que nunca se viu outra tão alta; nasce nos lados de Urabá desse golfo, um pouco terra adentro, equivalente a vinte léguas marinhas, vai o caminho dessa serra metendo-se até a parte Sul: é terra extensa, desde seu começo vai crescendo em grande quantidade, é tão alta que se cobre de nuvens: há já dois anos estamos e nunca se viu o alto dela, a não ser duas vezes, porque é continuamente coberta pelos céus, e assim que chega à maior altura torna a cair, até ali vai subindo de grande arvoredo, e dali vão caindo umas cordilheiras de serra sem nenhum monte, fenecendo na mais formosa terra do mundo e mais extensa, junto com esse cacique Davaive: as mui ricas minas estão nessa ponta dessa terra voltando até a parte do nascer do Sol, o Sol as dá nascendo; são dois dias de jornada, desde esse cacique Davaive até essas ricas minas".[2]

A serra a que Balboa se refere é a cordilheira dos Andes e o povo riquíssimo em ouro é o povo inca. "Há outra maneira de colher ouro, esperar que seque a erva nas serras e [então] eles ateiam fogo e depois de queimada vão buscar pelo alto e pelas partes mais dispostas e colhem o ouro em grande quantidade e em formosos grãos: esses índios que colhem esse ouro o trazem em grãos, como o colhem para fundir e o resgatam com esse cacique Davaive: como pagamento pelo resgate, os índios jovens recebem o que comer, e índias que servem a suas mulheres; não as comem; dá-lhes porcos, nessa terra há muitos; dá-lhes muito pescado e roupa de algodão e sal, dá-lhes peças de ouro lavradas como eles quiserem: só com esse cacique Davaive esses índios têm esse pagamento, porque em outras partes não há lugar. Esse cacique Davaive tem uma grande fundição de ouro em casa: tem cem homens que lavram ouro continuamente; isso tudo eu sei de fonte segura, porque nunca procuro saber outra coisa por onde ando; eu procurei sabê-lo de muitos caciques e índios e também dos vizinhos desse cacique Davaive, como de outras partes digo ser verdade tudo [isso], porque eu o soube de muitas maneiras e formas, dando a uns tormento e a outros amor e a outros ainda coisas de Castela: considero verdadeira essa notícia, que indo cinquenta léguas rio acima, pelo San Juan, há muitas minas ricas, de um lado e outro do rio."[3]

Conversando com os naturais da terra, Balboa recebe uma notícia que era importantíssima para a Espanha – a da existência de outro mar –, e assim Balboa envia a tão importante notícia ao rei: "Porque um homem chega até onde pode e não até onde quer: pelo tanto daquelas serras vão umas terras muito extensas, vão até a parte Sul; dizem os índios que o outro mar está a três dias da caminhada dali; dizem todos os caciques e índios daquela província de Comogre que há tanto ouro colhido em peças, na casa dos caciques do outro mar, que nos fazem estar todos fora de sentido, dizem todos que o outro mar é muito bom para navegar em canoas, porque é manso e contínuo, que nunca fica bravo como o mar deste lado, segundo dizem os índios; eu creio que naquele mar há muitas ilhas, dizem que há muitas pérolas em muita quantidade, muito gordas e que os caciques têm cestas delas, e que também as têm todos os índios e índias, em geral. Esse rio que vai desse cacique Comogre ao outro mar antes de chegar lá forma três braços [de mar] e cada um deles entra por si só no outro mar; dizem que pelo braço que entra até o poente vêm as pérolas a resgatar em canoas à casa do cacique Comogre; dizem que pelo braço que entra até o levante entram as canoas com ouro por todas as partes, que é algo inacreditável e sem nenhuma comparação, e pois dessa terra tão grande e onde há tanto bem há Nosso Senhor que se fez senhor, [isso] não pode cair no esquecimento, pois se vossa mui Real Alteza me incumbe de enviar gente eu me atrevo a tanto, mediante a bondade de Nosso Senhor, de descobrir coisas tão elevadas e onde pode haver tanto ouro e tanta riqueza, com que se pode conquistar boa parte do mundo, e se disso vossa mui Real Majestade assim desejar, para nas coisas que aqui devem ser feitas, deixe-me vossa mui Real Alteza o cargo."[4]

Balboa arma, por fim, uma expedição para encontrar o mar do Sul e fundar ali uma vila que pudesse servir de ponto de apoio para o ataque aos incas. Nessa viagem "em um mês morreram 700 homens de fome e de enfermidade e de letargia".[5]

Para valorizar a expedição e requisitar reforços ao rei da Espanha para a conquista, Balboa apela para as questões sobrenaturais: "Havia alguns particulares que se faziam mestres, que eles chamavam de Tequina e que diziam a eles que falavam com o diabo, ao qual chamavam em sua língua Tuira e este tinha uma choça bem pequena, sem porta e sem cobertura por cima, e ele se metia ali à noite e fazia de conta que falava com o diabo e mudava muitas maneiras e tons de falar e dizia ao senhor que a ele agradava, dizendo que o diabo é que respondia aquilo. Nessas províncias havia bruxas e bruxos que faziam muito estrago nas criaturas e ainda muita gente mais velha por indução do diabo e o diabo lhes trazia unguentos com os quais se untavam, feitos de certas ervas. E a maneira como o diabo lhes aparecia era como um menino bonito, porque sendo essa gente simples, não se espantassem com ele e acreditassem nele, e as mãos não se viam e nos pés tinha três unhas, como um grifo: e a todas que se se tornariam bruxas ele as acompanhava e entrava com elas na casa que haveriam de fazer. Finalmente, parece, ao que se diz, que eu fiz com as bruxas isso e muitas outras coisas, e que se untavam com o unguento que lhes dava o inimigo, parecia que iam de corpo e alma. Mas averiguou-se que certa noite uma bruxa estava em um vilarejo com outras mulheres e naquela mesma hora a viram em uma estância onde havia gente de seu senhor, a meia légua dali."[6]

Com a descrição das riquezas, Balboa procurou despertar o interesse e a cobiça do rei da Espanha. Já com a descrição dos aspectos mágicos e das heresias daqueles povos, Balboa procurou despertar a sanha violenta da Inquisição. Vai conseguir atrair ambos. Em 1569, Felipe II vai instaurar a Inquisição no México para cuidar de toda a América espanhola.

Em 25 de setembro de 1513, Balboa avistou o mar e, nos dois anos seguintes, esforçou-se para conseguir vencer o território inóspito e chegar ao mar do Sul. Com as auspiciosas notícias da descoberta do mar e do império inca, uma conspiração se inicia na Espanha. Balboa foi acusado de traição e preso pelo novo governador, Pedro Arias Dávila, ansioso por registrar seu nome para sempre na história como o grande escrutinador do oceano Pacífico. Balboa foi decapitado em 21 de janeiro de 1519. O mandante era Francisco Pizarro. Não era por mero acaso, pois um dos homens que empreenderam com Balboa o périplo da descoberta do mar do Sul e que no caminho havia ouvido as histórias dos reinos ricos em ouro era justamente Francisco Pizarro, outro também interessado em tomar para si, como o fez, as glórias da descoberta.

Essa descoberta de Balboa vai confirmar a intuição de Colombo quanto à existência de um mar a que chamou mar do Sul: era o oceano Pacífico. Desde a Idade Média havia a crença de que se podia chegar ao Oriente navegando-se pelo Atlântico em direção oeste. Toscanelli – como vimos – havia sido o maior entusiasta dessa teoria. A descoberta de Balboa – de outro oceano, do outro lado daquele continente descoberto por Colombo – era a confirmação de que aqueles que acreditavam nesse caminho em direção ao Oriente estavam certos. Faltava agora encontrar uma forma de contornar o continente ou encontrar, em meio a ele, uma passagem para o outro oceano, uma ligação entre o oceano Atlântico e o Pacífico. Descobrir essa passagem era o pulo do gato. A inauguração do canal do Panamá, em 1914, resolveu o problema que Colombo, Balboa e outros navegadores espanhóis procuraram responder por décadas. A região do Darién, no Panamá, é uma faixa de cem quilômetros que separa os oceanos Pacífico e Atlântico. É por ali que se escoará o ouro do império inca e a prata de Potosí, pelo Atlântico.

A Espanha seguia o seu confuso périplo e atuava em duas frentes: descobrir a passagem para o mar do Sul (o Pacífico) e explorar as civilizações americanas. Nesse sentido, com a morte de Vespúcio, em 1512, o rei da Espanha nomeia Juan Díaz de Solís Piloto Maior da Casa de Contratação e ordena-lhe que "Já sabeis quanta necessidade há nessa Casa de pilotos, de que sejam especializados nos assuntos de navegação", repetindo-lhe as recomendações numa carta escrita em dezembro de 1513 e concluindo: "Portanto, eu determino que se alguns pilotos portugueses vierem a esta cidade (de Sevilha), sejam por vós acolhidos e muito bem tratados, e que eles sejam instalados da melhor maneira possível."[7] O rei da Espanha estava em busca de pilotos portugueses por motivos óbvios: eles eram experientes na navegação do Atlântico Sul, conhecedores, portanto, da volta do mar. Ainda assim, não era fácil contratá-los, por isso as recomendações do rei para que os tratassem muito bem, o que significava pagá-los muito bem. Isso porque havia em Portugal penas severas para deserções. As Ordenações Manuelinas determinavam que: "defendemos que nenhum piloto, mestre, marinheiro que nossos naturais forem daqui em diante não aceitem nenhum partido em nenhuma navegação, nem armada, que fora de nossos reinos e senhorios se faça, nem vão nelas de maneira alguma, sob pena se ao contrário fizerem, e lhe for provado, percam por este mesmo feito todos seus bens – a metade para nossa Câmara e a outra metade para quem os acusar – e sejam degredados por quatro anos porque se é do nosso reino tem bem que ganhar a vida em nossas armadas e navegações, pois não há razão que sendo nossos naturais façam em outra parte as ditas navegações."[8]

Mas todas essas limitações não significavam nada diante da entusiasmada notícia de que a transposição do continente americano dava acesso ao oceano Pacífico e ao Oriente. Desse modo, Fernando de Aragão determinou o envio, em 8 de outubro de 1515, de uma flotilha comandada por Juan Díaz de Solís para navegar pelo sul do continente americano até encontrar uma passagem ou um estreito que lhe permitisse dobrar a última ponta do continente para acessar o mar descoberto por Balboa e a cobiçada rota para o Oriente. A ideia de Solís e de Fernando de Aragão era, certamente, seguir no continente americano o mesmo caminho percorrido em 1488 por Bartolomeu Dias e em 1497 por Vasco da Gama, quando haviam encontrado a passagem para o Oriente por meio do cabo da Boa Esperança. Se no continente africano havia a tal passagem era possível que no americano também houvesse. A Espanha precisava urgentemente encontrar uma passagem para o Pacífico, mesmo que navegando por águas portuguesas, para, enfim, encontrar seu caminho para as Índias e explorar a costa do Peru, por onde teria acesso ao império inca, que era, por enquanto, apenas uma promessa.

Em 9 de outubro de 1515, a expedição de Juan Díaz de Solís zarpou do porto de Sanlúcar de Barrameda, na Andaluzia, rumo à América. Era composta por três navios e contava com três experientes pilotos portugueses: Henrique Montes, Melchior Ramirez e Aleixo Garcia, entre outros tripulantes portugueses. Solís navegou por todo o litoral brasileiro em direção ao sul e, em fevereiro de 1516, chegou ao estuário do rio da Prata.[9] A flotilha ficou fundeada por volta do paralelo 34° e Solís pôde perceber que, sendo a água dali doce, havia penetrado num estuário. Tendo navegado pelo rio da Prata e alguns de seus afluentes, Solís teve contato com alguns grupos de naturais da terra e, a certa altura, dizem as testemunhas, virou refém dos índios, que "cortaram sua cabeça, braços e pés e assaram seu corpo inteiro e o comeram".[10]

Essa foi uma descoberta tão importante para o destino da colonização da América que quem chega ao centro histórico de Montevidéu, no Uruguai, nota imediatamente a presença de um prédio imponente: o Teatro Solís, homenagem, claro, a Juan Díaz de Solís, que foi o primeiro a explorar o rio da Prata.

Com a morte de Solís, a empreitada foi abortada e na volta para a Espanha uma nau da flotilha do finado Solís naufragou no litoral brasileiro. Naufragou ou foi propositadamente abandonada, isso porque com o malogro da expedição os pilotos e tripulantes portugueses ficaram numa sinuca de bico. Se voltassem para a

Espanha de mãos vazias, sofreriam certamente uma punição dos mercadores, armadores e da Coroa espanhola. Se voltassem para Portugal seriam punidos por estarem a serviço de outra Coroa. Desse modo, eles resolveram por bem ficar no Brasil e iniciaram a exploração do território.

Os pilotos portugueses Aleixo Garcia, Melchior e Montes passaram a viver com os índios nas costas do atual estado de Santa Catarina, e nessa espécie de autoexílio, de autodegredo, com o tempo, familiarizados com os costumes e sobretudo com o idioma dos naturais da terra, eles começaram a descobrir informações preciosas, como, por exemplo, a história sobre a existência de um poderoso e rico reino no interior da América do Sul governado por um "rei branco". Entre 1522 e 1525, Aleixo organizou uma expedição, que contava com dezenas de índios guaranis. Nessa viagem, provavelmente na região onde se encontra hoje o Paraguai, reza a lenda que Aleixo foi morto, possivelmente comido por canibais. Aleixo Garcia foi um dos primeiros a penetrar no território brasileiro e é considerado o terceiro verdadeiro descobridor da América, o segundo, como vimos, foi Balboa e o primeiro, Colombo.

Aleixo Garcia empreendeu uma das mais fantásticas viagens da história. Saiu do litoral do atual estado do Paraná, subiu até a Foz do Iguaçu, adentrou o atual território do Paraguai, atravessou a região dos Chacos entre os rios Pilcomayo e Grande e alcançou a região de Sucre e Potosí, onde atacou algumas povoações incaicas e enviou homens de volta com amostras de ouro, prata, pedras preciosas e auspiciosas notícias. Tudo isso dez anos antes das incursões espanholas. Pode-se dizer que Portugal até descobriu primeiro os impérios pré-colombianos, mas não levou a glória e, é claro, o mais importante, as riquezas.

Em 1526, uma expedição espanhola liderada por Sebastião Caboto[11] relatou ter entrado em contato com os sobreviventes da expedição de Solís em território brasileiro. Eram eles Henrique Montes e Melchior Ramirez. O primeiro relatou a Caboto que o rio de Solís (da Prata) deveria nascer em algum lugar onde abundavam a prata e o ouro, segundo informações levantadas junto aos naturais da terra, além de ter apresentado amostras de ouro e prata que traziam consigo. Aleixo Garcia, como vimos, havia certamente encontrado os reinos que Vasco Núñez de Balboa tinha ouvido falar na sua longa jornada em busca do mar do Sul.

Os espanhóis na busca desesperada pela passagem do Atlântico para o Pacífico atiraram no que viram e acertaram no que não viram. Ou seja, a descoberta fortuita do rio da Prata havia saído melhor do que a encomenda. A notícia de que por meio desse rio seria possível acessar impérios riquíssimos no interior do continente americano correu toda a Europa, e a atenção da Espanha e de todos, é claro, se voltaram, consequentemente, para o Atlântico Sul e o Brasil, o qual vai sofrer um minucioso exame por meio de cisões sucessivas em seu território.

A partir daqui, o que era uma busca desesperada para contornar o continente comercialmente árido da América e acessar o Oriente ganha uma nova dinâmica. O continente americano passa a merecer um pouco mais de atenção. É a partir das informações obtidas pela expedição de Aleixo Garcia, em sua entrada triunfal, que o mundo se volta para a América. É a partir também de suas informações que Francisco Pizarro vai empreender sua expedição de conquista do império dos incas e descobrir, mais tarde, as minas de Potosí na região do alto Peru, hoje Bolívia.

A descoberta de Aleixo Garcia vai deslocar a atenção da exploração espanhola da América Central e do México para a América do Sul. Nesse sentido, começam os esforços espanhóis para o estabelecimento de cidades e povoações na embocadura do rio da Prata. Fundou-se ali, por exemplo, o que ficou conhecido como a primeira Buenos Aires, em 1536. Outra região estratégica que vai merecer a atenção dos espanhóis é a do Paraguai, para onde a Espanha envia os exploradores Pedro de Mendoza, Juan de Ayolas, Juan de Salazar de Espinosa e Álvar Núñez Cabeza de Vaca. Este último, quando chega para assumir a governança do Paraguai, não segue pelo rio da Prata, mas desembarca em Santa Catarina e se locomove por terra, numa expedição que o fará descobridor das cataratas de Foz do Iguaçu. Certamente o mesmo caminho que havia sido trilhado por Aleixo Garcia – um caminho habitual dos naturais da terra.

A partir de 1534, com a tomada do império inca e a descoberta de Potosí, as atenções da Espanha se voltaram prioritariamente para a exploração dessas regiões. Consequentemente, o Brasil vai ganhar maior relevância dado a contiguidade em que se encontra – estar no meio do caminho do território e das novas riquezas espanholas. Esse fato faz com que se intensifiquem os conflitos entre a Espanha e Portugal, sobretudo porque a Espanha vai fazer uso do território português para tentar burlar o intenso ataque de piratas que se estabelece, sobretudo no Caribe.

Inicia-se a partir daí uma verdadeira batalha entre portugueses e espanhóis pela região do Prata até a assinatura, em 1750, do Tratado de Madri. Quem vai hoje ao Uruguai, certamente visita a cidade de Colônia do Santíssimo Sacramento, fundada pelos portugueses em 1680, no processo de disputa territorial da região.

O esforço para blindar a região prossegue e Domingos Martínez de Irala ordena – para cercar a entrada de portugueses vindos de São Paulo em direção ao Peru – a fundação, em 1554, por Garcia Rodrigues de Vergara, da vila de Ontiveros. Em 1554, foi fundada, por Ruy Díaz Melgarejo, a Ciudad Real del Guayrá. Para completar o cerco, em 1593 é fundada, por Ruy Díaz de Guzmán, a cidade de Santiago de Jerez. Irala determinou que essas cidades fossem fundadas no caminho do Brasil para conter os grandes danos e assaltos que os portugueses faziam na região do Guayrá.

Mas não nos antecipemos. Antes desse périplo pelo interior do território americano, o malogro das viagens de Solís e de Caboto na busca pela passagem para o mar do Sul vai ser recompensado pela viagem de Fernão de Magalhães, que parte da Espanha em 1519 e consegue, enfim, avançar pelo mesmo caminho percorrido por Solís e descobrir uma passagem para o oceano Pacífico: o estreito de Magalhães. Em 1522, Magalhães não só é autor do inédito feito de transpor o continente americano, como também empreende a mais fantástica viagem da história da humanidade, tendo retornado à Espanha pelo cabo da Boa Esperança, completando, assim, a primeira circum-navegação da história – desconsiderando, claro, as míticas navegações fenícias – e trazendo para a Espanha uma auspiciosa notícia.

O cabo Horn – descoberto por frei García de Loaysa em 1525 – e o estreito de Magalhães são duas passagens no ponto mais meridional das Américas. Por meio deles era possível se ter acesso ao oceano Pacífico e a todo o Oriente, bem como às cobiçadíssimas especiarias da Ásia e da Índia. Não era uma notícia qualquer, pois, a partir desse momento, com a descoberta de uma nova rota para o Oriente quebrava-se, enfim, o monopólio exercido pelos portugueses da rota comercial do Oriente que se fazia pelo cabo da Boa Esperança. Era a Espanha, finalmente, conseguindo abocanhar seu quinhão no lucrativo comércio das especiarias e era também a recompensa do investimento numa rota sobre a qual só se contavam histórias e lendas vagas. Quando Fernão de Magalhães e frei García de Loaysa descobrem o estreito de Magalhães e o cabo Horn, eles realizam o sonho de ninguém mais, ninguém menos que Cristóvão Colombo, o maior navegador da Espanha.

A RIQUEZA DA AMÉRICA RELUZ NOS OLHOS DE UMA DECADENTE EUROPA

O escrutínio da América, que havia sofrido incisões superficiais, passará para outro estágio, com incisões em camadas mais profundas. Nesse sentido, a aventura de Aleixo Garcia no interior do continente americano foi fundamental.

As Américas espanhola e portuguesa, que haviam sido divididas no Tratado de Tordesilhas, eram, na verdade, uma coisa só do ponto de vista prático – a divisão ficou restrita apenas aos tratados. O respeito a esses tratados era outra coisa, posto que a seriedade com que se respeitavam regras, contratos, leis, normas, determinações, ordenações e segredos no século XVI era da profundidade de um pires. Não por acaso, o século XVI, sobretudo em seus primeiros cinquenta anos, vai ser palco de mais transformações do que as ocorridas nos últimos cinco séculos.

A conquista da América segue em duas fases: a primeira delas – a fase inicial –, a da prospecção de riquezas. A partir de 1521, Hernán Cortéz vai conquistar o império asteca; em 1526, Francisco de Montejo conquista o império maia – junto com Montejo veio o célebre Bartolomé de Medina, o grande metalurgista espanhol que criou o método *beneficio del patio*, uma técnica para separar a prata de outros minerais por meio do uso do mercúrio. Essa técnica seria usada por mais de trezentos anos e até hoje, embora proibida, é utilizada em muitos garimpos ilegais no Brasil –; e em 1532 Francisco Pizarro completa o périplo espanhol, buscado por Vasco Núñez de Balboa desde a descoberta do mar do Sul, quando conquistou o império inca, no Peru. A Espanha auferiu com essas conquistas uma imensidão em ouro, prata e pedras preciosas suficiente para arrematar toda a produção de especiarias que Portugal conseguiu nas Índias por décadas e ainda sobrar troco.

Nesse momento, Portugal e o mundo ficaram de sobreaviso sobre as reais possibilidades do antes desprezado continente americano. Com as auspiciosas notícias que chegavam à Europa se inicia a segunda fase, a das viagens de exploração, em que se buscam os caminhos, as rotas menos suscetíveis e a delimitação das fronteiras. A verdade é que a notícia da descoberta do rio da Prata se alastrou como rastilho de pólvora por uma Europa que se encontrava naquele momento muito depauperada, e é só a partir de então que o Brasil passa a ganhar certa atenção, porém não apenas por parte dos portugueses. Os primeiros a organizar uma excursão ao Brasil foram os franceses dos portos da Normandia – Honfleur e Dieppe, experientes navegadores. Eles conheciam bem o caminho, pois em 1503 Binot Paulmier de Gonneville já havia explorado terras brasileiras.

Em 1526 João Silveira, embaixador português em Paris, avisou d. João III que a França preparava uma grande expedição ao Brasil, que contou com dez navios para "um grande rio na costa do Brasil [...] que é o que achou Cristóvão Jacques",[1] o rio da Prata. A França tinha inclusive uma feitoria comercial com um forte em terras brasileiras situada na ilha de Santo Aleixo [Le Saint Alexis], em Pernambuco. A feitoria pertencia ao armador e corsário francês Jean Angot, visconde de Dieppe, que havia recebido do rei da França Francisco I carta de corso para apresar navios estrangeiros. A prática havia tomado uma dimensão tal que, com o tempo, "nem mesmo o governo francês podia sujeitá-los e que Portugal, depois de haver exaurido na França, perante os tribunais, os parlamentos e a própria coroa todos os recursos do foro e da diplomacia, se viu obrigado a negociar direto com os corsários".[2] Portugal chegou a comprar de Angot ao menos duas cartas de corso concedidas a ele pelo rei da França, uma teria custado dez mil francos e a outra cinquenta mil francos.[3] O dispêndio dessa verdadeira fortuna não parece ter evitado o assédio francês por muito tempo, já que em 1555 Villegagnon fundaria no Rio de Janeiro uma colônia francesa: a *France Antarctique*.

Assombrado com a carta de Silveira, d. João III enviou para proteger suas terras o experiente navegante português Cristóvão Jacques, nomeando-o governador das partes do Brasil. Essa armada que partiu de Lisboa em setembro ou outubro do ano de 1526 consta como a primeira expedição oficialmente enviada por d. João III. Contudo, entre os anos de 1516 e 1519, Cristóvão Jacques já havia estado no Brasil, ocasião em que fundara o que se pode considerar a primeira feitoria portuguesa no Brasil, em Pernambuco, na qual deixou como capitão Pêro Capico. Nessa ocasião, Jacques havia também entrado em contato com nove companheiros de Solís de Santa Catarina, quando se encaminhava para o rio da Prata, e ouvido deles as auspiciosas notícias sobre as riquezas da América.

Enquanto Jacques fazia a linha de frente na contenção do ataque francês, d. João III preparava outra expedição, que seria comandada pelo seu amigo de juventude Martim Afonso de Sousa. Essa expedição armou-se por um fato novo que surgiu no ano de 1530 e que levou d. João III a considerar a possibilidade de colonizar a região do Prata que, supunha-se, estivesse dentro das possessões portuguesas e estavam sendo amplamente frequentadas por espanhóis. Dois acontecimentos importantes valorizaram da noite para o dia a região Sul do continente americano: o primeiro deles foi a passagem encontrada ali por Magalhães, como vimos, em 1520, quatro anos após a malbaratada viagem de Solís. Não se tratava de uma coisa qualquer, mas, sim, de outra rota para as Índias, e isso era na prática a abertura de concorrência à grande quantidade de riquezas que Portugal auferia no Oriente e que chegava ao reino por meio dos navegadores portugueses e cuja notícia se espalhara como rastilho de pólvora. O segundo foi que desde Solís e Jacques havia a crença amplamente compartilhada na Europa de que somente pelo rio da Prata se teria acesso às imensas riquezas do império inca – que naquele tempo era apenas uma suposição, porém eivada de fortes indícios –, crença desfeita apenas em 1545, quando Francisco Pizarro conseguiu ter acesso a essa região vindo da América Central.

Um fato novo que impulsionou a ideia de colonização por parte do rei foi uma carta enviada de Sevilha por Simão Afonso, espião português infiltrado na corte espanhola, dando conta da chegada de Sebastião Caboto e, principalmente, de um navegador português que havia retornado com ele e trazia notícias auspiciosas: Henrique Montes. Dizia Simão: "Senhor, eu estou nesta cidade de Sevilha esperando recado de Vossa Alteza para daqui ir à corte do imperador pedir execução contra João Solís [a notícia de que Solís havia empreendido a viagem havia chegado a Portugal, porém, não se sabia ainda que havia morrido] de arresto de seus bens se Vossa Alteza assim houver por seu serviço porque aqui já está determinado que se não há de fazer sem o conselho por especial mandado as justiças dessa cidade que a façam segundo tenho escrito a V.A. [qual seria a forma que propunha o espião?] e por não vir mandado de V.A. sua justiça se perde se isso se dilatar. Manda-me V.A. o que for seu serviço porque não espero outra coisa."[4]

Mais adiante, em outra carta, diz um Simão entusiasmado: "Esta semana chegou aqui um piloto e capitão que era ido a descobrir terra o qual se chama Caboto, piloto-mor deste reino [...] ele veio muito desbaratado e pobre porque disse que não traz ouro nem prata e nem coisa alguma de proveito aos armadores e de duzentos homens que levou não traz vinte [...] da terra ficar deserta não tenho dúvida o rio dizem que é muito grande e alto e muito largo, na entrada se V.A. houver por seu serviço mandar lá agora poderá fazer, porque esta gente aparta-se de onde não vê dinheiro e se acerca disto poder ao diante saber mais particularidades, escreverei a V.A. Sevilha agosto de 1530."⁵

Fica claro por essa troca de mensagens entre o rei de Portugal e seu espião na Espanha que a viagem projetada tinha como intuito colonizar a região do Prata, depois que os armadores espanhóis e o rei tinham momentaneamente desistido do negócio, por conta das malogradas viagens de Solís e de Caboto.

Segundo Varnhagen: "O plano vago da fundação de uma povoação no aquém-mar se fixou então justamente sobre essa paragem de clima temperado e de tantas e apregoadas riquezas, que os castelhanos escarmentados iam porventura desamparar de todo: sobre as margens do rio da Prata. Aprontou-se com mais rapidez a frota composta de duas naus, um galeão e duas caravelas. Além das competentes guarnições e tripulações embarcaram-se nela famílias inteiras... Vão para o rio da Prata... e bastava esta voz para não faltar quem quisesse alistar-se [...] ao todo contavam-se cinco velas e quatrocentas pessoas".⁶

Nota-se nesse episódio o pragmatismo português ao relevar as fortes determinações das Ordenações Manuelinas quanto às deserções no caso de Henrique Montes. Ele não só havia sido perdoado pela traição, como fora agraciado com o ofício de provedor dos mantimentos, feito cavaleiro da casa real e viria a ser beneficiado na futura capitania de São Vicente com uma generosa fatia de terras. Pudera, pois assim como havia contado na Espanha, repetira ao rei de Portugal seu testemunho de que havia na região do Prata "uma grande riqueza no rio onde mataram Solís, suficiente para encher os navios de ouro e prata [...] entrando pelo rio de Solís iriam dar no rio Paraná que é muito caudaloso [...] e ia dar numa serra e que nesta serra havia também muito ouro e prata".⁷

A todo esse discurso soma-se o benefício adicional de ter Montes passado dez anos entre os naturais da terra, o que havia permitido a ele desenvolver uma ferramenta fundamental e que o tornava imprescindível: o domínio da língua, do idioma local, sem o qual pouco se poderia fazer.

Na autorização da viagem dizia o rei: "Dom João por graça de Deus rei de Portugal e dos Algarves, d'aquém e d'além-mar, em África senhor de Guiné e da conquista, navegação, comércio da Etiópia, Arábia, Pérsia e da Índia. A quantos esta minha carta virem, faço saber, que as terras que Martim Afonso de Sousa do meu conselho, achar e descobrir na terra do Brasil, onde o envio por meu capitão-mor, que se possa aproveitar, por esta minha carta lhe dou poder para que ele dito Martim Afonso de Sousa possa dar às pessoas que consigo levar, e às que na dita quiserem viver e povoar aquela parte das ditas terras que bem lhe parecer, e segundo lhe o merecer por seus serviços e qualidades, e das terras que assim der serão para eles e todos os seus descendentes, e das que assim der às ditas pessoas lhes passará suas cartas, e que dentro de dois anos da data cada um aproveite a sua, e que se no dito tempo assim não fizer, as poderá dar a outras pessoas, para que as aproveitem com a dita condição; e nas ditas cartas que assim der irá trasladada esta minha carta de poder, para se saber a todo tempo como o fez por meu mandado, lhe será inteiramente guardada a quem a tiver; e porque assim me praz lhe mandei passar esta minha carta por mim assinada e selada com o meu selo pendente. Dada na vila do Crato da Ordem de Cristo a 20 de novembro. Francisco da Costa a fez, ano do nascimento de Nosso Senhor Jesus Cristo de 1530 anos. REI."[8]

Essa foi a primeira expedição cujo objetivo era a colonização e na qual colonos portugueses vieram para o Brasil. Para a viagem saiu de Lisboa "o governador Martim Afonso de Sousa com armada de navios, gente, armas, apetrechos de guerra e nobres povoadores, tudo à sua custa: com ele veio também seu irmão Pedro Lopes de Sousa, a quem o mesmo rei tinha concedido oitenta léguas de costa para fundar sua capitania, e faleceu afogado no mar. Trouxe o dito Martim Afonso de Sousa além da muita nobreza, alguns fidalgos da casa real, como foram Luís de Góis e sua mulher d. Catarina de Andrade e Aguilar, seus irmãos Pedro de Góis, que depois foi capitão-mor de armada pelos anos de 1558, e Gabriel de Góis; Domingos Leitão, casado com d.

Cecília de Góis, filha do dito Luís de Góis; Jorge Pires, cavaleiro fidalgo; Rui Pinto, cavaleiro fidalgo casado com d. Ana Pires Micel, Francisco Pinto, cavaleiro fidalgo, e todos eram irmãos de d. Isabel Pinto, mulher de Nicolau de Azevedo, cavaleiro fidalgo e senhor da quinta do Rameçal em Penaguião, e filhos de Francisco Pinto, cavaleiro fidalgo, e de sua mulher Marta Teixeira".[9]

A viagem seguiu a rota já costumeira, chegou a Pernambuco, passou por Salvador, Rio de Janeiro, Cananeia e logo seguiu para o Sul, onde, devido às condições climáticas adversas, reuniram-se em conselho e desistiram da empresa de colonizar a região do Prata, estabelecendo-se em São Vicente. No ano de 1800, um piloto espanhol de nome Francisco Fernandez que explorava a região do Prata encontrou próximo à ilha de Maldonado "uma pedra que pesaria três quintais com um escudo grande de Portugal e em cima outro pequeno atravessado com uma cruz".[10] Tratava-se de um dos tradicionais marcos deixados por navegantes portugueses para demarcar as possessões. Esse, em especial, prova que Martim Afonso tinha realmente vasculhado a região do Prata e talvez pelas adversidades climáticas tenha optado por não fundar colônia naquela região.

Para não desapontar o rei quanto às possibilidades de riqueza, Martim Afonso organiza uma expedição, a de Pero Lobo e Francisco Chaves que partiu de Cananeia com a promessa de regressar a São Vicente, onde Martim Afonso a esperaria, com a expectativa de que trouxessem nada menos que quatrocentos escravos e uma quantidade inimaginável de ouro.

O grande alvoroço na Europa com as notícias do rio da Prata se esvaeceu nos anos imediatos, por conta das frustrações causadas pelos malogros das armadas de exploração. Primeiro, a frustração dos espanhóis com Solís, depois a dos ingleses, quem verdadeiramente estava por trás da viagem de Caboto, e, por fim, as tentativas portuguesas de Martim Afonso por mar e de Pero Lobo por terra, as quais também haviam redundado em fracasso.

Da povoação inicial em São Vicente, fundada por Martim Afonso, vai surgir uma das duas capitanias – que serão criadas em 1534, num total de quinze – que vão realmente vingar. A outra é a de Pernambuco, que abarcará a antiga feitoria que existia ali desde os tempos iniciais do descobrimento e que será concedida a Duarte Coelho e será, como veremos, o grande centro irradiador da colonização portuguesa no Brasil, pois é nela que se concentrará o grosso da produção de açúcar que se tornará o centro do comércio português.

Desfeito o entusiasmo inicial, no Nordeste brasileiro se desenvolveria uma opulenta oportunidade de negócio que, embora organizado sem nenhum esforço português, usufruiria do negócio apenas parasitariamente, fez com que se amenizasse o desânimo de Portugal com o Brasil. Opulência que não desfez a inveja que Portugal sentia da Espanha, a qual permaneceria para sempre, pois, como pode ser observado nas palavras do autor dos *Diálogos das grandezas do Brasil*, parecia que: "O ouro, prata e pedras preciosas são somente para os castelhanos e que para eles os reservou Deus [...] habitando nós, os portugueses, a mesma terra que eles habitam e como, porém, ficamos com a parte leste do continente, não podemos descobrir nenhuma [...] descobrindo eles [os espanhóis] cada dia muitas".[11]

Esse inconformismo vai ser responsável por pelo menos uma segunda tentativa a ser feita ainda em 1545, quando Pizarro consegue conquistar definitivamente o império inca e descobrir a mina de Potosí – isso despertará em Portugal um *revival* exploratório. A partir do imenso sucesso da Espanha na prospecção de riqueza na América, Portugal passa a investigar se Peru e Brasil não formavam um território só. Se assim fosse, deveria haver também no solo do território brasileiro a mesma riqueza encontrada no Peru.

O Nordeste com o seu ouro branco – o açúcar – fará ter valido a pena os esforços colonizadores portugueses, ao menos o esforço de ter mantido a posse do território, diante das frequentes invasões estrangeiras. Desse modo, o Sul ficaria relativamente abandonado pelos portugueses, porém não pelos espanhóis, que vão fazer, sobretudo da capitania de São Vicente, praticamente abandonada por seu donatário, Martim Afonso, já em 1533, que a deixou aos cuidados de seu capitão-mor, uma importante plataforma de escoamento das riquezas da região andina. Vamos acompanhar isso.

O PARALELO 12º S: A DESCOBERTA DO OCULTISTA FELIPE GUILHÉM

De todas as tentativas iniciais de penetração pelo rio da Prata restaram apenas frustrações. Em 1536, a Espanha fixa uma colônia na região do Prata – a primeira Buenos Aires – mais para firmar a posse do território do que por qualquer outro motivo. Mas dez anos depois, a partir de 1545, quando Francisco Pizarro conquista no Peru o império inca, o cenário passa a merecer de Espanha e de Portugal atenção total novamente. No caso de Portugal, atenção sobretudo com a região de São Vicente, a capitania hereditária concedida a Martim Afonso e abandonada por ele assim que as ilusões das riquezas minerais se dissiparam.

Mas por que a capitania de Martim Afonso? Inicialmente, o envio do ouro e da prata da América para a Espanha ocorria quase que exclusivamente pela rota que saía da costa do Peru – pelo oceano Pacífico –, seguia até a costa do Panamá, atravessava todo o território do país – cerca de cem quilômetros – e chegava à província do Darién, ou seja, ao oceano Atlântico, onde a carga era embarcada para a Europa. À medida que as remessas avolumavam-se, outras rotas seriam abertas e, numa segunda alternativa, os carregamentos passariam em seguida pelo Pacífico até o Oriente, numa rota nova criada pelos espanhóis que ficou conhecida como rota Acapulco-Manila, por onde circulavam os famosos e cobiçadíssimos galeões de Manila e que durou por longos duzentos e cinquenta anos, entre 1565 e 1815. Outra rota era escoar a produção pelo rio da Prata, e nesse caso eram possíveis dois caminhos: o primeiro, que saía de Lima, no Peru, passava por Sucre e Potosí, ambas cidades na atual Bolívia, seguia por Mendoza, por San Miguel de Tucumán, por Santiago del Estero – todas cidades argentinas – e por fim chegavam a Buenos Aires, de onde eram embarcadas para a Espanha. Outro braço saía de Potosí e ia até Assunção, no Paraguai, pelo rio Pilcomayo, que nasce em Sucre e atravessa os territórios da Bolívia, da Argentina e do Paraguai numa extensão de mais de mil quilômetros e deságua no rio Paraná, que por sua vez corre em direção à bacia do Prata, de onde a carga também seguia embarcada para a Espanha.

A busca constante por novas rotas tinha uma explicação. Enquanto nas possessões portuguesas na América o ouro era ainda uma possibilidade remota desde o início da exploração da América espanhola, a grande riqueza auferida pela Espanha despertou a atenção de todo o mundo, sobretudo daqueles que os espanhóis menos desejavam. Piratas, ingleses e franceses, ficavam no mar do Caribe à espera dos galeões espanhóis recheados de ouro e prata para saqueá-los. Entre os piratas famosos encontravam-se Amaro Pargo, Barba Negra e Francis Drake. Pela cabeça de Drake, o rei Felipe II, cansado de perder verdadeiras fortunas, ofereceu uma recompensa de vinte mil ducados, ou seja, cerca de seis milhões de dólares. Outro pirata dos mais ativos e que atormentava a vida dos espanhóis era brasileiro, filho de holandeses que moravam em Pernambuco e chamava-se Roc, uma espécie de Jack Sparrow pernambucano. Sobre ele há poucos documentos, mas relatos dão conta de que "não menos consideráveis são as ações de outro pirata que agora vive na Jamaica, que em várias ocasiões realizou coisas muito surpreendentes. Seu nome não era conhecido, seus companheiros lhe chamavam Roc, o brasileiro, em razão de sua longa permanência no Brasil. Daí ele foi forçado a sair, quando os portugueses retomaram esse país dos holandeses. Roc fugiu para a Jamaica, em busca de um lugar para ganhar a vida e entrou na sociedade dos piratas onde serviu como marinheiro privado por algum tempo, e se comportou tão bem, que foi amado e respeitado por todos. Um dia, alguns dos marinheiros brigaram com o capitão, a ponto de deixarem o barco. Poucos dias depois, eles tomaram um grande navio vindo da nova Espanha, que tinha uma grande quantidade de prata a bordo, e levou para a Jamaica. Esta ação lhe rendeu uma grande reputação".[1]

Roc Brasileiro era, segundo outros relatos, um pirata cruel, sobretudo com os espanhóis. Ódio que remontava certamente à perseguição espanhola aos judeus. Quase nada se sabe sobre sua vida, como, aliás, da vida de todos os outros piratas. Há menções sobre um pirata brasileiro que havia prestado serviços a François L'Olonnais e também a sir Henry Morgan – piratas, um francês e o outro inglês, que atuaram no Caribe na mesma época de Roc. Recentemente foi descoberto na Île Sainte-Marie, em Madagascar, um cemitério de piratas – o único de que se tem notícias –, e é possível que Roc esteja enterrado nesse local.

Diante de tantos perigos, uma das importantes vias de escoamento das riquezas da América nessa espécie de briga de gato e rato entre a Coroa espanhola e os piratas do Caribe vai ser o território brasileiro.

Havia duas rotas que utilizavam o território do Brasil. Uma seguia pelo que hoje conhecemos como a hidrovia Paraná-Tietê. Nessa rota por rios, que se praticava sobretudo em época de monções, a Espanha fundou diversas cidades para servir de base e obstáculo a possíveis incursões portuguesas. Nela também se estabeleceria a exploração dos atuais territórios de Mato Grosso e Mato Grosso do Sul. Mais tarde, entre 1719 e 1822, as minas desses territórios renderiam a Portugal nada mais, nada menos do que cinco mil arrobas de ouro.[2]

Mas a mais primitiva rota seguia por um dos caminhos terrestres que saíam de São Paulo, "centro de um amplo sistema de estradas expandindo-se rumo ao sertão",³ e de São Vicente, que não por acaso era conhecida como a costa do ouro e da prata. Era um dos ramos de uma malha de estradas de mais de dez mil quilômetros que se estendiam, já naquela época, por quase todo o Brasil.

Para fugir do ostensivo saque de piratas no mar do Caribe, a Espanha aproveita o desleixo dos portugueses com o Brasil para utilizar um atalho e despistar os piratas. O caminho por terra era conhecido como Caminho do Peabiru, um caminho dos naturais da terra que tinha diversas ramificações. Uma delas saía de Cananeia, outra de Santa Catarina, por onde havia caminhado Aleixo, e outra, ainda, saía de São Paulo (São Vicente), todas indo até o Paraguai, que dava acesso direto às minas de Potosí e ao ouro dos incas. Esses caminhos foram descobertos por marinheiros espanhóis e portugueses, os quais, durante as viagens de exploração, desertavam ou eram propositadamente deixados entre os naturais da terra para se familiarizar com a língua e colher informações.

Muitos desses homens se tornaram, assim como Covilhã no reino do Preste João, na sondagem do território, muito importantes para Portugal e a Espanha. Destacaram-se os nomes de pelo menos três deles: Bacharel, Caramuru e João Ramalho. Provavelmente todos eles vindos nas expedições de Cabral, de Colombo e Vespúcio, ou até antes, em expedições secretas, no período de d. João II. Esses homens foram fundamentais na aproximação com os nativos, na interiorização do território e, claro, na prospecção das riquezas naturais, sobretudo o ouro.

Onde hoje está localizada a cidade de São Paulo floresceu, no início do século XVI, um povoado que seguiu um percurso singular. Era a negação de todas as determinações da Coroa para a colonização da América portuguesa. Portugueses e espanhóis que habitavam essa região foram os que menos respeitaram regras e, por isso mesmo, implantaram um modo de interação próprio com o meio ambiente e com a cultura dos naturais da terra.

Enquanto a tônica da colonização era bordejar o litoral, os habitantes de Piratininga se aventuraram em outras searas, e o maior exemplo disso é a intensa movimentação que se estabeleceu ainda em meados do século XVI entre a cidade de São Paulo e Assunção, no Paraguai, e que permanece praticamente como um aspecto desconhecido da história colonial.

É possível analisar esse período por meio dos documentos quinhentistas, como a carta do clérigo Martins Gonzáles datada de 1556, em que este se queixa ao rei da Espanha do governador do Paraguai, Domingos Martínez de Irala, que, não contente em desprezar os naturais da terra, "dava licença aos moradores de São Vicente para que pudessem retirar índios deste país e levá-los a São Vicente, e assim levaram muitos".[4]

Com o tempo, a movimentação nessa rota tornou-se intensa pois, na época, São Vicente passou a adquirir um significado particular no sistema de comunicação dos domínios espanhóis com a costa do Atlântico. O que facilitou essa relação foi o fato de já haver ali "a presença de um núcleo estável de população em contato mais ou menos assíduo com o velho continente".[5] De todas as capitanias, foi a que mais prosperou no início.

Por meio das cartas dos jesuítas se pode confirmar que embarcações saíam com destino à Europa com certa regularidade. Uma carta do padre José de Anchieta de 1554 é especialmente importante, pois dá notícia da fundação da cidade de São Paulo naquele ano. Diz a carta: "Assim, alguns dos irmãos mandados para esta aldeia, que se chama Piratininga, chegamos a 25 de janeiro do ano do Senhor 1554, e celebramos em paupérrima e estreitíssima casinha a primeira missa, no dia da Conversão do Apóstolo São Paulo e, por isso, a ele dedicamos a nossa casa."[6]

Ainda outras cartas datadas de Santos, 25 e 30 de junho de 1553, dão testemunho desse movimentado intercâmbio. Como podemos notar, eram constantes os embarques de navios para a Europa partindo ora de Santos, ora de São Vicente, de modo que os espanhóis passaram a se utilizar cada vez mais da rota entre São Vicente e Assunção para ter acesso ao Atlântico e, consequentemente, ao Velho Continente, sobretudo à medida que os ataques se avolumavam no

Caribe, que estava infestado de piratas. Navegando sob a bandeira portuguesa minimizavam-se sensivelmente os perigos, porque os piratas sabiam que barcos portugueses transportavam pau-brasil e açúcar. Navegar sob a bandeira espanhola chamava a atenção, pois os barcos espanhóis transportavam ouro e prata.

Mas Portugal nunca havia se incomodado com tais incursões, mesmo porque as capitanias eram propriedades privadas, pertencentes aos seus donatários. Havia também um elo dinástico-familiar entre as Coroas de Portugal e Espanha, já que a irmã de d. João III, Isabel, era casada com o rei da Espanha, Carlos V, e o futuro rei da Espanha, Felipe II, se casaria com a filha de d. João III, Maria Manuela. O problema da movimentação em São Vicente era tratado de forma tão desimportante que quando Tomé de Sousa desembarcou em 1549 no Brasil para fundar o Governo-geral, a sede escolhida havia sido a Bahia, bem distante das capitanias do Sul. Havia, portanto, como veremos, outros motivos para o Governo-geral se instalar em Salvador.

Tomé de Sousa e os jesuítas haviam chegado ao Brasil com o intuito de tomar posse do Paraguai, da Bolívia e do Peru. Em carta de 1553, a d. João III, Tomé de Sousa diz: "Parece-nos a todos que essa povoação está na demarcação de Vossa Alteza e se Castela isso negar mal pode provar que é maluco seu."[7] Para o padre Manuel da Nóbrega, bem como para Tomé de Sousa e José de Anchieta, portanto, não havia dúvida: o Paraguai e o Peru eram partes integrantes da mesma expressão geográfica: o Brasil. Se a terra pertencesse ao rei de Portugal... eles estavam dispostos a tomar posse.

O padre Leonardo Nunes propôs, então, ao padre Manuel da Nóbrega, em 1551, uma missão instituída ao Paraguai. Essa missão seria conduzida pelo Caminho do Peabiru por Pero Correia – que antes de se converter ao cristianismo havia sido um hábil explorador do Brasil, tendo chegado na expedição de Martim Afonso de Sousa – e Antônio Rodrigues. Este último era um personagem muito mais importante, pois participou das expedições ao alto Paraguai e conhecia muito bem a região. Numa carta aos jesuítas portugueses, ele mesmo assume que o seu conhecimento da região foi fundamental para sua entrada na Companhia de Jesus, convidado por Manuel da Nóbrega: "Mandou-me o Padre que eu vos desse conta da minha vida e das mercês que Nosso Senhor me tinha feito, e por eu ter ido daqui do Brasil ao Peru, por terra e tornado, vos escrevesse também dos gentios que por essas terras há, esperando ser ajudados de vós para a sua salvação, e o aparelho que têm para receber a nossa santa fé [...]. E é que eu e outros portugueses, assim por vaidade como por cobiça de ouro e prata, no ano de 1523, partimos de Sevilha em uma armada, que fazia d. Pedro de Mendonça, na qual éramos 1.800 homens; e todos carregados de nossa cobiça, chegamos, com próspero vento, ao rio da Prata e entramos pelo rio com as naus 60 léguas [...]. E, deixando os bergantins com 30 homens, foi-se pela terra dentro com a outra gente em busca dos gentios chamados 'Carcara', que têm ouro e prata. E, antes que chegassem lá, houve muita prata [...]. E ali soubemos estar perto do Peru [...]. Eu falei com o P. Manuel da Nóbrega que fosse ou mandasse lá um da nossa Companhia, porque ali perto há outros gentios que não comem carne humana, gente mais piedosa e aparelhada para receber a nossa santa fé, por ter em grande estima e crédito aos cristãos. Agora tenho desejos de ser de 20 anos e ter longa vida para ir com alguns padres da nossa Companhia, por eu ter mais experiência da terra e gastar as minhas forças e vida em ensinar esta gente. Vinde, pois, Caríssimos Irmãos, pois já há tanto que fazer e tanta gente se perde por falta de operários."[8] Havia por parte de Nóbrega – como se pode ver – intenso interesse na região do Prata, não por acaso, claro.

A catequização dos índios era uma frente importantíssima da conquista da América. Desde a morte violenta de Solís, de Pero Lobo, do bispo Sardinha, entre outros, trucidados e devorados pelos índios, que a catequização se tornou tão importante que ficou conhecida como "a conquista espiritual da América".

A violência dos índios contra os adventícios atrapalhava muitíssimo a penetração e exploração das auspiciosíssimas terras da América. Os jesuítas, ou esses exploradores travestidos de jesuítas, tinham a missão de fazer a tal conquista espiritual, apaziguar os índios, torná-los temente a Deus e súditos fiéis da Coroa, e como tais deveriam prestar incondicionalmente serviços para a Coroa portuguesa. Foi para isso que havia sido criada a Companhia de Jesus.

A situação do Brasil era completamente diferente da situação encontrada pelos espanhóis na parte que lhes coube na América. Os espanhóis encontraram civilizações organizadas – muitas delas em grandes cidades –, e a conquista se deu por meio da invasão, do saque e da posse, *modus operandi* semelhante ao que os portugueses também estavam acostumados. Na América portuguesa, porém, a realidade era outra. Os naturais da terra brasileira viviam em "estado de natureza", portanto não havia nenhuma riqueza imediata para saquear. Se houvesse alguma riqueza, ela deveria ser minuciosamente prospectada, pois estava oculta em diversas regiões do país e, nesse sentido, a estratégia era outra: para os "jesuítas" os índios eram fundamentais. Não era, digamos, um estilo português de atuação, mas o que era preciso fazer frente às dificuldades e à possibilidade de riqueza. Valia a pena o esforço.

Tomé de Sousa, em seu regimento, que pode ser considerado a primeira Constituição brasileira, já munido de informações privilegiadas sobre as riquezas dos sertões e da importância dos índios para encontrá-las, baixa dois decretos específicos. O primeiro impunha pena de morte aos colonos que fossem buscar índios no sertão e o segundo proibia aos colonos internarem-se pela terra e se comunicarem por essa via de uma capitania a outra. Senhor do monopólio das entradas no sertão, ordenou imediatamente uma viagem exploratória que, capitaneada por Miguel Henriques, saiu em 1550 e tinha como objetivo navegar pelo rio São Francisco rumo ao interior em busca das famigeradas riquezas. O fato de a expedição nunca mais ter voltado impôs logo de cara a Tomé de Sousa uma derrota fragorosa.

O fracasso de mais uma expedição vai fazer a Coroa mudar de foco e avançar sobre as capitanias do Sul, e Tomé de Sousa parte então para lá com uma série de ordenamentos importantes.

A verdade é que um sentimento de inveja explícito havia tomado conta do governo português, depois de mais uma tentativa frustrada de prospecção de riqueza no território brasileiro. Desse modo "[...] a própria posição privilegiada de São Vicente e Santos para o intercâmbio com o ultramar, sua relativa proximidade das possessões castelhanas e o perigo que de tudo isso poderia decorrer, ao cabo, para a integridade das terras da coroa portuguesa iriam contribuir largamente para as decisões de Tomé de Sousa".[9]

O problema é que esse trânsito movimentava o comércio local e os portugueses de São Vicente auferiam importantes vantagens econômicas, de modo que qualquer decisão da Coroa no sentido de interferir na região poderia despertar suscetibilidades e gerar conflitos. Os interesses políticos prevaleceram sobre as vantagens econômicas que os vicentinos tiravam do comércio com os castelhanos e a liberdade com que se utilizou essa rota clandestina logo foi relativizada.

Diante das notícias de desregramento total no trânsito entre as possessões portuguesa e espanhola que ocorria a partir da capitania de São Vicente, Tomé de Sousa toma as providências para as quais foi enviado: dar fim ao caminho do Peabiru e vigiar o interior. Em 1553, Tomé de Sousa ordena que se feche o caminho por terra a Assunção.

Com a proibição, cria-se a necessidade da fiscalização e da vigilância, e é exatamente nesse sentido que é fundado, por ordem de Tomé de Sousa, em 1553, o povoado de Santo André da Borda do Campo, em comum acordo com João Ramalho, que se tornou prefeito. E em 1554 a fundação da cidade de São Paulo pela Companhia de Jesus.

Por algum tempo, ao que parece, o caminho até o Paraguai foi realmente esquecido. Pode-se dizer que, passado meio século, esse caminho seria um dos primeiros a ser usado pelos bandeirantes nos primórdios da expansão paulista, no fim do século XVI e começo do século XVII.

Segundo Sérgio Buarque de Holanda, depois de reaberto esse caminho até Assunção, não havia mais meios humanos que detivessem "[...] um movimento imposto pelas necessidades mais rudimentares de uma população que lutava contra o isolamento e a penúria. Pode-se dizer que essa primeira fase do movimento, bruscamente interrompido em seu nascedouro, teve um papel realmente decisivo depois de longa hibernação de mais de cinquenta anos. Ela marcou, por assim dizer, a vocação sertanista dos moradores da capitania de São Vicente".[10]

Erigidas as duas vilas à porta do sertão – Santo André e São Paulo –, seria ingenuidade acreditar que essa porta devesse permanecer trancada para sempre, como não ficou. A implicância com o caminho do Peabiru é visivelmente um ato de boicote à Espanha.

A população nessa região era majoritariamente composta de espanhóis. Quando se dá a Restauração Portuguesa, em 1640, Amador Bueno vai decretar a independência do Brasil de Portugal. Com a fundação de São Paulo e o aumento da vigilância da Coroa sobre o caminho do Peabiru até 1580 e a União Ibérica inaugura-se um novo período de tensão aberta entre portugueses, padres e espanhóis, a ponto de os padres, os jesuítas, serem expulsos de São Paulo em 1640.

De sua estada em São Vicente, já completamente desanimado, fracassado em seu principal objetivo no Brasil e já de malas prontas para ir embora, Tomé de Sousa envia a seguinte carta ao rei d. João III: "O que daqui recolho é que quando o Nosso Senhor aprouver de dar outro Peru a Vossa Alteza aqui, que as ordenará quando e como quiser, e nós, por muito que madruguemos, não há de amanhecer mais asinha, e contudo homem não se pode ter que não faça alguma diligência e eu alguma farei, mas hão de ser com tento e pouca perda de gente e fazenda."[11] Referia-se certamente à frustrada expedição que enviara em 1550 para saber se "esta terra e o Peru era todo um" e que jamais retornara para prejuízo do rei. Não restam dúvidas, portanto, de que a missão principal era estabelecer uma conexão entre Portugal e o Peru – o Brasil era um empecilho a ser superado.

Pronto para ir embora de mãos abanando, eis que Tomé de Sousa é informado sobre um certo Diogo Nunes, um espanhol que contava aos quatro ventos uma história curiosa sobre uma viagem que havia empreendido entre o Peru e o Brasil pelo rio Amazonas fazia cerca de quinze ou vinte anos numa expedição de conquistadores espanhóis. Tratava-se de uma viagem até então desconhecida, empreendida no ano de 1538 por Alonso de Mercadillo. Sobre essa viagem, Diogo Nunes havia remetido ao rei uma carta informando-o sobre o seu descobrimento, para a qual nunca houve resposta. Segundo a carta: "Chegamos a uma província bem povoada, rica em ouro [...] essa província se chama Machifaro [...] e está entre o rio da Prata e o Brasil, pela terra adentro vem o rio grande das Amazonas [...] por este rio se pode prover esta terra porque podem vir navios por ele até onde se poderá povoar uma vila que seja porto e escala de toda essa terra porque sobe duzentas léguas o rio acima e desse porto onde povoar a primeira vila poderão subir bergantins [...] haverá trezentas léguas desta província até o mar e sai este rio na costa do Brasil [...] se estes índios podem dar ouro ou prata o dão de sua vontade [...] e de toda prata, ouro e pedras preciosas que esses índios dão leva o imperador seu quinto [...] dando-me Vossa Alteza os navios e munição eu porei mantimentos, cavalos e gente porque se tomo a vontade de fazer este caminho não é por outra se não por servir a Deus e a Vossa Alteza e para dar ordem e salvar essa gentilidade e sejam cristãos."[12]

Era, depois da frustração e do prejuízo enorme que havia causado à Coroa, tudo que Tomé de Sousa queria ouvir. Com esse trunfo inesperado na manga, Tomé de Sousa toma o rumo de Lisboa com Diogo Nunes a tiracolo e o apresenta imediatamente ao rei.

Assim que recebeu o relato e o testemunho de Diogo Nunes, d. João III armou uma expedição em direção ao rio Amazonas que iria causar certa animosidade entre a Espanha e Portugal. Sabemos dessa expedição, pois sobre ela dá notícias ao rei da Espanha seu embaixador em Portugal, Luís Hurtado de Mendoza: "Com um que se chama Luís de Melo se armou certos navios em que leva mais de trezentos homens e cinquenta ou sessenta cavalos e que vão todos a sua costa, a descobrir com licença do rei de Portugal."[13] É interessante a condição de se levar cavalos, pois sabia-se que esse animal era desconhecido na América e muito temido pelos naturais da terra. Grande parte do sucesso das conquistas de Francisco Pizarro se atribui ao fato de sua expedição ter chegado aos locais de cavalo. Para os incas, cavalo e homem formavam uma coisa só, de modo que ficaram deslumbrados com aqueles seres mitológicos e mágicos de cujas mãos saíam fogo [arcabuzes] e eram capazes de matar os inimigos sem tocá-los. Essa expedição também malogrou, aumentando a sensação de que Portugal havia ficado com a pior parte do Novo Mundo.

Mas a criação do Governo-geral, em 1549, tinha como objetivo uma missão secreta.

A questão a se pensar é por que Tomé de Sousa teria fundado a capital do Governo-geral em Salvador e não em São Vicente, já que era lá que estava localizado o suposto problema, ou seja, os abusos da Espanha na utilização e exploração do território português?

No ano de 1525 chega a Portugal, vindo de Sevilha, um homem insistindo em ter uma audiência com o rei d. João III, alegando ter algo importante para mostrar ao monarca. Era comum os reis europeus receberem diversas solicitações de audiência de gente de vários lugares do mundo procurando uma oportunidade de fazer fortuna com uma ideia, uma invenção, uma informação, ou simplesmente para oferecer seus serviços. Eram, em sua maioria, malucos com as mais disparatadas ideias, mas esse espanhol tinha realmente algo a dizer, e ele foi recebido pelo rei d. João III. Tratava-se de uma descoberta sobre a bússola, e seu autor se chamava Felipe Guilhém, era boticário, mineralogista e grande jogador de xadrez.

Vinha apresentar ao rei a solução para um problema antigo: uma forma para resolver de vez o problema da longitude. E para isso Guilhém havia desenvolvido o método da variação da agulha, que consistia "num círculo graduado com uma agulha pequena e três fios e observando o sol a iguais alturas antes e depois do meio-dia e encontrando a linha meridiana dava para conhecer a variação da agulha e supondo ser uma ação regular, deduzir por ela a longitude".[14]

O rei ficou tão impressionado com os seus dotes que, em 1528, o agraciou com o Hábito da Ordem de Cristo, para que pudesse remunerá-lo com cem mil-réis de tença, que é uma renda destinada a membros de comunidade religiosa, e o enviou ao Brasil, em 1535, no mesmo navio que trazia o donatário Pero do Campo Tourinho à capitania de Porto Seguro.

Em Porto Seguro, dedicou-se exclusivamente àquilo que tinha vindo fazer, ou seja, à mineralogia, sobretudo à descoberta de ouro e diamantes no interior do estado da Bahia. Mas ele descobriu mais e reportou ao rei sua descoberta auspiciosa. E essa descoberta foi fundamental para a mudança de comportamento de Portugal em relação ao Brasil, para a retomada das capitanias e para a constituição do Governo-geral.

Mas que descoberta foi essa?

Felipe Guilhém saiu em viagem secreta pelo sertão, partindo de Salvador, logo após as descobertas de Pizarro e recebeu dos naturais da terra a informação de que o Brasil e o Peru ficavam próximos. Mas era preciso algo mais consistente, mais concreto, uma prova de que pudesse convencer o rei. E é aqui que entra o exímio conhecimento de geografia de Guilhém, seu saber sobre latitudes e longitudes. Em 1549, nas suas incursões pelo interior da Bahia, Guilhém descobre que Salvador e Lima ficam exatamente na mesma latitude, ou seja, a doze graus ao sul do Equador. Isso não era qualquer coisa! De todas as tentativas frustradas de se penetrar nos territórios da Bolívia e do Peru em direção às riquezas da América espanhola, efetuadas pelo sul do continente, sobretudo pelo rio da Prata, essa era a informação mais auspiciosa, a mais técnica e a que, a princípio, poderia resultar em proveitosos resultados. O paralelo doze graus ao sul é favorável às riquezas minerais, uma vez que nele está também situada a República do Congo, na África, maior produtora de diamantes do mundo.

Não por acaso, já quando Portugal abandona as esperanças de achar riqueza na América e, inclusive, depois de ter loteado o país, acontece esse importante revés. Em 1549, Tomé de Sousa desembarca de mala e cuia no Brasil para fundar aqui um Governo-geral.

Onde? Em Salvador, justamente na latitude de 12 graus. Não por acaso o Governo-geral vai retomar todas as capitanias e uma das principais determinações do Regimento Geral de 17 de dezembro de 1548 será a punição com pena de morte para aqueles que sem autorização penetrarem no interior do país. Não restam dúvidas: o objetivo de Portugal não era o Brasil, mas, sim, o Peru.

Era um novo alento para Portugal, que no fundo nutria uma esperança de encontrar riquezas na América tal qual a Espanha havia encontrado, inclusive imitando certas estratégias espanholas. Mas em pouco tempo essa tentativa se frustrará e sobrarão apenas, mais uma vez, lamentações.

Com mais essa desistência Portugal pareceu desistir de vez do Brasil. Muitos anos depois, se encontrariam minas de ouro em Mato Grosso e Goiás, exatamente em torno dessa mesma latitude de 12 graus. Prova de que o profético Guilhém não estava errado.

Enquanto no Brasil a busca por riquezas seguia fria como gelo, Portugal estava em chamas.

O PÊNDULO DA MORTE

O desespero de Portugal para prospectar riqueza no Brasil está diretamente ligado ao desastre econômico pelo qual passava. Vimos que depois de uma fase de monopólio total do comércio de especiarias tudo mudou, esse monopólio se mostrou contraproducente e declinou vertiginosamente. Esse retrocesso tem como consequência diversos acontecimentos: a retirada do Marrocos, em 1541, do Cabo da Gué e Safim e, em 1549, de Alcácer-Ceguer e Arzila; no Extremo Oriente, em 1542, as perdas de Liampó e Chiancheu; e, em 1549, a mais importante perda – a extinção, por d. João III, da feitoria de Flandres –, inexplicavelmente julgada deficitária, embora tenha sido considerada um dos mais importantes entrepostos comerciais da Europa. Investir no Brasil era um risco enorme. Martim Afonso e Tomé de Sousa fracassaram feio, a ponto de o vedor da fazenda de Portugal, Antônio de Ataíde, o conde de Castanheira, aconselhar o rei de que investir no Brasil era jogar dinheiro fora: "Consta que o Brasil não só deixara de render o que antes rendia, mas custara, para defendê-lo e povoá-lo, mais de oitenta mil cruzados [...]

mistério grande foi fazer-se a primeira despesa a fim de coisa que a não merecia."[1]

A situação era desesperadora e uma crise econômica estava definitivamente instaurada e se agravaria entre os anos de 1534-1560 – período considerado o de maior crise do monopólio português. Diante disso, Portugal tinha de equacionar uma difícil situação: investir o que não tinha, por meio de empréstimos, na prospecção de supostas riquezas ou economizar para amenizar o impacto da crise financeira. A solução para as crises econômicas em Portugal e na Espanha quase sempre descambava para o uso de medidas irracionais. Todas as perseguições a judeus, em ambos os países, aconteceram em épocas ou em função de crises econômicas: "[...] se confeccionarmos um quadro cronológico com a lista de perseguições, matanças, expulsões e conversões forçadas que constituem a história judia, se descobre uma correlação entre os movimentos da situação econômica imediata e estas ferozes medidas antijudaicas, a perseguição está sempre determinada e acompanhada pelas intempéries da vida econômica."[2] O cenário para a barbárie estava, portanto, mais uma vez armado. Havia vários precedentes e nova barbárie não demorou em eclodir.

Na história europeia todos os episódios de selvageria, e não são poucos os exemplos, foram frutos da pobreza, produto invariavelmente da peste negra que, em vários momentos, assolou a Europa e que teve um pico nas décadas finais do século XV e início do século XVI. O ano de 1481 foi um ano em que ocorreu um dos invernos mais glaciais de todos os tempos. "Neste ano o trigo, que era vendido a um preço de uma libra, passou a ser comercializado a seis libras, em um ano de colheitas deploráveis. Depois de um inverno rigoroso, que congelou os rios de dezembro a fevereiro, as chuvas diluvianas e enchentes contribuíram para a destruição de colheitas e o aumento de preços e a principal causa de mortes, nesse primeiro momento, foi a fome, após a fome vem a peste, as epidemias que faziam as pessoas caírem em frenesi e morrerem raivosas possivelmente tomadas pela febre causada pela tuberculose, pela varíola e pela peste negra [...] morreram entre 13 e 15 milhões de almas".[3]

No mês de outubro de 1505, em Portugal, "se ateou peste tão brava na cidade que foi necessário ir o rei com toda a sua casa para Almeirim, a qual pestilência se espalhou por todo o reino, e foi uma das mais bravas e cruéis em muitos tempos".[4] Por causa dessa epidemia, que durou até fins de abril de 1507, o rei d. Manuel chegou a ordenar à Câmara o despovoamento da cidade de Lisboa como um dos melhores meios de beneficiá-la. Era um ato desesperado, pois todo o comércio de Portugal estava centralizado em Lisboa. Despovoar a cidade significava travar o comércio de Portugal e parte do comércio mundial. A mortandade foi tão excessiva que uma carta régia de março de 1506 determinava a construção de dois cemitérios fora das portas de Lisboa "pelo mui grande inconveniente que se segue de soterrarem os finados que morrem de pestilência nos adros das igrejas da cidade".[5]

O efeito desse período que reuniu clima, fome e peste vai ser devastador para o equilíbrio da vida social na Europa, em geral, e em Portugal, em particular. Num ambiente de escassez, pobreza e fragilidade multiplicam-se os casos de insanidade mental e, consequentemente, de violência. Não é por acaso que vai ocorrer, em 1506, o cruel e sanguinário massacre de Lisboa, no qual milhares de judeus foram perseguidos e exterminados.

Damião de Góis escreve sobre o levante contra os judeus, em Lisboa, 19 de abril de 1506, um domingo de Páscoa: "No mosteiro de São Domingos existe uma capela, chamada de Jesus, e nela há um crucifixo, em que foi então visto um sinal, a que deram foros de milagre, embora os que se encontravam na igreja julgassem o contrário. Destes, um cristão-novo (julgou ver, somente) uma candeia acesa ao lado da imagem de Jesus. Ouvindo isto, alguns homens de baixa condição arrastaram-no pelos cabelos, para fora da igreja, e mataram-no e queimaram logo o corpo no Rossio [...]. Ao alvoroço acudiu muito povo a quem um frade dirigiu uma pregação incitando contra os cristãos-novos, após o que saíram dois frades do mosteiro com um crucifixo nas mãos e gritando 'Heresia! Heresia!'. Isto impressionou grande multidão e juntos mais de quinhentos começaram a matar os cristãos-novos que encontravam pelas ruas, e os corpos, mortos ou meio vivos, queimavam-nos em fogueiras que acendiam na ribeira (do Tejo) e no Rossio. Na tarefa ajudavam-nos escravos e moços portugueses que, com grande diligência, acarretavam lenha e outros materiais para acender o fogo. E, nesse domingo de Páscoa, mataram mais de quinhentas pessoas [...] a esta turba de maus homens e de frades que, sem temor de Deus, andavam pelas ruas concitando o povo a tamanha crueldade, juntaram-se mais de mil homens e, por já nas ruas não acharem cristãos-novos, foram assaltar as casas onde viviam e arrastavam-nos para as ruas, com os filhos, mulheres e filhas, e lançavam-nos de mistura, vivos e mortos, nas fogueiras, sem piedade. E era tamanha a crueldade que até executavam os meninos e (as próprias) crianças de berço, fendendo-os em pedaços ou esborrachando-os de arremesso contra as paredes. E não esqueciam de lhes saquear as casas e de roubar todo o ouro, prata e enxovais que achavam. E chegou-se a tal dissolução que até das próprias igrejas arrancavam homens, mulheres, moços e moças inocentes, despegando-os dos sacrários e das imagens de Nosso Senhor, de Nossa Senhora e de outros santos, a que o medo da morte os havia abraçado, e dali os arrancavam, matando-os e queimando-os fanaticamente sem temor de Deus [...]. Neste dia pereceram mais de mil almas, sem que, na cidade, alguém ousasse resistir, pois havia nela pouca gente visto que, por causa da peste, estavam fora os mais honrados. E se os alcaides e outras justiças queriam acudir a tamanho mal, achavam tanta resistência que eram forçados a recolher-se para lhes não acontecer o mesmo que aos cristãos-novos [...]. Deram a notícia a el-Rei, na vila de Avis, o qual logo enviou o Prior do Crato e d. Diogo Lobo, Barão de Alvito, com poderes especiais para castigarem os culpados. Muitos deles foram presos e enforcados por justiça, principalmente os portugueses, porque os estrangeiros, com os roubos e o despojo, acolheram-se às suas naus e seguiram nelas cada qual o seu destino. Quanto aos dois frades, que andaram com o crucifixo pela cidade, tiraram-lhes as ordens e, por sentença, foram queimados."[6]

Estima-se que quatro mil tenham morrido. Esse massacre é lembrado por um monumento, que pode ser visto em Lisboa hoje, construído no largo de São Domingos, da autoria da arquiteta Graça Bachmann, inaugurado em 23 de abril de 2008.

Outros surtos de peste ocorreram em Portugal. Em 1510, foram abertos dois hospitais provisórios para o atendimento dos doentes; em 1523 foi preciso abrir dois novos cemitérios; em 1525 foi preciso evacuar novamente a cidade de Lisboa, culminando, no ano de 1531, na epidemia de peste e de outras doenças causadas pelas condições deixadas pelo terremoto. Todas essas desgraças foram atribuídas aos judeus, que, de certa forma, estavam acostumados a viver num ambiente totalmente hostil, ora mais, ora menos, mas sempre hostil.

As classes inferiores detestavam os cristãos-novos não só por motivos religiosos, mas sobretudo pela riqueza monetária oriunda do domínio do comércio e da indústria, que estava nas mãos de judeus. Imaginava-se – ou isso de fato ocorria? – que os judeus se aproveitavam frequentemente dessa vantagem "para se vingar dos seus inveterados inimigos, daqueles que tinham assassinado ferozmente seus irmãos. Era uma luta muitas vezes oculta, mas permanente, e que dia a dia se exacerbava por novos agravos".[7] Contra os judeus queixavam-se de tomarem para si as rendas das grandes propriedades, de monopolizarem os cereais para os fazerem subir a preços excessivos nos anos escassos. No ramo da medicina, também aparecem muitas queixas, já que os médicos e os boticários eram na maioria judeus. Era uma espécie de opinião generalizada de que médicos e boticários se mancomunavam para envenenar católicos.

Nos arquivos da Inquisição, constam ao menos cinquenta físicos, cirurgiões e boticários: "O físico Garcia Lopes de Évora foi queimado; o mestre Roque de Beja foi queimado; o mestre Rodrigo de Lisboa foi queimado; o físico Pero Lopez foi queimado em Goa; o físico Diogo de Santellena foi sambenitado; o físico Ruy Gonçalves foi sambenitado; o físico Thomas Nunes foi queimado; o boticário Pero Lopes foi preso e sambenitado; o boticário Nunes Rodrigues foi preso e sambenitado; o boticário Gabriel Pinto foi queimado; o cirurgião mestre Alvaro foi queimado; e o cirurgião mestre-mor de Évora foi queimado."[8]

O clima que nunca havia sido bom desde que uma imensa leva de imigrantes judeus havia chegado a Portugal, depois de expulsos da Espanha, se agravava dia a dia. Chegou ao seu auge em 1531 em razão do grande terremoto que sacudiu Portugal e provocou uma grande destruição, agravando a disseminação de doenças. Teria matado cerca de 30 mil pessoas, e, como já era de esperar, a culpa foi lançada sobre os judeus. Não por acaso é desse ano também a solicitação da instauração da Inquisição em Portugal.

Era tão absurda a relação entre o terremoto, a peste e os cristãos-novos que até o grande poeta e dramaturgo Gil Vicente se viu na obrigação de fazer uma perigosa intervenção em defesa da racionalidade, decidindo escrever ao rei d. João III e à Igreja. Aos padres, Gil Vicente fez a seguinte exposição por ocasião do terremoto de Lisboa, em 1531: "O altíssimo e soberano Deus nosso tem dois mundos: o primeiro foi de sempre e para sempre que é a sua resplandecente glória, repouso, permanente, quieta paz, sossego sem contenda, concórdia triunfante. Este segundo em que vivemos a sabedoria imensa o edificou pelo contrário, todo sem repouso, sem firmeza, sem prazer seguro, sem fausto permanente, todo breve, todo fraco, todo falso, temeroso, aborrecido, cansado, imperfeito para que por estes contrários sejam conhecidas as perfeições da glória primeiro e para que melhor sintam suas pacíficas concordâncias [...] estabeleceu na ordem do mundo que umas coisas dessem fim às outras e que todo gênero de coisa tivesse seu contrário [...]. E por serem acontecimentos que procedem da natureza não foram escritos, como escreveram todos aqueles que foram por milagre [...]. E porque nenhuma coisa há debaixo do sol sem tornar a ser o que foi e o que viram desta qualidade de tremor havia de tornar a ser por força ou cedo ou tarde não o escreveram. Concluo que não foi este espantoso tremor ira de Deus, mas ainda quero que me queimem se não fizer certo que tão evidente foi e manifesta a piedade do senhor Deus neste caso como a fúria dos elementos e danos dos edifícios [...]. Concluo virtuosos padres sob vossa emenda que não é de prudência dizerem-se tais coisas publicamente nem menos serviço de Deus porque pregar não há de ser praguejar. As vilas e cidades dos reinos de Portugal principalmente Lisboa, se há muitos pecados, há infindas esmolas e romarias, muitas missas e orações e procissões, jejuns, disciplinas e infindas obras pias públicas e secretas. E se alguns há que são ainda estrangeiros na nossa fé e se consentem, devemos imaginar que se faz porventura com tanto santo zelo que Deus é disso muito servido e parece mais justa virtude aos servos de Deus e seus pregadores animar a estes e confessá-los e provocá-los que escandalizá-los e corrê-los por contentar a desvairada opinião do vulgo."[9]

Em 1525, o rei d. João III casara-se com Catarina da Espanha – mãe do futuro d. Sebastião. Desde então houve uma interseção cada vez maior entre a Inquisição espanhola e os católicos portugueses. O terremoto se tornou uma verdadeira mão na luva. A despeito de toda a tragédia que o terremoto e o tsunami causaram – cerca de trinta mil pessoas morreram –, ela foi amplamente capitalizada por aqueles que insistiam que a única saída para a crise seria a Inquisição. Apenas a especulação em torno dessa possibilidade já será suficiente para fazer com que os episódios de ódio aos judeus se intensificassem pelos motivos mais banais ou até mesmo sendo fruto de mentiras e invenções. Mas não eram apenas problemas cotidianos, como o aumento do preço dos alimentos, sobretudo do trigo, que respaldariam o ódio dos portugueses pelos judeus – estava ali no cerne da questão o fanatismo religioso que era aviventado pelas contínuas incitações do clero.

Se para o povo a animosidade em relação aos judeus era uma questão de exaltação religiosa, "para o Estado era uma questão de contas públicas que se encontravam em estado deplorável. A corte vivia cheia de ociosos que viviam opulentamente sem ordem e economia. Qualquer viagem do rei levava consigo uma imensa comitiva de parasitas de todas as classes e devorava a substância dos proprietários e lavradores, mantimentos, cavalgaduras, carros, tudo era tomado e não era pago. Os clérigos iam no mesmo caminho, recolhiam os dízimos e rendas de modo que a visita dos prelados tinha por fim extorquir dinheiro".[10]

Somente para pagamento do dote da infanta portuguesa foi preciso levantar oitocentos mil cruzados, e como faltavam recursos era preciso obtê-los. As cortes foram convocadas em 1525 e votou-se a quantia de cento e cinquenta mil cruzados em novos impostos. Portugal era, portanto, um país decadente, carregado de dívida pública. Mas foi em 1525, com o casamento, que uma palavra assustadora entrou no vocabulário da corte e do clero português: Inquisição. Os horrores da Inquisição espanhola ainda estavam muito vivos na memória dos judeus, muitos deles espanhóis que imigraram para Portugal.

O caso mais ilustrativo do horror – depois do insuperável Torquemada – atendia pelo nome de Diego Rodríguez de Lucero, primeiro inquisidor de Córdoba. Lucero era um homem cruel e sanguinário, tanto que era conhecido pela alcunha de *o tenebroso*. Na sua época, judeus eram condenados por confissões extravagantes tais como "feitiçaria, viagens aéreas nas asas de demônios, bodes volantes, fantasmas, ubiquidade dos bruxos [...] Lucero tripudiava sobre os cristãos-novos e as prisões se atulhavam".[11]

Mas foi apenas em 1531 que se iniciaram as tratativas em torno da instauração da Inquisição em Portugal. Sabendo da inevitabilidade de tal processo e sabedor do horror que estava a caminho, d. João III arma a viagem de Martim Afonso ao Brasil e articula, assim, a saída de Portugal de várias famílias judias, ao menos aquelas mais próximas, posto que Martim Afonso era seu amigo de infância. Desse modo, a viagem de Martim Afonso, no início dos anos 1530, para explorar a região do Prata e assentar uma colônia de povoamento na região de São Vicente, em São Paulo, está diretamente ligada a esse espírito reacionário que vai pouco a pouco tomando corpo em Portugal. Sem essa ameaça Martim Afonso teria empreendido essa primeira viagem ao Brasil? Ou o território teria permanecido completamente abandonado, como indicava ao rei que o fizesse o seu vedor da fazenda, conde de Castanheira? Não por acaso, essa viagem é considerada também o ponto de partida da produção em larga escala de açúcar no Brasil, dado que já em 1533 se montou um dos primeiros engenhos no país, em São Vicente, tendo como proprietário, além de Martim Afonso, o holandês Johan van Hielst, ou João Veniste, que mais tarde se associaria a Erasmos Schetz. Engenho cujas ruínas podem ser visitadas até os dias de hoje naquela cidade. Não se tratava, portanto de uma viagem de exploração, como as anteriores, mas uma viagem de povoamento, tanto que vieram na armada de Martim Afonso famílias inteiras.

Seguindo a procissão do atraso, em 1531, d. João III dá instruções a Brás Neto, embaixador em Roma, para que impetrasse junto ao papa Clemente VII o pedido para a emissão e publicação de uma bula concedendo o estabelecimento da Inquisição em Portugal nos seguintes termos: "Que se tomasse por norma a Inquisição de Castela, dando-se aos inquisidores portugueses as mesmas atribuições que haviam sido concedidas aos do resto da Espanha ou mais, se mais se pudessem dar, e que fosse perpétua a concessão do novo tribunal: que o rei ficasse revestido dos necessários poderes para nomear os inquisidores e outros ministros e oficiais do mesmo tribunal [...] que a Inquisição não conhecesse tão somente dos crimes de heresia, mas também dos de sortilégio, feitiçaria, adivinhação, encantamento e blasfêmia, que a ela pertencesse, em todos os precedentes delitos sujeitos a sua jurisdição, levantar excomunhões, minorar penas, reconciliar e absolver os réus."[12]

Numa época em que a Igreja negociava indulgências e vendia até mesmo títulos como os de cardeal e até mesmo o de papa – é notório, por exemplo, o caso de Alexandre VI, que havia usado sua fortuna para comprar o voto da maioria dos cardeais no conclave que o elegeu papa. Pode-se facilmente imaginar o preço que seria cobrado por uma bula. E esta não era uma bula qualquer, tratava-se da instauração de uma Inquisição, e, como em toda Inquisição, um dos objetivos principais era condenar para espoliar, para confiscar bens, coisa que rendia verdadeiras fortunas, portanto, não seria algo que se tiraria da Igreja sem um custo altíssimo.

A venda de cargos e indulgências só começaria a ser proibida na Igreja quando do Concílio de Trento, em 1545. Em Portugal, os mais exaltados falavam até em ruptura com a Igreja, caso o negócio ficasse enrolado, e citavam como exemplo o caso do rei da Inglaterra Henrique VIII, que em 1527 rompeu com a Igreja Católica e iniciou a reforma anglicana ao ter o seu divórcio negado pelo mesmo papa Clemente VII.

Sendo assim, não demorou muito para que a fatura chegasse. No meio do caminho de Portugal apareceu em Roma um cardeal chamado Lourenço Pucci, que se apresentou desde o início como um obstáculo e chegou a expressar a Brás Neto grande repugnância em contribuir para a instauração da Inquisição. Para ele, a proposta "parecia indicar o intuito de espoliar os judeus de suas riquezas".[13] Brás Neto receava que o cardeal Pucci estivesse sendo pago para defender os judeus com o dinheiro que era enviado pelos conversos de Portugal. Desse modo, Brás Neto pediu ao rei que o habilitasse com o meio mais poderoso para abreviar tais negócios na Cúria Romana, que era, evidentemente, o dinheiro. Pucci morreu por aqueles meses e seu sobrinho o substituiu, tornando-se protetor de Portugal nas várias fases da instituição da Inquisição. Tornava-se protetor de qualquer país o cardeal, nativo ou não, escolhido pelo governo para servir de agente e procurador perante o consistório. Sendo o sobrinho de Lourenço Pucci um reputado simoníaco, pode-se imaginar o preço que Portugal teria pagado para a atuação favorável à Inquisição.

Entre idas e vindas e muito dinheiro investido de todos os lados, no dia 17 de dezembro 1531 foi emitida a bula pela qual o papa nomeava um inquisidor no reino de Portugal e seus domínios – estava criada a Inquisição em Portugal. Os fundamentos da bula *Cum ad Nihil Magis* eram que "tendo-se tornado comuns neste país os fatais exemplos de volverem aos ritos judaicos muitos cristãos novos que os haviam abandonado e de os abraçarem outros que, nascidos de pais cristãos, nunca tinham seguido aquela crença, acrescendo o disseminar-se no reino a seita de Lutero e outras igualmente condenadas e, bem assim, o uso de feitiçarias reputadas heréticas, se conhecera a necessidade de atalhar o mal com pronto remédio, de modo que a gangrena não eivasse os espíritos".[14] A partir dessas considerações a bula revestia o inquisidor de poderes para inquirir "havendo suficientes indícios e a proceder à captura e encarcerar, condenar e impor penas, a quaisquer indivíduos implicados [...] dava poderes para impondo-lhes penitências [...] que julgasse oportuno para refrear os delitos religiosos, extirpá-los radicalmente e tudo o mais que, por direito e costume, pertencesse ao ofício inquisitorial".[15]

Em 1531 se institui a Inquisição em Portugal e, a partir desse momento, se inicia um misterioso e instigante jogo de xadrez que vai envolver ninguém mais, ninguém menos que o papa, o rei de Portugal e os mais abastados comerciantes e banqueiros judeus de toda a Europa, cujo desfecho vai ser decisivo para o destino do Brasil.

Da publicação da bula, em 17 de dezembro de 1531, à sua execução seriam necessários de 6 a 8 meses. O temor de Portugal era que a demora na implementação da Inquisição desse tempo para os judeus mais abastados fugirem. Desde os acontecimentos de 1506 havia uma série de leis promulgadas por d. Manuel que eram favoráveis aos judeus, permitindo que eles saíssem do reino para qualquer terra de domínio português. Isso teria validade até 1534. Em 14 de junho de 1532, Portugal cria uma lei revogando a de 1507, justamente na parte favorável aos judeus. Na prática, a nova lei não só punha de novo em vigor, como também ampliava os antigos alvarás surgidos em 1499, sobretudo os que tratavam da proibição aos judeus de deixarem o reino de Portugal.

A partir de então, quem fizesse a mudança, agora considerada clandestina, seria condenado ao confisco de bens e à pena de morte. Claro, pois a manutenção dos judeus em Portugal era a cereja do macabro bolo.

Não era só a essência do direito de proteção que se invalidava, "mas as próprias fórmulas judiciais que ficavam anuladas, as delações, as prisões, a ordem de processo, tudo isso passaria a ser regulado por um sistema novo sob o comando do inquisidor geral. Era uma porta que se abria para o triunfo do fanatismo e da barbárie".[16]

Diante de uma Inquisição iminente e agora impedidos de deixar o reino, a saída dos judeus seria contra-atacar e buscar apoio em Roma para tentar combater os efeitos da bula. É nesse contexto que entra um personagem misterioso chamado Duarte da Paz. Ele se tornou da noite para o dia, no mesmo dia em que partiria para uma missão secreta para o rei d. João III, Cavaleiro da Ordem de Cristo, o que lhe concedia status. A princípio ele tinha saído de Portugal rumo à Espanha, mas rapidamente chegou a Roma, muito próximo aos embaixadores portugueses que acertavam os detalhes da Inquisição.

Duarte da Paz escrevia cartas ao rei por meio de um código que ele havia desenvolvido, "para não me suceder nenhum perigo tomando a alguém a minha letra".[17] Pedia ao rei que "nunca escrevesse, exceto em caso de extrema necessidade",[18] e a última recomendação era a de que o rei "queimasse as cartas que lhe remetia".[19] Duarte da Paz chegou a indicar, como estratégia para dissimular o estreito contato deles, que d. João III falasse mal dele em público – e também em particular – para não despertar desconfianças. Numa das cartas fica muito clara a ligação entre ambos, quando Duarte da Paz diz que "sempre estou, como estava nesse reino, prestando serviços a Vossa Alteza".[20]

Duarte da Paz era pai de Tomas Pegado da Paz, uma espécie de embaixador e espião de um dos mais renomados banqueiros e comerciantes da época, o duque de Naxos. Por trás desse título nobiliárquico estava a figura de d. Joseph Nassi Mendes, herdeiro de uma das famílias mais abastadas de Portugal, os Mendes Benevistes, que estava morando na Turquia nesse período das tratativas para a instauração da Inquisição em Portugal. Estaria Duarte da Paz, em nome do duque de Naxos, "comprando" a obstrução dos trâmites da instauração da Inquisição portuguesa em Roma?

O fato é que misteriosamente o então nomeado inquisidor-mor de Portugal, Diogo da Silva, renunciou, e isso inviabilizou a bula. Por que motivo ele teria declinado? Por que voltaria a aceitar o cargo em 1536? A substituição de seu nome exigia uma nova bula, e em 17 de outubro de 1532 o papa Clemente VII expediu um Breve chamado *Venerabilis Frater*, pelo qual declarava suspensos os efeitos da bula de 1531, que criara a Inquisição em Portugal.[21]

Diante dos retrocessos em Roma, o conde de Castanheira reclama ao rei de Portugal que "coisas estranhas acho cá desse núncio e de Brás Neto, o qual foi por ele o trabalhar e de a instigarem o papa... Brás Neto tem feito coisas nesta terra assim de desordem de sua pessoa como do estado de el-Rei que é para se queimar".[22]

O interessante é que não se tem notícia de que Brás Neto tenha recebido qualquer tipo de instrução sobre qual procedimento tomar em função da anulação da bula, o que contraria todo esforço feito até então. É como se misteriosamente, depois da ação de Duarte da Paz, o rei passasse a tratar a questão da Inquisição com descaso.[23]

Duarte da Paz não conseguiu somente a anulação da bula, mas o perdão aos judeus por meio da bula *Sempiterno Regi*, de 7 de abril de 1533, que "por efeito disso, incumbia ao núncio a missão benévola de perdoar e admitir à reconciliação com a Igreja todos os culpados que se apresentassem a confessar seus erros, a ele pessoalmente ou a delegados seus nas diferentes dioceses, devendo inscrever-se os nomes dos reconciliados em livros próprios, para conhecimento futuro. A principal razão a saber: que os primeiros conversos o tinham sido por ato violento. Quanto aos filhos destes, batizados na infância, mal se podia supor resistissem ao influxo do ambiente doméstico, hostil ao cristianismo. Mais declarava o pontífice ser a sua decisão espontânea, e de nenhum modo a requerimento dos interessados".[24]

Em 26 de julho de 1534, Duarte da Paz sofre uma tentativa de assassinato. Seria por ter desfeito o auspicioso negócio da Inquisição em Portugal? Fugiu para a Turquia, onde assumiu o nome de David Bueno. Em 25 de setembro de 1534 morria o papa Clemente VII – uma versão sobre sua morte diz que teria sido envenenado. Paulo III assumiu o papado em 23 de outubro de 1534 e em 26 de novembro mandou anular o Breve do perdão de Clemente VII por meio do *Romanus Pontifex*. Em 22 de outubro de 1536 seria publicada uma outra bula, que criava novamente a Inquisição em Portugal.

Esse conjunto de circunstâncias é, no mínimo, estranho.

Ao que parece, o jogo de xadrez de d. João III sofreu um revés e um xeque-mate inesperado. A Inquisição em Portugal, cuja implantação parecia uma manobra interna do rei para azeitar as relações com a nobreza, os súditos e a Igreja, sem qualquer intenção de que ela se realizasse de fato, tornou-se, inesperadamente, uma realidade.

Nesse jogo de interesses, uma grande "jaula de ferro" foi armada contra os judeus. Diante desse revés era preciso agir rápido: o rei convoca o conde de Castanheira e toma uma medida drástica – criar as capitanias hereditárias no Brasil. Capitanias hereditárias que foram criadas às pressas, como vimos, enquanto Martim Afonso chegava ao Brasil, em 1530, com uma leva de famílias judias. Teria sido a criação das capitanias e a suposta necessidade de colonizar o Brasil apenas uma jogada do rei? Afinal, frente à sua fracassada tentativa de obstar a implantação da Inquisição em Portugal, o monarca pôde retirar as famílias judias de Portugal burlando a lei que ele mesmo havia aprovado.

Jamais saberemos.

A implantação da Inquisição em Portugal e a questão da perseguição aos cristãos-novos ou aos judeus em Portugal têm a ver com a crise financeira gerada pela crise no monopólio, mas têm relação também com um contexto de mudanças de âmbito internacional. Mudanças profundas, diga-se de passagem, fundadoras do mundo moderno.

O que estava em jogo com a Reforma Protestante eram dois dos principais motores da humanidade desde tempos imemoriais: riqueza e poder. Se, por um lado, a venda de indulgências e a cobrança de dízimo a que até os reis estavam sujeitos era uma fonte importante de receitas, por outro, era também uma forma de exercer o poder.

A verdade é que a Reforma Protestante foi, se não a primeira, a mais ameaçadora das oposições que a Igreja Católica sofreu em mil anos. Não era qualquer coisa, porque se antes a Igreja tinha o apoio incondicional dos reis contra seus opositores, agora seus opositores é que tinham o apoio e a proteção dos reis.

Um terremoto em Lisboa abalou também o Brasil.

O DIA DAS BRUXAS

A simonia, como vimos, era então a regra e os simoníacos estavam sempre de plantão, babando feito cães ferozes em busca de novas e afortunadas vítimas. Foi contra esse estado de coisas que no dia de 31 de outubro de 1517 – Dia das Bruxas – Martinho Lutero entrou no castelo de Wittenberg disposto a gravar seu nome na história. Pregou na porta da igreja do castelo as suas noventa e cinco teses que propunham a reforma do catolicismo. O ato de extrema coragem era o sinal de que a situação em que a Europa estava imersa havia chegado ao seu nível máximo de tensão e a atitude de Lutero foi a gota d'água. A partir dali, o que era velado foi escancarado e um verdadeiro *jihad* se espalhou pela Europa.

O motivo?

Os desdobramentos das descobertas da América em 1492 e do Brasil em 1500 abalaram o mundo ocidental. Não porque se tratava de um novo mundo, ou porque os habitantes dali cultivavam outro modo de vida. Do México ao Peru havia civilizações organizadas, cidades até maiores e mais ricas e opulentas do que muitas cidades europeias, habitadas por milhares de pessoas. O Brasil foi um ponto fora da curva, pois por aqui os índios viviam em estado de natureza, numa espécie de atraso civilizatório incomum e em contraste gritante com a realidade tanto dos seus vizinhos americanos quanto dos europeus. O máximo de interesse que o Brasil despertou foi na imaginação dos poetas e dos desavisados. Thomas Morus, por exemplo, escreveu em 1516 seu livro *A utopia*, em que projeta um mundo onde "enquanto comem e bebem em pratos e taças de cerâmica ou de vidro – bem elaborados, mas feitos de material barato – o ouro e a prata servem para a fabricação dos utensílios de uso mais humilde e comezinho, como os urinóis, nos edifícios públicos e nas habitações particulares. Também as correntes e as pesadas traves com que prendem os escravos são feitas com esses metais. Finalmente, os criminosos condenados a carregar consigo a marca de algum ato infamante são forçados a usar argolas de ouro nas orelhas, anéis de ouro nos dedos, correntes de ouro no pescoço ou mesmo uma coroa de ouro na cabeça. Assim, procuram de todas as formas tornar ignominioso o uso do ouro e da prata".[1] Queria Morus por acaso que o homem europeu do século XVI voltasse a viver sua inocente vida de antes da descoberta das delícias do mundo?

Mas os motivos pelos quais o descobrimento da América abalou o mundo eram menos nobres e não tão ingênuos como o pensamento de Thomas Morus. As notícias sobre a riqueza e a opulência do Novo Mundo e, sobretudo, as amostras de ouro, prata, esmeralda e diamante, levadas à Europa por Colombo e Cabral, chocaram o Velho Mundo. Pode-se dizer que foram ainda mais significativas do que a notícia trazida por Vasco da Gama, em 1498, de que era possível se ter acesso ao Oriente pelo Atlântico Sul, por meio do cabo da Boa Esperança. As especiarias sem dúvida eram importantes, pois fizeram – e faziam – a fortuna dos comerciantes na Europa, mas, comparadas aos metais nobres, seu valor sem dúvida era de menor importância. Segundo os Arquivos das Índias Ocidentais foi registrada a entrada entre os anos de 1503 a 1660, na Espanha, de cerca de 185 mil quilos de ouro e 16 milhões de quilos de prata provenientes da América.

Com tanta riqueza em jogo, era natural que os ânimos se exaltassem. Sobretudo num cenário em que vigorava uma pequena idade glacial que havia começado em meados do século XIV e se estenderia até o século XIX. O frio que levou a colheitas deficitárias e, consequentemente, a preços elevados dos grãos, o que pauperizou todas as nações. A fome se estendeu por toda a Europa e a peste negra tocou forte com seu hálito de morte todas as almas, de modo que "na Itália e Alemanha os pobres comiam tudo que encontravam: gatos, cachorros e até serpentes [...] na Inglaterra aconteceram vários motins por causa da fome [...] na cidade francesa de Rouen em 1438, os cães e porcos devoravam crianças mortas espalhadas pelas ruas [...] na Hungria as mulheres tártaras comeram os seus próprios filhos".[2] No fim do século XVI, o frio, a fome e a peste foram responsáveis por 1.700.000 mortes em toda a Europa.

Mas o principal motivo que levou Lutero ao ato extremo de ruptura não foi a pobreza nem o mau humor da natureza, mas a avareza, a cobiça, a mesquinhez, a torpeza, a trapaça, o charlatanismo e a simonia dos homens que falavam em nome de Deus. O que irritou Lutero foi a questão da venda de indulgências que havia sido regra ao longo de toda a Idade Média, mas que se intensificara significativamente naquele cenário de crise, de pobreza, de fome e sobretudo de medo, que é a matéria-prima de toda dominação. A Igreja capitalizava a miséria e as desgraças que se abateram sobre o povo por meio do pavor pregado pelos milenaristas a fim justamente de transformar o medo em dividendos. O frio, o eclipse lunar, os cometas, as doenças, a inanição eram fenômenos vendidos pela Igreja como resultado de erros dos homens pecaminosos e produtos do castigo de Deus, ou seja, tudo era usado como sinal inequívoco do Apocalipse.[3]

Num ambiente completamente hostil como esse, a cobrança de indulgências, pagamentos que se faziam à Igreja – portadora na terra dos desígnios de Deus – para a remissão dos pecados cometidos na terra, se intensificou imensamente. Não por acaso, o principal motivo do seu ato desesperado era a tolerância em relação à questão da cobrança abusiva de indulgências que gerava protestos inclusive no interior da Igreja. A Reforma Protestante foi, no fim das contas, uma tentativa de desvincular Igreja e Estado, partindo do princípio da fala de Cristo de que o seu reino não era deste mundo, portanto a Igreja devia se preocupar com o outro mundo e deixar este a cargo dos príncipes e dos Estados. Esse discurso era música para os ouvidos dos estadistas. Maquiavel estava atentíssimo a este movimento de contestação do catolicismo – já havia inclusive escrito *O Príncipe* – e devia estar aplaudindo de pé a afronta ao poder da Igreja. Os grandes capitalistas, comerciantes e banqueiros, eram extorquidos pela Igreja com a cobrança de indulgências. O fim dessa cobrança e dessa prática implicava a criação de um movimento em que todo capital convergiria para os negócios, para o comércio, e alimentaria a roda da fortuna do enriquecimento dos comerciantes e, consequentemente, dos reis.

No fim do século XV e início do XVI, a Igreja arrecadava verdadeiras fortunas com o comércio de indulgências. Havia até uma tabela de valores para os pecados. Entre os mais interessantes estavam: "Os sacerdotes que quisessem viver em concubinato pagariam 76 libras; para cada pecado de luxúria a absolvição custará 27 libras; a mulher adúltera que quiser se ver livre de qualquer processo e que quiser continuar na relação ilícita pagará 87 libras; a absolvição por crime de roubo, furto ou incêndio custará 131 libras; a absolvição de homicídio contra uma pessoa custará 15 libras; quem afogar o filho pagará 17 libras; compra antecipada de absolvição para homicídio custará 168 libras; o delito de contrabando e contra os direitos dos príncipes custará 87 libras."[4]

Um dos mais conhecidos vendedores de indulgências na Europa foi o frade dominicano Johann Tetzel, que era tratado como o grande comissário do papa para indulgências. Ele havia sido encarregado de arrecadar dinheiro por meio da venda de indulgências por João de Lourenço de Médici – filho do grande estadista e comerciante florentino Lorenzo de Médici –, ordenado papa com o nome de

Leão X em 1513. Além de indulgências, outros produtos do portfólio da Igreja eram as vendas de títulos como os de arcebispo e de cardeal. O próprio Leão X foi o último não sacerdote a ser eleito papa, tendo sido escolhido certamente por causa de sua fortuna pessoal. O papa Clemente VII, que vimos envolvido na questão da Inquisição portuguesa, era seu primo, chamava-se Giulio di Giuliano de Médici e o sucederia no pontificado, que parecia ser, no início do século XVI, mais um dos negócios dos Médicis. Essas práticas se intensificavam justamente nos períodos mais tenebrosos, como os episódios de surtos de lepra, peste negra e crises econômicas, em que o medo da morte contribuía significativamente para o aumento da demanda por perdão, clemência etc. Todo dinheiro, a princípio, seria empregado na reforma da Basílica de São Pedro, no Vaticano. Esse era o motivo oficial, mas por trás disso havia outras razões menos altruístas. Inevitavelmente, parte era desviada e proporcionou a abastança de grande número de famílias.

Quanto ao dinheiro arrecadado nas vendas de indulgências, ele realmente havia sido aplicado na construção da Basílica de São Pedro, mas quanto desse montante teria sido desviado para os cofres particulares dos Médicis? Isso porque com a guinada do centro do mundo, em 1453, após a queda de Constantinopla, do Mediterrâneo para o Atlântico, as grandes cidades, que eram os principais centros comerciais e, portanto, as mais opulentas e abastadas da Europa – Veneza, Gênova, Florença – tornaram-se menos importantes e, portanto, empobreceram.

Certamente a questão da venda de indulgências transformou a Igreja num grande negócio, numa época de crise econômica. Negócio, não por acaso, iniciado no papado de um Médici, descendente e herdeiro da dinastia dos grandes banqueiros florentinos.

O patriarca Giovanni di Médici fundou o primeiro banco em Florença, e, em pouco tempo, chegou a ter nada menos que vinte bancos espalhados pela Europa. Quando a Igreja Católica sofreu uma grave cisão – o chamado Grande Cisma do Ocidente –, ocasião em que chegou a haver três papas, o banqueiro usou todo seu poder de persuasão sobre os príncipes para levar de volta o papado para a cidade de Roma. Foi uma estratégia extremamente eficiente para que a Igreja fizesse vista grossa para a usura praticada pelo banqueiro. A usura, como sabemos, era um dos mais combatidos negócios da época. A Igreja tratava a obtenção de lucros por meio de empréstimos a juros como um pecado grave.

Era, porém, um dos melhores negócios da época, pois a logística do mercantilismo, ou seja, a compra e venda de mercadorias, além do altíssimo custo das viagens, era quase em sua totalidade bancada por empréstimos que faziam a fortuna e a opulência dos banqueiros e dos financistas. Não por acaso, Cosimo di Médici, seu filho, foi o grande mecenas do Renascimento italiano, para ele trabalharam nomes como Michelangelo, Dante, Da Vinci, Brunelleschi, Botticelli e Maquiavel.

A tolerância da Igreja em relação à usura praticada pelos Médicis prova como havia um viés extremamente unilateral nas suas tomadas de decisão. Isso porque o lucro e o enriquecimento sempre perturbou o cristianismo. Dentro da Igreja, esse foi um tema caro, eivado de conflitos morais e éticos. As ordens mendicantes – franciscana e dominicana – e o seu comprometimento em viver na pobreza e na humildade condenavam o acúmulo de riquezas. À medida que a prática do comércio vai se ampliando e consequentemente o acúmulo de riquezas, a repugnância e a condenação dessa prática por parte do catolicismo vão se intensificando, resultando em ações cada vez mais agressivas, intolerantes e fanáticas.

A Igreja agia de forma dupla: para os ricos oferecia empréstimos e a tolerância em relação à usura; para os pobres fazia apologia da pobreza, partindo da premissa de que rico não entra no reino do céu e de que era preciso agradecer perante Deus apenas "o pão nosso de cada dia que nos dai hoje", como prega a reza. Dessa dupla função surgirão os conflitos internos e também os conflitos com os judeus que eram banqueiros e usurários concorrentes da Igreja.[5]

O parto do capitalismo, no fim do século XIV e início do século XV, foi, portanto, feito *a fórceps*. Teve de abrir caminho e vencer a resistência da Igreja, que lutaria com todas as suas forças contra as práticas capitalistas que julgava ser um obstáculo, uma ameaça ao poderio do catolicismo, conquistado a duras penas. Contraditoriamente, o catolicismo era uma das religiões que mais acumulavam riquezas. Talvez a grande resistência do catolicismo ao capitalismo tenha sido o medo da perda da sua principal fonte de acumulação de riquezas, representada pela figura dos reis. Isso se intensifica, sobretudo, na passagem da Idade Média para a Idade Moderna, com cada vez mais protagonismo dos comerciantes, esses, sim, extremamente avessos aos dogmas da Igreja e visceralmente partidários do reformismo.

Uma das vertentes mais poderosas e violentas da relutância da Igreja com a emergência do capitalismo serão as Cruzadas. Basta lembrarmos do famoso sermão do papa Urbano II em Clermont-Ferrand, na França, em 27 de novembro de 1095, convocando a primeira cruzada, em que dizia: "Desde Jerusalém e desde Constantinopla chegou até nós, mais de uma vez, uma dolorosa notícia: os turcos, povo muito diverso do nosso, povo de fato afastado de Deus, estirpe de coração inconstante e cujo espírito não foi fiel ao Senhor, invadiu as terras daqueles cristãos, as devastou com o ferro, a rapina e o fogo [...]. Empreendei o caminho do Santo Sepulcro, arrancai aquela terra, aquele povo celerado e submetei-la a vós: ela foi dada por Deus em propriedade aos filhos de Israel; como diz a Escritura, nela correm rios de leite e mel. Jerusalém é o centro do mundo, terra feraz por cima de qualquer outra quase como um paraíso de delícias; o Redentor do gênero humano a tornou ilustre com sua vinda, a honrou com sua passagem, a consagrou com sua Paixão, a redimiu com sua morte e a tornou insigne com sua sepultura."[6]

Claro que por trás dessa fúria do papa Urbano II não estava a defesa do Santo Sepulcro. Não podemos esquecer que havia grandes interesses políticos e econômicos na região da Palestina, de Jerusalém, que havia caído nas mãos dos muçulmanos. A Terra Santa era na verdade um grande entreposto comercial. Era o entroncamento entre as rotas do comércio do Extremo Oriente, da Ásia, da

África com a Europa. Como se pode ver, havia coisas mais mundanas em jogo. É a partir da tomada de Jerusalém, nessa primeira cruzada, que surgem os lendários cavaleiros templários – espécie de exército criado para proteger a conquista dos cristãos, a peregrinação dos fiéis e, é claro, o fluxo das preciosas mercadorias do Oriente para o Ocidente.

Essa guerra entre Igreja e capitalismo vai perdurar por séculos e reverberar inclusive no Brasil. Mas não nos antecipemos.

Os judeus, agentes desse capitalismo nascente – sejam como financistas e banqueiros, sejam como comerciantes –, vão ser, como não podia ser diferente, as grandes vítimas do ódio da Igreja. Durante as Cruzadas, os judeus foram um dos alvos principais da fúria cristã. A Inquisição foi outro elemento repressivo e persecutório enfrentado pelos judeus capitalistas em direção à desmistificação do mundo.

Mas, como dissemos, a atitude de Lutero foi a gota d'água, uma vez que essa história, como vimos, não começou e não terminaria aqui. Vamos ver como esse copo foi se enchendo de cólera! Tudo se inicia quando dois outros personagens resolveram igualmente entrar para a história junto com a reforma religiosa: a revolução política e a revolução científica. O Brasil vai nascer em meio a esse turbilhão que geraria aquilo que se convencionou chamar de mundo moderno. Vejamos como tudo isso aconteceu.

REVOLUÇÃO POLÍTICA, REVOLUÇÃO CIENTÍFICA E O MUNDO EM CONVULSÃO

Segundo se lê nas Escrituras, *Non est potestas nisi a Deo*, ou seja, "Não há poder que não venha de Deus, e, os que existem, foram instituídos por Deus".[1] É centrada nessa premissa que a Igreja, que se arvorava representante exclusiva de Deus na terra, dava uma espécie de concessão do poder aos reis, que permaneciam, claro, dependentes e vinculados a ela. Quem visita hoje o Palácio Público de Siena, na belíssima província da Toscana, na Itália, pode ver um conjunto de afrescos pintado nas suas paredes muito representativos da intrincada relação entre os poderes do rei e do papa naquilo que se convencionou chamar de as duas espadas. Nesse período, no fim da Idade Média, reinavam o poder temporal e o espiritual, poder dos reis e da Igreja, a cidade de Deus e a cidade dos homens, divididos de forma quase equivalentes. O conjunto de afrescos foi pintado por Ambrogio Lorenzetti entre os anos de 1338-1340 e chama-se *Alegoria do Bom Governo*, dividido em duas partes: "Alegoria do Bom Governo e seus efeitos na cidade e no campo" e "Alegoria do Mau Governo e seus efeitos na cidade e no campo".

Os afrescos oferecem uma espécie de manual de como o rei ou o príncipe devem governar: na *Alegoria do Bom Governo* vemos as virtudes humanas: sabedoria, harmonia, prudência, temperança e fé e a tônica do governo é a justiça; já na alegoria do mau governo, vemos as figuras que personificam todos os aspectos negativos do ser humano: orgulho, avareza, traição, fraude, vaidade – e a tirania governa no lugar da justiça.

É a típica teocracia, ou seja, um regime no qual as ações do governo estão submetidas inexoravelmente a uma autoridade religiosa. O quadro induz a compreensão de que o "governo não existe a não ser sob a tutela e garantia de Deus, fonte da autoridade, conduzida pela fé, esperança e caridade. O encantamento do mundo atinge o ápice, no ponto em que a religião confere legitimidade à sede de poder".[2]

Relação típica da dependência, como vimos, dos reis católicos de Portugal e da Espanha com o papa, que a tudo dava seu aval, sua autorização, ou sua negativa, seu porém – tudo era expresso por meio das bulas. Essa era a tensão em que se vivia ainda no início do século XVI, herança de práticas medievais.

E é justamente contra isso tudo que a Reforma e, ato contínuo, a ruptura dos reis com a Igreja vão se opôr. E com essa oposição inaugurar o Absolutismo. Mais tarde, depois de Maquiavel e da Reforma Protestante, Bossuet, na França, nas obras *Política tirada da Sagrada Escritura* e *Discurso sobre a história universal*, vai argumentar no sentido de que "Deus se manifesta mais precisamente na pessoa do rei do que na do papa, visto que o rei é uma potência nomeada por Deus. Nascia a teoria do direito divino dos reis. A teoria da monarquia de direito divino, segundo a qual o rei legislador é provido de um poder que emana diretamente de Deus e como tal o rei só tem responsabilidade perante Deus. Essa nova filosofia política concede ao rei total independência da Igreja. A pessoa do rei é considerada sagrada e ninguém poderia atentar a seu poder".[3]

Outro nome na Inglaterra é o de Robert Filmer, que na sua obra *Patriarca: o poder natural dos reis*, vai argumentar como Bossuet, que o direito divino dos reis deve partir da destruição de uma comunidade política universal sob a direção dos papas.[4]

Era o início de um movimento que podemos chamar de uma verdadeira revolução política.

Desse modo, podemos dizer que "a importância do protestantismo não diz respeito aqui ao conteúdo da sua fé, mas à sua rejeição ao poder temporal dos papas"[5] e essa rejeição não era nova – foi um questionamento recorrente ao longo de toda a Idade Média. Ao menos três precursores de Lutero haviam se revoltado contra o poder papal e foram condenados e queimados como hereges pelo Concílio de Constança. Foram eles: Jan Hus, John Wycliffe e Jeronimo de Praga. Quem visita a cidade velha em Praga pode ver um monumento erigido em homenagem a Jan Hus. Se no século XV a Igreja teve poder para barrar as críticas, no Início do século XVI Lutero, embora contestado e excomungado pela Igreja, consegue arrancar um movimento vigoroso do homem em direção à liberdade.

Lutero liberta o homem de uma espécie de vassalagem espiritual e faz isso também na prática cotidiana. Toda a liturgia da Igreja era feita em latim – uma língua erudita que no século XVI apenas os homens cultos e os clérigos, evidentemente, dominavam –, desse modo, a tradução da Bíblia para a língua vulgar, a língua falada, no caso o alemão, vai colocar o povo em contato direto com Deus, eliminando, assim, os intermediários. Era o início de uma conscientização que "surge também do fato de que a partir de agora o homem se expressa, pensa e sente em sua própria língua e torna-se parte essencial do movimento de libertação do espírito. É algo de uma importância extraordinária, infinita [...]. Lutero não poderia levar a cabo o movimento da reforma sem traduzir a Bíblia para o alemão".[6] Em 1523, Lutero volta a exprimir sua posição e revolta num tratado intitulado *De l'autorité temporelle et des limites de l'obéissance qu'on lui doit*, no qual afirma a necessidade de "separação entre os dois reinos, o de Deus e o do mundo".[7]

É aqui, portanto, dessa conspiração em torno da separação dos poderes que um novo pensamento político surge e o nome do responsável por tal ruptura vai ser Maquiavel. Poucos anos antes de Lutero ter se rebelado contra o poder dos papas, Maquiavel já havia se posicionado contra a dependência dos reis em relação à Igreja. Até que ponto a obra *O Príncipe*, de 1513, não teria encorajado Lutero? É Maquiavel que mostrará ao mundo que "se se quer o poder é preciso querer a onipotência; que essa exige não apenas um ato de fundação absoluta, mas também uma resolução que não admite nem fraquezas nem compromissos; que as considerações morais e religiosas devem ser afastadas do cálculo através do qual se estabelece ou se mantém o Estado; que as coisas são assim ainda em maior medida porque o príncipe é senhor da legislação, porque define o bem e o mal públicos e, por conseguinte, no que se refere às questões públicas e, nem ele nem os cidadãos devem se valer dos mandamentos da Igreja ou da tradição moral; que, nessas mesmas questões, a recusa da violência é uma tolice e que, de resto, cabe distinguir a violência que conserta daquela que destrói".[8]

Maquiavel ressalta o espírito de orgulhosa mundaneidade dos cidadãos florentinos que, em suas lutas contra o poder papal e diante de uma excomunhão iminente, sempre mantiveram o "amor por sua cidade natal acima do medo pela salvação de suas almas".[9]

Outra questão envolvendo a Igreja e que passou a ser alvo de críticas contundentes foi a perseguição religiosa que impactava diretamente nos cofres públicos e determinava a riqueza e a pobreza das nações. A perseguição ou a tolerância religiosa vão definir os países ricos e os pobres, isso porque, como definiu Max Weber, a riqueza estava vinculada à liberdade religiosa no início da Idade Moderna.[10]

A perseguição religiosa redundou, onde quer que tenha prevalecido, numa elevada perda de capital humano – os autos de fé eram altamente letais para os condenados – e de bens materiais, de modo que despertava por toda a Europa uma onda crescente de críticas e de apelo à tolerância, sobretudo por parte daqueles que sagazmente perceberam que "a intolerância interferia no acesso à riqueza. Imigração por motivos de consciência, quer da Inglaterra para a América, quer para a Inglaterra, Prússia, Escandinávia e

Holanda de metade da população da Europa, impressionou rapidamente o espírito dos homens como uma fonte de lucro para as nações tolerantes e de prejuízo para as nações perseguidoras. A raiz do racionalismo, que, depois da Restauração, se alastrou numa escala sempre crescente, foi a percepção de que a política de perseguição religiosa, sendo incompatível com a paz e a segurança, era obstáculo à prosperidade".[11]

E a prosperidade que todos buscavam incessantemente "estimulou a aceitação do secularismo porque seus objetivos não poderiam ser alcançados em outros termos. E essa aceitação viu-se rapidamente cercada de um halo de aprovação religiosa. A busca de lucros, em vez de perdas, tornou-se um dever cristão. Mas quando a opção favorável aos lucros não pode ser concretizada porque o Estado ou a Igreja barram o caminho, então um ou outro, ou ambos os obstáculos terão de ser removidos desse caminho".[12]

Esse pragmatismo foi o segundo ato da revolução política, e vai ocorrer em função de uma percepção sobre as oportunidades promissoras que se abriram para as nações tolerantes com as perseguições religiosas, como as que ocorreram em Espanha e em Portugal. Para uma nova ordem social que havia surgido com a expansão comercial e marítima "a Igreja, tal como estava organizada, parecia ser, em definitivo, um estorvo".[13]

Nessa queda de braços, em muitos lugares a Igreja será jogada aos leões. E o primeiro ato da revolução política vai ser a ruptura de Henrique VIII com a Igreja, seguido da assimilação dos bens da Igreja e da instituição do poder absoluto do rei, numa quebra do paradigma anterior em que os Estados eram governados por duas espadas: o rei e o clero.

Esse novo modo de pensar nos âmbitos político e social será o complemento indispensável de um novo modo de vida. Todas essas mudanças são frutos da "modernização econômica que resultará da decomposição dos controles sociais e políticos, da abertura dos mercados e dos progressos da racionalização e, portanto, do triunfo do lucro e do mercado".[14]

As imensas mudanças geradas a partir da expansão comercial implodiram o pensamento medieval e deixaram no ar um dilema ético a ser resolvido. Agora, havia novas possibilidades de negócio e de enriquecimento cada vez mais auspiciosas. O pensamento medieval, por sua vez, dominado por um forte sentimento religioso, divergia do desenvolvimento econômico, da obtenção de lucro. Muita coisa jazia na cobrança de juros, ou seja, aquilo que a Igreja tratava como usura, um pecado. Esses dois mundos entraram, inevitavelmente, em rota de colisão.

As novas relações materiais originaram novas relações sociais. E o pensamento medieval, baseado todo ele na filosofia expressa em *A cidade de Deus*, de santo Agostinho, já não dava mais conta de abarcar o novo mundo. Nesse livro, santo Agostinho faz uma distinção entre a cidade de Deus e a cidade dos homens, esta apenas um reflexo distorcido da perfeição da cidade de Deus. Para a Igreja, tudo que o homem devia desejar era pertencer à cidade de Deus. A vida na terra é vista como uma provação, todos teriam de pagar pela culpa por conta do pecado original. Era o monasticismo atuando desesperadamente e em vão contra a influência secularizante da riqueza. Esse argumento pífio, o da culpa, no entanto, só convencia os incautos e ignorantes e servia àqueles que lucravam com o medo. O homem da reforma jamais se deixaria levar por um sentimento tão infantil e por essa espécie de "renúncia radical do mundo". O seu ponto de vista era diametralmente oposto àquele que pretendia impor-se por meio da violência e da resignação à insignificante luta pelo "pão nosso de cada dia". Não por acaso, somente a partir do surgimento de uma ética que negasse os obscuros princípios do catolicismo medieval é que pôde prosperar o espírito do capitalismo.

Com o avanço do pensamento racional e do conhecimento científico, a desmistificação do mundo tornava cada vez mais evidente a constatação de que "nesta vida, o escolhido em nada difere externamente do condenado", de modo que pobreza ou riqueza não eram, por si só, parâmetros para a salvação ou para a danação eternas. Instaura-se uma guerra velada entre diversas religiões que se dividiam entre as que tinham "favorecido ou perturbado a secularização e a racionalização modernas".

Nos países nos quais a relação entre rei e Igreja prevaleceu, o desenvolvimento econômico ficou limitado por essas imposições. Já em outras nações que optaram pela ruptura e por fomentar o sistema mercantilista, capitalista e liberal, criou-se um ambiente de "ação autônomo para os agentes do desenvolvimento econômico".[15] O resultado apareceu em pouco tempo e separou aqueles que optaram por viver na insignificância de sua astenia e pereceram, daqueles que optaram pelo protagonismo, pela coragem, liberdade e prosperaram.

Desse modo que a grande ruptura promovida pela revolução religiosa e pela revolução política sacudiu a história da humanidade no século XVI e separou aqueles que estavam destinados a vencer pelos próprios méritos, daqueles que estavam destinados a dobrar os joelhos, a rezar e servir aos vencedores. À medida que o medo era enfrentado com coragem e ia se dissipando aos poucos, o ambiente se tornava naturalmente mais iluminado, mais fecundo para os estudos e, portanto, mais propício para o conhecimento. E é a partir desse momento que outra criatura que se encontrava imersa no pântano sombrio da Idade Média passa a reivindicar seu espaço no novo mundo: a ciência. E, ato contínuo, a revolução científica. Esses três eventos praticamente simultâneos – revolução científica, revolução religiosa e revolução política – fizeram ranger forte as dobradiças enferrujadas da porta da imensa muralha que separava o mundo medieval e o mundo moderno, libertando-o da prisão em que se encontrava, uma espécie de universo paralelo.

Tratava-se de uma contradição intrínseca que o catolicismo não notou, a tempo – ou notou, mas era um risco inevitável? A política de incentivo à expansão comercial e marítima demandava o conhecimento experimental, que se faz na prática cotidiana, vendo, avançando, conhecendo, desafiando o desconhecido e com isso desvendando a realidade, e não simplesmente teorizando e especulando coisas em gabinetes. De certa forma – sem que eles soubessem? –, esse comportamento dos navegadores redundará numa relação de causa e efeito, no desenvolvimento de práticas que desembocariam inexoravelmente no conhecimento científico. Era o fim do medo, até então tônica do mundo medieval. Era o princípio de uma mentalidade que valorizava a experimentação e tinha a convicção de que "Deus ajuda quem ajuda a si mesmo".[16]

Os homens então passaram a ter um conhecimento que, embora desde o século XIII rondava a Europa como um fantasma, assustava a visão medieval de mundo e só naquele momento havia encontrado ambiente favorável para florescer. As várias semeaduras lançadas anteriormente não haviam vingado e por isso o conhecimento prático, processual, que só agora se fazia, havia permanecido incompreendido e relegado às sombras por séculos. Esse tipo de conhecimento, que se revela no fazer, se deve a uma retomada do pensamento clássico, que completamente abandonado, e até proibido, no Ocidente era cultivado no Oriente e havia sido trazido sorrateiramente para a Península Ibérica por meio dos povos árabes e judeus que habitavam, sobretudo, o território conhecido como Al-Andalus, a belíssima região da Andaluzia, na Espanha. Os principais nomes dessa retomada são Alhazen, Avicena e Abucacer e o principal pensador clássico que eles professavam era Aristóteles, o pai do experimentalismo, da teoria que daria um novo norte para o mundo ocidental. Desse renascimento surgiria o debate em torno do empirismo e essa teoria contribuiria para algo fundamental na modernidade, que é a desmistificação do mundo e, consequentemente, um equacionamento nas relações de poder: a diminuição do poder daqueles que eram beneficiários de um mundo místico, mitológico, e o aumento do poder daqueles que apostaram na racionalização das relações do homem com a natureza, no pensamento científico. Obviamente essa passagem não se fez sem que por debaixo da ponte rolassem rios de sangue. O caso mais emblemático foi o de Giordano Bruno, que ao defender as ideias de Copérnico e, portanto, afrontar a visão de mundo da Igreja, foi queimado vivo em praça pública. Outra prova dessa perseguição são os inúmeros textos e livros que foram forçosamente escritos em linguagens criptografadas para ludibriar os censores e livrar seus autores do fogo. Eram livros, textos que circulavam apenas nas sociedades secretas que surgiram ainda durante a Idade Média e que se multiplicaram pela Europa a partir do século XV. Muitos desses livros, que continham certamente grandes tesouros da humanidade, foram destruídos ou jazem em arquivos secretos ou simplesmente estão espalhados pelo mundo e ainda desconhecidos.

A obra *Órganon*, de Aristóteles – não por acaso o livro do pai do método científico e do empirismo –, vai influenciar muito tempo depois Francis Bacon, que escreveu *Novum Organum*. Outros livros, sobretudo de alquimia, foram traduzidos: primeiro para o latim, depois se vulgarizaram por meio da fabulosa descoberta de Gutenberg, que, com seu sistema mecânico de impressão, com tipos móveis, iniciou uma verdadeira revolução na imprensa e consequentemente no universo da leitura, da escrita e da difusão do saber, livrando a humanidade dos intragáveis incunábulos que eram produzidos em mosteiros e, porque imitavam os manuscritos, eram caros, quase ilegíveis, sua circulação sendo restrita a um grupo de notáveis. Entre os primeiros livros que entraram no Ocidente de forma clandestina encontram-se o *Liber de Compositione Alchemiae* e os livros de Khalid Ibn Yazid, tais como *El libro de los amuletos*, *El livro grande e pequeno del pergamino* e *Secreto de la alquimia*; vários outros livros atribuídos a um autor hispano-árabe conhecido como Pseudo-Rachi foram traduzidos, tais como os intitulados *De Aluminibus et Salibus*, *Liber Luminis Luminum* e o *Segredo dos segredos*; o livro de Avicena *De Anima*, além dos famosos e intrigantes *A tábua de esmeralda* e *O livro dos mortos*, atribuídos a Hermes Trismegisto, e do não menos famoso e badalado *Picatrix*, do filósofo e astrônomo andaluz Maslama al-Majriti.

Essa avalanche de conhecimento é o que caracteriza o pensamento moderno que "afirma que os seres humanos pertencem a um mundo governado por leis naturais que a razão descobre e às quais ela própria está sujeita. E ele identifica o povo, a nação, o conjunto dos homens como um corpo social que funciona, ele também, segundo leis naturais e que precisa livrar-se das formas de organização de dominação irracionais que fraudulentamente procuram se legitimar recorrendo a uma revelação ou a uma decisão supra-humana. É um pensamento do homem no mundo, portanto, de um homem social. Esse pensamento se opôs ao pensamento religioso com uma violência que variou segundo os vínculos que uniam poder político e autoridade religiosa".[17]

Com as crenças religiosas ficando restritas à vida privada, as ciências experimentais proliferaram. Surgem a botânica, a astronomia, a química, a mecânica, a medicina, entre tantos outros ramos do saber. O caso mais emblemático de passagem de uma visão de mundo a outra foi o de Andries van Wesel, Andreas Vesalius, que elaborou um verdadeiro atlas do funcionamento do corpo humano, o *De Humani Corporis Fabrica Libri Septem*. Para os seus estudos dissecava na calada da noite os cadáveres dos assassinos condenados que eram executados. Muitos eram condenados por seus próprios conhecimentos, considerados então pecados. Outro personagem importante que também dissecava cadáveres em busca de conhecimento técnico para sua arte era Michelangelo Buonarroti. O resultado pode ser visto no extenso afresco do teto da Capela Sistina, no Vaticano, como também na parede do altar, o *Juízo final*. Um quadro ilustrativo dessa nova mentalidade e da nova sede de conhecer o mundo é *A lição de anatomia do dr. Tulp*, de Rembrandt. Era o pensamento conquistando "sua independência e abandonando assim sua unidade com a teologia; se separando desta como já entre os gregos se havia se separado da mitologia, da religião popular".[18]

Não era apenas do ponto de vista religioso – o combate à heresia e ao acúmulo de riquezas – que a Igreja vai ser contestada por outras religiões. A Igreja será atacada também do ponto de vista do conhecimento e, portanto, da sua hegemonia no mundo. A revolução científica surge no horizonte para ficar.

Foi no âmbito de profunda efervescência intelectual, promovida pelo Renascimento, que os estudos do homem e da natureza foram impulsionados. O Universo e a natureza já não eram mais aceitos como obra meramente transcendente, fruto dos preceitos cristãos. Somente por meio de práticas experimentais somadas às explicações racionais é que o homem poderia chegar ao saber. Dessa nova realidade surgiram as obras *De Revolutionibus Orbium Coelestium*, de Nicolau Copérnico (1473-1543), que formulou a teoria heliocêntrica, que seria completada no século XVII pela obra *Diálogo sobre os dois principais sistemas do mundo*, de Galileu Galilei (1564-1642), outro que também sofreu perseguição da Igreja, tendo sido processado e obrigado a desdizer o que dissera. Está enterrado na Basílica de Santa Cruz, em Florença, ao lado de Maquiavel e Michelangelo. Outros grandes e corajosos foram Tycho Brahe (1546-1601), que fez observações muito precisas sobre os astros, e Johannes Kepler (1571-1630), que apontou o movimento elíptico dos astros, preparando o caminho para a maior descoberta da época, a lei da gravitação universal de Isaac Newton (1642-1727).

Na literatura, Giovanni Boccaccio, autor da obra *Decamerão*, e François Rabelais, autor de *Gargântua e Pantagruel*, contribuíram para a exaltação do humanismo, do individualismo e da liberdade combatendo e satirizando a rígida moral escolástica e a superstição.

Todo esse movimento tem como motor o método experimental, principal meio de alcançar o saber científico, que, consequentemente, acabou por retirar da Igreja o monopólio da explicação das coisas do mundo. A principal barreira ao progresso científico foi finalmente superada, depois de séculos, para não mais representar ameaça ao progresso dos homens. Mas a Igreja, que já havia criado o *Malleus Maleficarum*, um manual de tortura, e o *Index Librorum Prohibitorum*, um índice que continha títulos de livros proibidos, não ia vender barato o desprestígio e a perda de poder. Vamos ver o que nos aguarda.

A GUERRA DOS MUNDOS

Como vimos, a Igreja levou até o limite do insuportável suas contradições internas e sua recusa em aceitar as mudanças que, apesar das cruéis perseguições impostas por ela avançam como um *tsunami*.

A Igreja Católica atribuía a uma conspiração de judeus, protestantes e hereges as grandes transformações que estavam ocorrendo no mundo, as quais colocavam em xeque seu poder absoluto. Ela demorou a perceber que as mudanças eram parte de um movimento natural, reação adversa aos remédios que ela mesma aplicava. A expulsão dos judeus da Espanha e de Portugal, acompanhada de perseguições, sequestros de crianças e arresto de bens seria a gota d'água para o transbordamento de um copo que há tempos vinha se enchendo de cólera, mágoa e ressentimento.

A maior antinomia era: como fomentar o desenvolvimento econômico sem por um lado levantar capital, ele mesmo transformado em produto, por meio de empréstimos e sem, por outro lado, auferir lucro com os negócios da compra e venda de produtos do Oriente – as especiarias? Como todos sabemos, a acumulação de riqueza que se faz por meio do comércio e dos empréstimos a juros – condenados pela Igreja – eram, ao mesmo tempo, praticados por ela. Os templários, aliás, foram pioneiros no negócio com bancos. Quem vai hoje a Londres pode visitar a capela Temple Church, construída pela Ordem dos Templários em 1185. Essa capela não foi só capela, mas foi também o que pode ser considerada como a primeira agência bancária do mundo ocidental e que pertencia à Igreja Católica. Os peregrinos que partiam para Jerusalém a fim de fazer negócios, os quais levavam dinheiro e poderiam, portanto, ser alvo de bandidos simplesmente depositavam o dinheiro na Temple Church, em Londres, e sacavam depois já em Jerusalém, por meio da apresentação de uma carta de crédito, exatamente como fazemos hoje com os cartões.

No século XX, o Vaticano fundou seu próprio banco, cujo nome oficial é Instituto para as Obras de Religião, que inclusive auferiu grande lucro com o processo de recuperação da Europa depois da Segunda Guerra Mundial e é, hoje, um dos bancos mais ricos e poderosos do mundo. Quanto à acumulação de riqueza por meio da produção e do comércio – que a Igreja tanto condenava –, ela é acionista, hoje, de grandes empresas comerciais ao redor do mundo.

Na verdade, a expansão marítima e comercial não afrontava o pensamento da Igreja sobre acumulação de riqueza. O que de fato começou a incomodar a Igreja Católica foi que essa expansão econômica e territorial, que desde a época das Cruzadas medievais ocorria num consórcio entre reis e Igreja, estava ocorrendo então a partir de um novo consórcio que envolvia reis e comerciantes, quase em sua grande totalidade judeus. Com a guinada na (re)orientação da parceria, vinha também a perda progressiva de prestígio. Era o fim da união entre trono e altar e o início do Absolutismo.

Para Maquiavel, por exemplo, o homem passa a ser o motor das transformações pessoais e sociais, não fica mais refém de um destino designado por Deus. A ação do homem transformaria o mundo. Não por acaso um de seus exemplos vai ser o de d. João II, que quis porque quis a expansão portuguesa e fez de tudo para que ela acontecesse, matando inclusive aqueles que se colocaram contra seu projeto. Bossuet, Jean Bodin, Hugo Grotius e Hobbes, como vimos, também defenderam o direito divino dos reis, a soberania não partilhada e, portanto, o governo despótico e o poder ilimitado do Estado, que, em última instância, era o rei.

A visão geocêntrica do mundo vai ser substituída pela visão heliocêntrica. A Terra, portanto, sai do protagonismo e passa a ser mais uma coadjuvante em meio ao infinito do espaço sideral. É a passagem de uma visão de mundo mitológica, onde dominavam a crença e a fé, para um mundo mais material, mais plausível, palpável, racional e empírico.

Contra essa realidade que batia na porta da Igreja erguiam-se cada vez mais fervorosos aqueles que defendiam a infalibilidade papal, ou seja, o princípio do sagrado magistério, ou seja, quando o papa deliberava sobre algo ele estava sempre certo. Quando parecia ter entrado uma enxurrada que varreu tudo e que a Igreja faria uma espécie de mea-culpa, de adaptação ao novo mundo, o que vemos é o início de uma declaração de guerra, de uma reação virulenta – o primeiro passo da Igreja para dar uma resposta à Reforma Protestante, à Reforma Política e à Reforma Científica, que estavam afrontando seu poder, foi a convocação do Concílio de Trento, considerada a primeira batalha da guerra entre dois mundos que passaram a se hostilizar e a se digladiar sistematicamente numa guerra que se estenderia por séculos.

O Concílio de Trento determinará uma série de mudanças institucionais na Igreja Católica que vai ao encontro de tudo aquilo que havia sido proposto pela Companhia de Jesus desde a sua fundação, e que, como veremos, havia ficado no modo *stand by*. Na bula convocatória do concílio, pode-se ler: "Considerando que em tempos tão revoltosos e que em circunstâncias tão mesquinhas de quase todos os negócios [...] desejávamos por certo aplicar soluções aos males que há tanto tempo têm afligido, e quase oprimido a república cristã [...]. Então, como entendêssemos que se necessitava de paz, para libertar e conservar a república de tantos perigos que a ameaçavam, achamos ao contrário que tudo estava cheio de ódios e contradições e, em especial, opostos entre si aqueles príncipes aos quais Deus havia confiado todo o gerenciamento das coisas. Assim sendo, tomando-se por necessário que fosse apenas um o redil, e um só o pastor do rebanho do Senhor, para manter a unidade da religião cristã, e para confirmar entre os homens a esperança dos bens celestiais; se achava quase quebrada e despedaçada a unidade do nome cristão com cismas, contradições e heresias. E desejando nós também que fosse prevenida e assegurada a república contra as armas e os feitos dos infiéis; pelos erros e culpas de todos nós, visto que ao descarregar a ira divina sobre nossos pecados, foi perdida a ilha de Rodes, foi devastada a Hungria e concebida e projetada a guerra por mar e por terra contra a Itália, contra a Áustria e contra a Eslavônia: porque, não sossegando em tempo algum nosso ímpio e feroz inimigo, os turcos; julgava que os ódios e contradições que fomentavam os cristãos entre si, era a ocasião mais oportuna para executar de modo feliz seus desígnios. Sendo pois chamados, como dizíamos, em meio de tantas turbulências, de heresias, de contradições, de guerras, de tormentas tão revoltosas."[1]

As primeiras medidas tomadas pela Igreja para reparar o que chamou de "as nossas próprias debilidades" foram no âmbito de sua estrutura interna e contemplavam "a criação de uma espécie de regulamentação para coibir os exageros e a venda indiscriminada de indulgências – que era o principal ponto da crítica de Lutero nas suas noventa e cinco teses – e proibiu também a negociação de cargos dentro da hierarquia da Igreja, e a partir daquele momento determinou a formação dos seus eclesiásticos por meio de seminários".[2] Quanto às mudanças na relação da Igreja com a sociedade, as novas determinações levariam a Igreja para um lugar um pouco mais distante dos reis, que haviam se tornado em sua maioria seus inimigos, e iriam levá-la a se imiscuir na vida do povo, no seu cotidiano.

O Concílio de Trento promoverá, portanto, a mais importante transformação de todos os tempos no âmbito da Igreja, adequando-a àquilo que era a nova e inexorável realidade do mundo e de acordo com a grande ideia surgida para salvaguardá-la do inevitável fim, trazida pela Companhia de Jesus e que ficaria conhecida como Contrarreforma. Foram três as principais mudanças: 1) a defesa da exclusividade na interpretação da Escritura, o que tinha como objetivo repelir qualquer outra religião que ousasse fazer qualquer reinterpretação da Bíblia; 2) a observância do pecado original e a consequente condenação de toda a humanidade, o que tornava todo ser humano pecador e, portanto, obrigado a continuamente expiar seus pecados; e 3) a confissão como instrumento de remissão dos pecados, o que reservava à Igreja o poder exclusivo de perdoar e, portanto, de decidir sobre os condenados e os eleitos para o reino dos céus.

Numa declaração de guerra contra os reis, contra as religiões e contra a ciência, esta era uma batalha de vida ou morte entre o mundo medieval, que já se encontrava moribundo, e o mundo moderno, que lutava por vir à luz. As espadas começavam a ser brandidas.

Quanto à defesa da exclusividade na interpretação da Sagrada Escritura, na quarta sessão do Concílio de Trento, de 8 de abril de 1546, podemos ler as seguintes determinações: "Com a finalidade de conter os ingênuos insolentes, que ninguém, confiando em sua própria sabedoria, se atreva a interpretar a Sagrada Escritura em coisas pertencentes à fé e aos costumes que visam à propagação da doutrina Cristã, violando a Sagrada Escritura para apoiar suas opiniões, contra o sentido que lhe foi dado pela Santa Amada Igreja Católica, à qual é de exclusividade determinar o verdadeiro sentido e interpretação das Sagradas Letras; nem tampouco contra o unânime consentimento dos santos Padres, ainda que em nenhum tempo se venham dar ao conhecimento estas interpretações. Aos medíocres, sejam declarados contraventores e castigados com as penas estabelecidas por direito. E querendo também colocar um freio nesta parte aos impressores que sem moderação [...] imprimirem, sem licença dos superiores eclesiásticos, a Sagrada Escritura, [...] este Concílio decreta e estabelece que de ora em diante seja impressa, com a maior compreensão possível, a Sagrada Escritura, principalmente a antiga edição da Vulgata, e que a ninguém seja lícito imprimir nem fazer com que seja impresso livro algum de coisas sagradas ou pertencentes à religião, sem o nome do autor da impressão, nem vendê-los, nem ao menos tê-los em sua casa, sem que primeiro sejam examinados e aprovados pela Igreja, sob pena de excomunhão e de multa estabelecida no Cânon do último Concílio de Latrão."[3]

Impõem-se, como se pode ver, intensas restrições à leitura e à interpretação da Bíblia por pessoas comuns e àqueles que não pertenciam aos quadros hierárquicos da Igreja. Restrições tais que equivaliam a uma verdadeira proibição, justamente num momento em que Lutero havia traduzido a Bíblia para o alemão e Gutenberg desenvolvido seu mecanismo de impressão que seria capaz de reproduzir e colocar a Bíblia ao alcance de cada um. O que seriam essas determinações do Concílio de Trento senão a suspeição da razão humana, recém-liberta pela revolução científica e pelo Renascimento, condenando a humanidade a pensar e a ler o mundo pelo pensamento e pelos olhos de um seleto grupo de eleitos?

Depois de monopolizar a interpretação das Sagradas Escrituras, a quinta sessão do Concílio de Trento, de 17 de junho de 1546, trataria do pecado original e de todas as suas consequências, ou seja, a incapacidade do homem de se salvar por seu próprio merecimento, dependendo para isso da intermediação da Igreja, uma vez que o pecado original gerou a condenação hereditária da humanidade. Dizem as determinações: "Para que nossa santa fé católica [...] se conserve inteira e pura em sua sinceridade, e para que não flutue no povo cristão todos os ventos de novas doutrinas, [...]estabelece, confessa e declara estes dogmas sobre o pecado original: I. Se alguém não acreditar que Adão, o primeiro homem, quando anulou o preceito de Deus no paraíso, perdeu imediatamente a santidade e justiça em que foi constituído, e incorreu, por culpa de sua prevaricação, na ira e indignação de Deus [...] seja excomungado. II. Se alguém afirmar que o pecado de Adão prejudicou apenas a ele mesmo e não à sua descendência, não incluindo nós todos [...] seja excomungado. III. Se alguém afirmar que este pecado [...] se pode retirar pelas forças da natureza humana, ou por outro meio que não seja pelo mérito de Jesus Cristo, Nosso Senhor, único mediador, e que nos reconciliou com Deus, [...] seja excomungado [...]. IV. Se alguém negar que as crianças recém-nascidas precisam ser batizadas, [...] que elas em nada participaram do pecado de Adão, para ser preciso purificá-los com o banho da regeneração para conseguir vida eterna [...] sejam excomungadas."[4]

O pecado original havia condenado a humanidade e a vida deveria ser um processo de imolação e sofrimento contínuos com o fim de extirpar a culpa e de atingir a salvação eterna. Era uma forma de propagar o terror e o medo, matérias-primas para a dominação dos corações e das mentes dos incautos. Essa espécie de algema limitava e podava a liberdade humana – assim, o pecado original preparou o terreno para outra determinação, de modo que a décima quarta sessão do Concílio de Trento, de 25 de novembro de 1551, que versava sobre a penitência, dizia: "Cap. I – Da necessidade e instituição do sacramento da Penitência. Se tivessem todos os regenerados tanto agradecimento a Deus que conservassem perenemente a santidade, que por seu benefício e graça receberam no Batismo, não haveria sido necessário que se tivesse instituído outro sacramento diferente deste para conseguir o perdão dos pecados. Mas como Deus com toda sua misericórdia conhece nossa debilidade, estabeleceu também um remédio para a vida daqueles que, depois de batizados, se entregarem à servidão do pecado e ao poder ou escravidão do demônio, o qual é exatamente o sacramento da Penitência [...]. Por isso diz o Profeta: convertei-vos e fazei penitência de todos vossos pecados e com isso vossa iniquidade não será causa de vossa destruição. Também disse o Senhor: Se todos vós, sem exceção, não fizerem penitência, todos vós perecereis. Cap. II – Da diferença entre o sacramento da Penitência e o Batismo. Se conhece muitas razões da diferenciação deste sacramento (Penitência) com aquele do Batismo, porque além da matéria e da forma com as quais são ministrados os dois sacramentos, que são bastante diferentes, consta evidentemente que o ministro do Batismo não deve ser juiz, pois a Igreja não exerce jurisdição sobre as pessoas que não tenham antes adentrado seu seio pela porta do Batismo. Que tenho eu a ver, disse o Apóstolo, sobre o juízo dos que estão fora da Igreja? Não sucede o mesmo com os que já são batizados e vivem na fé, aos quais Cristo Nosso Senhor tornou membros de Seu Corpo, lavando-os com a água do Batismo e não quis que estes, se contraíssem alguma culpa, fossem novamente purificados repetindo o Sacramento do Batismo, pois isto não seria lícito por nenhuma razão na Igreja Católica, porém essa nova purificação poderá ser alcançada se esses pecadores se apresentarem como réus ante o tribunal da Penitência para que por uma sentença dos sacerdotes possam ficar absolvidos, não somente uma vez, mas quantas forem necessárias, desde que recorram a Ele arrependidos dos pecados que cometeram. Cap. III – Das partes e fruto deste Sacramento. Ensina além disso, o Santo Concílio, que o princípio do sacramento da Penitência, e no qual principalmente consiste sua eficácia, se concentra naquelas palavras do ministro: Eu te absolvo, às quais louvavelmente se incluem certas preces por costume da Santa Igreja. Mas de nenhum modo visam estas, a essência do princípio, e nem tampouco são necessárias para a administração do mesmo Sacramento. Cap. IV – Da Contrição (Arrependimento). A Contrição, que deve tomar o primeiro lugar nos atos do penitente já mencionado, é uma intensa dor e abominação dos pecados cometidos, com o propósito de não pecar daí em diante. Em todos os tempos foi necessário esse processo de Contrição para alcançar o perdão dos pecados da pessoa que delinquiu depois do Batismo de modo que este penitente seja preparado até conseguir a remissão das culpas. Cap. V – Da Confissão. Consta então que não poderiam os sacerdotes exercer essa autoridade de juízes sem o conhecimento da causa, e nem proceder com equidade na imposição das penas, se os penitentes apenas os tivessem dado a conhecer que haviam pecado de modo geral e não em espécie e individualmente seus pecados. Disto se depreende que é necessário que os penitentes exponham em confissão todos os pecados mortais que se lembrem depois de um minucioso exame de consciência, ainda que sejam absolutamente muito ocultos e apenas cometidos contra os dois últimos mandamentos do Decálogo, pois algumas vezes estas faltas prejudicam gravemente a alma e são mais perigosas que as que foram cometidas externamente. Assim sendo, quando os fiéis cristãos se esmeram em confessar todos os pecados de que se lembram, os propõe a todos, sem dúvida, à divina misericórdia com a finalidade de que sejam perdoados. Os que assim não o fizerem, e omitem alguns pecados em sã consciência, nada apresentam a ser perdoado ante a bondade Divina, pela ação do sacerdote. Isto pode ser entendido como um enfermo que omite ao médico todos os sintomas de sua enfermidade, e assim a medicina não o pode curar, pois não conhece o mal. [...] Cap. VIII – Da necessidade e fruto da Reparação. Devem pois, os sacerdotes do Senhor, impor penitências saudáveis e oportunas conforme lhes dite seu espírito e prudência, segundo a qualidade dos pecados e disposição dos penitentes. Não ocorra porém que devido a estas palavras os sacerdotes olhem com muita condescendência para as culpas e procedam com muita suavidade com os penitentes, impondo-lhes uma reparação muito leve por delitos graves, e sejam partícipes dos pecados alheios. Tenham pois sempre à vista que a reparação que impuserem, não somente sirva para que se mantenham em vida nova e os cure de sua enfermidade espiritual, mas também para compensação e castigo dos pecados passados. Doutrina do Santo Sacramento da Extrema-Unção. Em relação à instituição da Extrema-Unção, declara e ensina coisas que assim como nosso clementíssimo Redentor, com o intuito de que seus servos estivessem sempre abastecidos de remédios saudáveis contra todos os ataques de seus inimigos, lhes preparou nos demais Sacramentos eficientes auxílios com os quais pudessem os Cristãos manter-se nesta vida, livres de todo grave prejuízo espiritual, e do mesmo modo fortaleceu o fim da vida com o sacramento da Extrema-Unção."[5]

A extrema-unção era importantíssima, pois se tratava de enquadrar o pecador poucos instantes antes da morte, em estado de extrema vulnerabilidade. Para as opiniões contrárias e para todos aqueles que se colocassem contrários a essas determinações o Concílio de Trento definiu também nos cânones que: "Se alguém disser que a Penitência na Igreja Católica não é verdadeira e propriamente Sacramento instituído por Cristo Nosso Senhor para que os fiéis se reconciliem com Deus quantas vezes caiam em pecado depois do Batismo, seja excomungado. [...] Se alguém negar, que se requerem, para o inteiro e perfeito perdão dos pecados, três atos por parte do penitente, que são a matéria do Sacramento da Penitência, a saber: a Contrição, a Confissão e a Reparação, seja excomungado. [...] Se alguém negar que a Confissão sacramental que está instituída, não é necessária e de Direito Divino, ou disser que o modo de confessar em segredo com o sacerdote, adotado desde o princípio pela Igreja, e observa até o presente, é alheio da instituição e preceito de Jesus Cristo, e que é invenção dos homens, seja excomungado. [...] Se alguém disser que não é necessário e nem de Direito Divino confessar no sacramento da Penitência para alcançar o perdão dos pecados, todas e cada uma das culpas mortais que com o devido e minucioso exame de consciência se traga à memória [...] nem que é necessário confessar as circunstâncias em que ocorreram os pecados, senão que esta confissão apenas é útil para dirigir e consolar o penitente [...] ou finalmente, que não é lícito confessar os pecados veniais, seja excomungado. [...] Se alguém disser que a Confissão de todos os pecados, como observa a Igreja, é impossível, e que é uma tradição humana que deve ser abolida, ou que todos e cada um dos fiéis cristãos de ambos os sexos não estão obrigados a confessar pelo menos uma vez por ano, e que por esta razão deve-se persuadir a todos os fiéis cristãos que não se confessem no tempo da Quaresma, seja excomungado. [...] Se alguém disser que a Absolvição sacramental, que é dada pelo sacerdote, não é um ato judicial, senão mero ministério de pronunciar e declarar que os pecados serão perdoados ao penitente [...] seja excomungado.

Cânones do Santo Sacramento da Extrema-Unção. Cân. I – Se alguém disser que a Extrema-Unção não é verdadeira e propriamente um sacramento instituído por Cristo Nosso Senhor, senão que apenas é uma cerimônia feita pelos Padres, ou uma ficção dos homens, seja excomungado. Cân. II – Se alguém disser que a sagrada Unção dos enfermos não confere graça nem perdoa os pecados, nem alivia os enfermos, seja excomungado. [...] Cân. IV – Se alguém disser que os presbíteros da Igreja não são os sacerdotes ordenados pelo Bispo, mas sim os mais idosos de qualquer comunidade, e que por esta causa não é apenas o sacerdote o ministro apropriado da Extrema-Unção, seja excomungado."[6]

Se sem a confissão não há como se chegar ao perdão dos pecados e a confissão deve ser feita junto aos padres, o que a Igreja afirma aqui, no fundo, é a incapacidade do homem de se comunicar com Deus de forma direta, sem o intermédio da Igreja. Estava fundada assim uma das mais temíveis formas de poder exercidas pela Igreja, que se funda nas informações que se obtêm no confessionário e que vão servir, muitas vezes, para se imiscuir na vida das comunidades e, como foi comum na história do Brasil, como uma forma de chantagem e extorsão.

O catolicismo que emergiu do Concílio de Trento inaugurou uma espécie de despotismo religioso sem precedentes na história da humanidade. As reformas propostas por um Lutero, um Zwinglio, um Oecolampad, um Melanchthon e um Calvino significam, no fundo, o protesto do sentimento cristão, livre e independente, contra essas tendências autoritárias. O catolicismo é, desse modo, uma organização institucional que ao longo de sua história foi degenerando a prática cristã. No século XVI, todos clamavam por reforma, "reis, povos e sacerdotes [...] mas aqui aparecia o problema: que espécie de reforma? A opinião, em geral, das populações católicas pronunciava-se no sentido de uma reforma liberal, em harmonia com o espírito da época, chegando muitos até a desejar uma conciliação com os protestantes. Em Roma, porém, a solução que se dava ao problema tinha um bem diferente caráter. O ódio e a cólera dominavam os corações dos sucessores dos apóstolos. Repelia-se com horror a ideia de conciliação, da menor concessão. Pensava-se que era necessário fortificar a ortodoxia, concentrando todas as forças, disciplinando e centralizando, empedernir a Igreja para a tornar inabalável. Era a opinião absolutista, representante do papado. Esta opinião [para não dizer este partido] triunfou e foi esse triunfo uma verdadeira calamidade para as nações católicas".[7]

Esse estado de coisas vai levar o filósofo Friedrich Nietzsche a dizer, no século XIX, que só houve um cristão e que o evangelho, portanto, morreu na cruz.[8] O cristianismo ao se transformar em catolicismo dera lugar a uma ótica teológica baseada no pecado, na culpa e no castigo. Os arautos e bedéis desse novo *modus operandi* vão ser os padres da Companhia de Jesus.

O PAPA NEGRO E O IMPÉRIO TEOCRÁTICO DA AMÉRICA DO SUL

Perinde ac cadaver – viver como um cadáver, diz o estatuto da Companhia de Jesus. Era o resumo do manto negro com o qual o Concílio de Trento queria cobrir o mundo ocidental. Era um convite a se viver como uma rês doméstica e em obediência irrestrita a outrem, sem vontade e totalmente sujeito aos desejos alheios, como verdadeiro corpo morto. Era tudo que poderia haver de mais contrário ao espírito moderno.

A fundação da Companhia de Jesus remonta ao ano de 1534, quando Inácio de Loyola a concebeu na Basílica de Saint-Denis, em Montmartre, na França, onde era professor. A Companhia tinha como objetivo formar um verdadeiro exército para a defesa do catolicismo. Pode-se dizer que com a Companhia de Jesus se dá uma guinada estratégica nos rumos da Igreja. Já que estava perdendo o apoio dos reis, a Igreja formará um exército para se imiscuir na vida cotidiana do povo. Se conseguisse penetrar ali, imaginava, teria seu poder preservado. Antes, a presença da Igreja na sociedade se resumia aos custos que ela cobrava por seus serviços – as indulgências – e nada mais. A partir da Companhia de Jesus, ela se aproximará mais do povo, na mesma medida em que se afastará dos poderosos, dos reis. A questão dos jesuítas não era somente contra os hereges, mas contra os reis, sua atuação passa a ter uma forte marca política com o intuito de penetrar nos países e, se possível, desestabilizar os reis que haviam rompido com o papa.

A Companhia de Jesus foi formalmente estabelecida em 1540 pela bula *Regimini Militantis Ecclesiae* e referendada no Concílio de Trento em 1545. A partir dessa chancela, criou para si um estatuto secreto para nortear tanto a formação de seus componentes como a sua atuação junto à sociedade, sempre de acordo com os novos cânones estabelecidos. Na apresentação de tal documento pode-se ler: "Os Superiores devem guardar cuidadosamente em suas [próprias mãos] tais instruções específicas e não devem comunicá-las a não ser a alguns dos não religiosos, quando for de conveniência da Sociedade; e isso se fará sob o selo do silêncio e não como se tivessem sido transmitidas por escrito por outro, mas sim como se fosse produto da experiência daquele que as dá. Como muitos religiosos conhecem esses segredos, a Sociedade determinou, desde sua origem, que os conheçam e não possam passar a outras ordens, a não ser à dos cartuxos, dado o retiro e o silêncio em que vivem, e o papa no-lo concedeu. É preciso que se tenha o máximo cuidado para que essas advertências não caiam em mãos de estranhos, porque estes darão a elas uma interpretação sinistra, por inveja de nossa Instituição. Se tal suceder, assim não queira Deus, deve--se negar que tais são os sentimentos da Sociedade, de modo que dessa forma fiquem disso seguros aqueles que com certeza se sabe que o ignoram, e opondo a eles nossas instruções gerais e regras, impressas e manuscritas. Os Superiores devem sempre investigar cuidadosamente e com prudência se algum dos nossos revelou a estranhos essas instruções secretas; e a ninguém se tolerará que as copie, nem para si mesmo nem para outro, sem o consentimento do Intendente-geral, ou ao menos do Intendente da província; e se dúvida houver, quanto a alguém não ser capaz de guardar segredos, [este] deverá ser afastado."[1]

Do ponto de vista prático, ou seja, de como a Companhia deveria agir para salvar o catolicismo da derrocada iminente, foram propostas as seguintes ações, expostas num livro altamente confidencial, que só circulava entre os jesuítas, chamado *Monita Secreta*.

O primeiro capítulo trata de como a Companhia deveria se conduzir quando do início de algum novo empreendimento: "Para tornarem-se agradáveis aos outros cidadãos do povoado, é muito importante explicar a eles o objetivo da Sociedade, tal como está prescrito nas regras em que se diz que a Sociedade deve aplicar-se com afã tanto na salvação do próximo como na sua própria. Para isso devem desempenhar nos hospitais as funções mais humildes, visitar os pobres, os aflitos e os presos. É preciso ouvir as confissões com benevolência e ser muito indulgente com os pecadores, a fim de que as pessoas mais importantes admirem os nossos [membros] e os amem, tanto pela caridade que demonstrem para com todos como pela novidade de sua brandura. De início, nossos membros devem evitar comprar propriedades; mas se julgarem necessário comprá-las, que o façam em nome de amigos e fiéis, que emprestem sua imagem e guardem segredo. Para que nossa pobreza seja melhor vista, convém que as terras possuídas junto de um colégio figurem no nome de pessoas que estejam dali distantes, o que impedirá que príncipes e magistrados saibam a quanto montam as rendas da Sociedade. Que não se estabeleçam colégios a não ser em cidades ricas. Às velhas viúvas cumpre aumentar nossa extrema pobreza, para delas arrancar tanto dinheiro quanto for possível. Que só o [Intendente] provincial saiba em cada província a quanto montam nossas rendas; e que o montante [total] do tesouro da Companhia seja um mistério sagrado."[2]

O segundo capítulo trata de que maneira os padres da Companhia poderiam adquirir e conservar familiaridade com os príncipes, os ricos e personagens importantes: "É preciso consagrar nossos esforços para conquistar a simpatia e o ânimo [boa vontade] dos príncipes e das pessoas mais importantes, a fim de que ninguém se atreva a opor-se a nós, mas, pelo contrário, todos sejam obrigados a depender de nós. Como nos ensina a experiência, já que os príncipes e grandes senhores são particularmente aficionados aos eclesiásticos, quando estes ocultam suas ações odiosas e as interpelam favoravelmente, como se vê nos casamentos que contraem com parentes e aliadas, ou em coisas semelhantes, é preciso incentivá-los a contrair essas alianças, fazendo-os esperar que por nossa mediação obtenham do papa as licenças e perdões necessários, se a ele forem explicados os motivos e se forem apresentados casos análogos e se se atestar sentimentos que falem em favor deles, sob o pretexto do bem comum e da maior glória de Deus, objeto maior da Sociedade. As princesas serão facilmente conquistadas por meio de suas donzelas; e para tanto é preciso ganhar a amizade destas últimas, pois esse é o meio de entrar em toda parte e ficar sabendo dos assuntos mais secretos das famílias. Também cumpre insinuar, com habilidade e prudência, o amplíssimo poder detido pela Sociedade de absolver até os casos reservados, [poder este] imensamente superior ao de outros pastores e religiosos; e para conceder às jovens a dispensa dos deveres que devem dar ou pedir, dos impedimentos de matrimônio e outros. Isso fará com que muitos recorram a nós e fiquem devedores. Será necessário promover a reconciliação dos grandes em suas inimizades e dissensões, porque assim, pouco a pouco, conheceremos aquelas que lhes são familiares, e também seus segredos, e umas e outros nos terão serventia. E se algum deles que não gostar de nossa Sociedade servir a algum príncipe ou monarca, que através de nossos [membros], ou melhor, por meio de outros se trabalhe no sentido de torná-lo nosso amigo e familiar à Sociedade, com promessas e favores, e procurando que o príncipe ou monarca a quem serve melhore seu Estado. Por último, que cada um faça o que puder para obter o favor dos príncipes, grandes e magistrados, a fim de que, quando se apresentar a ocasião, trabalhem vigorosa e fielmente por nós, mesmo que seja contra seus parentes, aliados e amigos."[3]

Já o capítulo terceiro expõe como a Companhia deveria se portar com aqueles que exerciam autoridade nos Estados e que, ainda que não fossem ricos, pudessem prestar outros serviços: "Além das coisas que acabam de ser ditas e que com discernimento podem ser praticamente todas aplicadas, é preciso cuidar para não atrair seu favor para com nossos inimigos. Cumpre servir-se de sua autoridade, de sua prudência e de seu conselho para que a comunidade adquira bens e obtenha empregos que possam ser exercidos por nossos membros, servindo-se em segredo de seus nomes para a aquisição de bens temporais, se se considerar que se pode confiar neles. É preciso também servir-se dessas pessoas para abrandar os vis e o populacho, contrários a nossa Sociedade."[4]

O quarto capítulo trata de como os pregadores e os confessores de pessoas importantes devem se comportar: "Por isso devem com frequência advertir que a distribuição das honras e das dignidades na Sociedade pertence à Justiça e que os príncipes ofendem gravemente a Deus, quando eles procedem de modo apaixonado. Quando os príncipes tiverem entendido isso, deve-se explicar a eles as virtudes que precisam ter os escolhidos para as prebendas e cargos públicos, e fazer de modo que eles nomeiem para tais cargos amigos sinceros da Sociedade. Que os confessores e pregadores se lembrem de que devem tratar os príncipes com suavidade e lisonjeando-os, sem afrontá-los nos sermões nem em conversas particulares, afastando de seu ânimo todo temor e exortando-os principalmente à fé, à esperança e à justiça política."[5]

O sexto capítulo apresenta uma "fórmula" para conquistar as viúvas ricas: "Que se escolham para isso padres avançados em anos, que sejam de compleição viva e de conversa agradável. Que eles visitem essas viúvas e que assim que perceberem nelas algum afeto pela Sociedade lhes ofereçam as obras e que as façam presentes nos méritos da Instituição. E se elas aceitarem e visitarem nossas igrejas, que se providencie para elas um confessor que as dirija bem, com o objetivo de mantê-las no estado de viuvez, falando a elas de suas vantagens e ponderando sobre a felicidade que terão; prometendo-lhes como certo. Deve-se aconselhar [à viúva] o uso frequente dos Sacramentos, sobretudo o da penitência, em que se descobrirão seus mais secretos pensamentos e tentações, com toda a liberdade. Haverá que comungar com frequência e ir escutar seu confessor, para o que ela deve ser convidada, prometendo-se a ela orações particulares. Também se recitarão litanias e se providenciará que [as viúvas] façam exame de consciência. Se for o caso, a viúva deverá ser suavemente levada a fazer boas ações e sobretudo dar esmolas, mesmo que sempre sob o comando de seu pai espiritual; em função do que é importante aproveitar discretamente do talento espiritual: as esmolas mal empregadas o podem ser por causa de diversos pecados, ou os alimentam, de modo que se tira delas pouco fruto."[6]

O sétimo capítulo expõe como se devem entreter as viúvas e as dispor de seus bens: "Que se insista incessantemente para que continuem em sua devoção e boas ações, de modo que não se passe uma semana sem que reduzam seus gastos supérfluos, em honra de Jesus e da Virgem, ou do santo de sua devoção, dando aos pobres, ou para provento da Igreja, até que se as despoje inteiramente das primícias ou das ondas do Egito. A fim de que uma viúva disponha de suas rendas a favor da Sociedade, se exaltará a ela a perfeição de estado dos santos varões que, tendo renunciado ao mundo, a suas famílias e bens, se consagraram ao serviço de Deus, com grande resignação e gozo, explicando a elas com esse objetivo o que diz nossa Constituição e o exame da Sociedade, referente à renúncia de todas as coisas humanas. Que se mostre a elas o exemplo das viúvas que em pouco tempo chegaram assim a ser quase santas, e faça-se que elas tenham esperança de ser canonizadas, se perseverarem até o fim, fazendo-as ver que não faltará a elas nossa influência junto do papa. Os confessores devem propor a elas e persuadi-las a pagar pensões ordinárias e tributos todos os anos, para ajudar a sustentar os colégios e casas de religiosos, sobretudo a casa de Roma... e que não esqueçam o provento dos templos, a cera, o vinho, necessários para rezar a missa. Se uma viúva não der todos os bens em vida à Sociedade, deve-se procurar uma ocasião, especialmente quando ela estiver doente ou com a vida em risco, para lembrar concretamente a ela a pobreza de nossos colégios e os muitos que estão para serem fundados, induzindo-a com doçura, mas com força, a fazer esses gastos, sobre os quais fundamentará sua glória eterna. A mesma coisa deve ser feita com príncipes e outros benfeitores. Eles devem ser persuadidos a fazer doações perpétuas neste mundo, para que Deus lhes conceda a glória eterna no outro. Como há menos a esperar das viúvas que educam seus filhos para o mundo, tente-se então que os dediquem à Igreja."[7]

O nono capítulo tem como tema as formas para se aumentar as rendas dos colégios: "Os confessores não deixarão de perguntar a seus penitentes, no momento oportuno, seu nome, família, parentes e bens de fortuna; e depois se informarão sobre seu estado, sucessores e propósitos; e se todavia não tiverem tomado uma resolução definitiva, será conveniente influenciar para que aquela que vierem a tomar seja favorável à Sociedade. O que foi dito sobre as viúvas deve-se também fazer com os comerciantes, com os ricos casados e sem filhos, dos quais a Sociedade será herdeira, se com prudência forem empregadas as práticas indicadas. Tais práticas devem sobretudo ser observadas com os devotos ricos frequentados pelos nossos, mesmo que o vulgo faça comentários, se não forem pessoas de bom nível. Os reitores dos colégios tratarão de conhecer as casas, jardins, fazendas, vinhedos, aldeias e outros bens possuídos pela principal nobreza, pelos comerciantes e outras pessoas; e, se possível, averiguarão todos os juros e rendas que recebam. Isso será feito com astúcia, porém com eficácia, em particular na confissão e em conversas privadas. Quando um confessor encontrar um penitente rico, avisará primeiro ao reitor e deverá conservá-lo, por todos os meios possíveis. Se os viúvos ou viúvas ricas, adeptos da Companhia, tiverem filhas e não filhos, os nossos os induzirão suavemente a escolher a vida devota ou religiosa, para que, deixando-lhes algum dote, o resto de seus bens passe pouco a pouco para a Sociedade. Também será conveniente tomar dinheiro emprestado a juros anuais e investi-lo em outra modalidade com maior renda, compensando assim com usura o que se paga, podendo também acontecer que os amigos que nos emprestem dinheiro fiquem com pena de nós e não nos cobrem juros, declarando-o em testamento, já como doação em vida, ao verem que empregamos esse dinheiro na fundação de colégios e na construção de igrejas. A Companhia também poderá negociar com proveito, servindo-se da empresa de comerciantes ricos que lhe sejam adeptos; mas nesse caso será necessário assegurar um lucro certo e copioso, mesmo que seja nas Índias, que até agora, com a ajuda de Deus, não só tem produzido almas para a fé, como também grandes riquezas para a Sociedade. Mesmo que com prudência, é preciso infundir-lhe o medo do inferno, ou no mínimo do purgatório, evocando-o e certificando que assim como a água apaga o fogo, a esmola apaga o pecado, e que não se pode empregar melhor a esmola do que em alimentar e vestir pessoas que, por sua vocação, se consagraram a alcançar a salvação do próximo; e que, dessa forma, o doente participará desses méritos e encontrará satisfação para seus próprios pecados, porque a caridade limpa muitos deles. Também pode-se pintar a caridade como um vestido de noiva, sem o que ninguém pode se sentar à mesa do paraíso. Por fim, cumpre evocar a passagem das Escrituras e dos Santos Padres, que, em função da capacidade [física e mental] e os hábitos do doente, sejam mais eficazes para comovê-lo."[8]

O laboratório de todo esse enredo maquiavélico, desenvolvido pela Companhia, se deu na França. O caso da França é um dos mais significativos para termos ideia de como a Companhia de Jesus passou a agir de forma extremamente sórdida na defesa de seus objetivos e na manutenção do seu império. Em 1554, se estabeleceram na cidade de Billom, na região do Auvergne, onde "organizaram uma intensa luta contra a Reforma Protestante nas províncias do sul da França".[9] No mesmo ano de 1554, com o estabelecimento dos jesuítas na França, que eram tratados como "uma sociedade extremamente perigosa [...] e que parece ter nascido para causar ruína em vez de edificar",[10] a perseguição aos protestantes franceses pelos católicos se intensifica, obrigando o rei francês Henrique II a ordenar ao seu ministro Gaspard de Châtillon, conde de Coligny, a invasão e fundação de uma colônia de huguenotes, protestantes franceses, no Rio de Janeiro. Já em 1555, Nicolas Durand de Villegagnon partiu do famoso porto de Dieppe para fundar no Brasil a colônia que seria chamada de Henriville, em homenagem ao rei.

No Brasil, o conflito religioso europeu aparecerá na caçada aos huguenotes franceses no Rio de Janeiro. Um desses huguenotes que será brutalmente assassinado – na Guerra dos Tamoios, em 1554, na qual os jesuítas articularam a expulsão dos franceses, logo que se funda a cidade de São Paulo – chamava-se Jean-Jacques le Beulle, que a mando dos jesuítas, sobretudo Anchieta, vai ser enforcado, esquartejado e ter seus membros queimados na fogueira.

A Paris, eles chegariam apenas em 1561, durante o reinado de Catarina de Médici, quando abriram o Colégio Clermont. Atuando em Paris, a perseguição implacável dos jesuítas aos protestantes se intensifica e é atribuída a eles forte influência na mais sinistra noite francesa de todos os tempos: o massacre de São Bartolomeu. Teve início na noite de 24 de agosto de 1572 e se estendeu por vários dias e várias cidades francesas. Depois desse dia, em que cerca de 30 mil protestantes foram mortos, era como se a Inquisição tivesse se estendido da Espanha e de Portugal para a França e levado consigo suas atrocidades. Estavam tão envolvidos que o papa Clemente XIII mandou rezar um te-déum agradecendo a Deus pelo ocorrido, além de mandar cunhar uma medalha comemorativa ao massacre dos protestantes franceses. A cabeça de Coligny havia sido enviada como presente ao papa em Roma, que encomendou ao grande pintor Giorgio Vasari a imortalização da cena que pode ser vista hoje na sala régia do Vaticano, uma espécie de antessala da Capela Sistina.

Em 1573, Henrique III torna-se rei da França e, tolerante com o protestantismo, publica uma série de éditos com o intuito de coibir a perseguição aos protestantes. Depois de uma longa conspiração que envolveu vários assassinatos, o papa Sisto V publicou uma bula excomungando o rei. No dia 1º de agosto de 1589, o dominicano

Jacques Clément invadiu a corte real e assassinou o rei Henrique III. Em 16 de maio de 1610, outro rei francês, Henrique IV, também seria assassinado por um fanático religioso chamado François Ravaillac. Por trás desse novo assassinato estava o jesuíta espanhol Juan de Mariana, autor do livro *De Rege et Regis Institutione*, no qual se pode observar claramente uma apaixonada defesa do regicídio. No capítulo VI do Livro I, por exemplo, ele diz que "se for necessário e não havendo outro modo possível de salvar a pátria, matar o príncipe como inimigo público, com a autoridade legítima do direito de defesa [...] nunca poderei crer que tenha agido mal aquele que, cuidando dos desejos públicos, tenha atentado em tais circunstâncias contra a vida de seu príncipe".[11] No livro, o jesuíta faz elogiosas menções ao ato praticado por Jacques Clément. No dia 8 de junho de 1618 o seu livro *De Rege et Regis Institutione* foi proibido e queimado em frente à Catedral de Notre-Dame, na França.

A Companhia de Jesus havia tomado uma dimensão tão grande, era tão poderosa dentro da hierarquia da Igreja, que seu chefe era conhecido como o papa negro.

A guerra religiosa era, portanto, iminente, e estourou na Europa em 1517. Em 1549, chegam à Bahia com Tomé de Sousa os primeiros jesuítas comandados por Manuel da Nóbrega, amigo de Loyola, o fundador da Companhia de Jesus. As colônias na América, tanto a portuguesa como a espanhola, seriam o palco no qual a tensão entre Reforma e Contrarreforma iria fervilhar.

Ao que parece, os jesuítas portugueses, e, em especial, o padre da Nóbrega, alimentavam projetos ambiciosos e sonhavam estender-se pelo vale do Prata. Basta recordar que naquele mesmo ano de 1553, Manuel da Nóbrega fundou São Paulo de Piratininga – "escala para muitas nações de índios".

A América era o lugar mais importante do mundo no início do século XVI. Desse modo, em 1587, os jesuítas portugueses do Brasil conseguem fundar uma missão no Paraguai, onde criaram o Estado jesuítico do Paraguai, que seria a sede de uma espécie de império teocrático na América do Sul. A intenção era abocanhar, é claro, os tesouros americanos, cobiçados pelos protestantes sediciosos franceses, holandeses e ingleses.

Do ponto de vista geográfico, a província jesuítica do Paraguai está longe de se confundir em extensão com o atual território do Paraguai. Na época, se estendia à parte meridional da atual Bolívia, ao sul de Mato Grosso e parte do atual estado brasileiro do Paraná. Alargou-se muito no decorrer do século XVII, entre o Paraná, o Uruguai e a parte ocidental do território do atual estado brasileiro do Rio Grande do Sul, assim como, ao findar aquele século, à região de Chiquitos, na atual Bolívia. Todo esse território era dividido em três grandes regiões denominadas Itatim, Tapes e Guairá.[12]

Na América, aplicaram igualmente e de forma efetiva os mandamentos secretos da Companhia, bem como as determinações do Concílio de Trento. É quase regra nos testamentos e inventários do período colonial no Brasil a doação – muitas feitas no momento da extrema-unção – de todos os bens para a Companhia de Jesus, em que o testador fazia sua profissão de fé e deixava sua herança para a encomenda de missas, para associações religiosas e para esmolas em nome da salvação da alma. Aliás, provinha do ato de elaborar testamentos o grosso da riqueza que a Companhia auferiu no Brasil. Para isso, a Companhia investia violentamente contra os herdeiros legítimos que não respeitassem a decisão do moribundo em deixar todas suas riquezas para ela.

Dentro das vastas determinações propostas pela Igreja, desde o Concílio de Trento, havia as chamadas Constituições Sinodais, que no Brasil colonial foram muito frequentes e nada mais eram do que adaptações das regras gerais de atuação de acordo com as especificidades locais. Uma dessas determinações tinha como título "Que nenhuma pessoa impeça por força ou engano aos testadores disporem livremente de seus bens"[13] e dizia o seguinte: "Porque muitas pessoas, (sem atenderem à culpa que cometem e restituição a que ficam obrigados) por haverem os bens daqueles, a quem esperam suceder, os impedem com enganos, força, e outros ilícitos meios, que não disponham livremente de seus bens, maiormente em favor da Igreja, obras e lugares pios, sendo conforme o direito natural, Divino e humano, poderem, e deverem as pessoas dispor, e testar livremente de seus bens, o qual crime procuraram atalhar as Leis seculares: Nós querendo ajudar as mesmas Leis com a espada espiritual, mandamos com pena de excomunhão maior *ipso facto incurrenda*, e as mais estabelecidas em direito, e obrigação de restituir nos casos que a houver, que nenhuma pessoa Eclesiástica, de qualquer qualidade, ou condição que seja, *per si*, ou por interposta pessoa, em nosso arcebispado por força, ameaças, engano, ou outro modo ilícito proíba, ou impeça a pessoa alguma fazer seu testamento, ou outra alguma disposição, por última vontade de seus bens livremente, como quiser e bem lhe parecer [...] que nenhum dos ditos modos as sobreditas pessoas constranjam a alguma outra a fazer herdeiro, deixar legado, ou a revogar, mudar ou alterar o testamento, ou codicilo, que já tiver feito em parte, ou em todo, contra sua livre vontade; nem proíbam por qualquer via os Tabeliães, pessoas, ou testemunhas, que forem chamadas para escrever, assistir, ou aprovar os testamentos; nem outrossim tolham, ou impeçam falar o testador com os Párocos ou outros Sacerdotes, ou Religiosos, ou pessoas com quem quiser aconselhar, ou tratar, o que convier à sua consciência."[14]

Com esse *modus operandi* a Companhia de Jesus conseguiu amealhar uma imensurável riqueza em bens – propriedades, fazendas, lavouras, gados, escravos – e valores pecuniários.

Como se pode ver, era a aplicação *ipsis litteris* da Constituição secreta da Companhia de Jesus – a *Monita Secreta* –, que determinava também que os dissidentes da ordem, que porventura a denunciasse, fossem tratados da forma descrita no capítulo onze: "Como os expulsos saberão de alguns de nossos segredos, poderão prejudicar a Companhia e será preciso opor-se a eles do seguinte modo: antes de expulsá-los, dever-se-á obrigá-los a prometer por escrito e a jurar que não dirão nem escreverão nunca nada prejudicial à Companhia. Também far-se-á necessário antecipar-se às acusações que possam ser feitas pelos expulsos, servindo-se para tanto da autoridade de pessoas importantes, que digam que a Sociedade não expulsa ninguém a não ser por causas gravíssimas, que não expulsa membros sadios, o que pode ser comprovado pelo zelo que dedica à salvação das almas dos que são seus membros e que pela mesma razão se preocupará mais com a salvação dos seus. Deve-se providenciar prontamente que não assumam cargos importantes na Igreja, como o são as faculdades de pregar, de confessar, de publicar livros, para evitar que atraiam a simpatia e o aplauso do povo. Para isso, deve-se investigar maliciosamente sua vida e seus costumes, para o que será conveniente estabelecer relações com algum membro da família com o qual vivam depois de serem expulsos. Quando se descubra algo indigno e censurável em sua conduta, isso deverá ser tornado público por pessoas de menor estrato social, para que chegue aos ouvidos dos importantes e dos prelados, favorecedores dos expulsos, a fim de que estes os repudiem, temerosos que sua infâmia recaia sobre eles próprios. Se [os expulsos] não fizerem nada censurável e, pelo contrário, se comportarem de modo honrado, haverá que atenuar com sutilezas e palavras ambíguas suas virtudes e ações louváveis, para minguar, até onde se puder, o afeto e a confiança que inspirem."[15]

Portanto, esqueça a imagem de jesuítas escrevendo na areia e trazendo a civilização para os trópicos. No fundo, eram os índios que ensinavam aos jesuítas. Os índios tinham o mapa da terra, sabiam de cada rio, cada caminho, cada atalho. Sabiam como e onde encontrar ouro, prata, diamantes, que para eles não tinham o menor valor. Sabiam ler a natureza hostil.

Com o tempo os forasteiros perceberam que a forma de conseguir essas informações dos índios não era por meio da força, da guerra, da tortura, como havia sido feito no início. A forma de tirar todas as informações importantes era tornar os índios, por meio da assimilação, parte do Ocidente. Assimilando-os e tornando-os um de nós – pensavam os europeus – talvez contribuíssem, já que de outro modo prefeririam a morte ao trabalho escravo. Foi este também o trabalho realizado pelos jesuítas nas colônias portuguesas e espanholas na África. Era papel, portanto, dos jesuítas – na África e no Brasil – realizar a tarefa de aproximação e ruptura da alteridade inicial que havia entre "estrangeiros" e naturais da terra.

É nesse sentido que os jesuítas formaram escolas e se dedicaram à comunicação com os índios, porque queriam romper a barreira do desentendimento, da diferença entre as línguas para obter informações precisas sobre as riquezas do Brasil e da América. Eles sabiam ser esse o único caminho para a obtenção de riquezas, já que não havia aqui impérios como, no caso das Américas, os dos incas, astecas e maias.

A questão indígena para os jesuítas, portanto, não passava por um sentimento humanitário, altruísta, posicionando-se contra a escravidão a que eram submetidos, mesmo porque os próprios jesuítas se utilizavam desse expediente, ou seja, do trabalho escravo nos seus aldeamentos. A luta contra a escravidão indígena era a cor da tinta com que eles gostavam de pintar o cenário, para esconder a escuridão das camadas de tintas anteriores. A obsessão do monopólio da propriedade dos indígenas tinha a ver com o conhecimento indiciário que eles tinham da terra, ou seja, eles eram conhecedores dos sinais, dos indícios, das evidências e dos caminhos que poderiam levar à descoberta dos tesouros ocultos.

A partir de sua instalação em São Paulo, em 1554, a Companhia de Jesus criará empecilhos ao grande volume de apresamento, escravização e comércio de índios que então se fazia, sobretudo índios vindos do grande Estado jesuítico que, como vimos, eles haviam fundado na América. Se a faixa litorânea era servida por escravos negros vindos da África, cujo fornecimento era um monopólio da Coroa portuguesa, no interior do país ou até mesmo nas pequenas propriedades do litoral, prevalecia o trabalho do escravo vermelho, que era como se denominava a escravidão do índio à época.

Em 1638, o padre Manuel Nunes determinou a excomunhão de todos os traficantes de escravos indígenas. Nesse mesmo ano, partiram para a Espanha os jesuítas Francisco Díaz Taño e Ruiz de Montoya em busca de uma audiência com o rei e o papa para denunciar e buscar por paradeiro "as ferozes tropas mamelucas, todas compostas por facínoras, ladrões perversos e ladrões tolerados".[16] Conseguiram do rei e do papa Urbano VIII em 24 de abril de 1639 o Breve *Commissum Nobis*, na qual o papa ordenava a pena de excomunhão para quem prendesse, vendesse, trocasse, doasse ou tratasse como cativos os índios da terra.

Foi a gota d'água!

No Rio de Janeiro, em Santos e em São Paulo, a bula do papa havia provocado imensa animosidade contra os jesuítas, o que resultou na expulsão de todos eles em 13 de julho de 1640. São Paulo reunia a fina flor dos bandeirantes: Antônio Raposo Tavares, Amador Bueno, Fernão Dias Paes, Domingos Jorge Velho, Sebastião Fernandes Preto, Bartolomeu Fernandes de Faria, muitos deles judeus ou descendentes de judeus.

Desse modo, por trás dessa aparente discordância, desse desentendimento surgido no âmbito da colonização do Brasil, havia uma guerra que já durava séculos a fio. Os judeus haviam chegado ao Brasil fazia pelo menos vinte anos – em 1534, no processo de divisão do país em capitanias hereditárias – e os jesuítas em 1549, na Bahia – por ocasião da criação do Governo-geral – e em São Paulo em 1554, quando fundaram o colégio jesuítico. A partir desse reencontro, a guerra, que estava em banho-maria, ganhou fervura novamente.

O mais importante personagem judeu em São Paulo era Antônio Raposo Tavares, que comandou a destruição do Estado teocrático que os jesuítas haviam fundado na América do Sul. Em 1628, comandou uma bandeira para a região do Guairá – atual estado do Paraná – que destruiu todos os aldeamentos jesuítas que existiam por lá. Em 1638, comandou a bandeira que avançou em direção ao Tapes – atual região do Rio Grande do Sul –, destruindo também as reduções. Em 1648, enfim, atacou a região do Itatim – atual região de Mato Grosso e Mato Grosso do Sul –, destruindo ali também as reduções jesuítas. A partir de Mato Grosso do Sul, a expedição de Raposo Tavares empreendeu uma das mais fantásticas aventuras em território brasileiro, tendo percorrido mais de dez mil quilômetros pelos rios Paraguai, Mamoré, Madeira e Amazonas, até a sua foz no atual estado do Pará, de onde retornaram para São Paulo.

Com essas expedições Raposo Tavares havia conquistado para Portugal nada mais, nada menos que os estados de Paraná, Santa Catarina, Rio Grande do Sul, Mato Grosso e Mato Grosso do Sul. Conquistas que seriam ratificadas mais tarde pelo Tratado de Madri, de 1750. Não seria por mero acaso que a Inquisição visitaria as capitanias do Sul, especialmente as de São Paulo, Santos e São Vicente, na década de 1560, atrás justamente dos judeus que foram processados, sentenciados e presos.[17]

Com a Companhia de Jesus sendo combatida na Europa, os jesuítas vão dominar a América – por meio da chamada conquista espiritual –, que era o que havia sobrado e não era qualquer coisa, era uma das partes mais auspiciosas do mundo. A partir do momento em que os jesuítas espalharam seu poder por todas as regiões, a América não era colônia da Espanha nem de Portugal, era, sim, colônia da Companhia de Jesus. Embora ela houvesse perdido essa primeira batalha.

MAGIA, PODER E AMBIÇÃO NO SERTÃO DO BRASIL: AS CAPITANIAS HEREDITÁRIAS

No início da década de 1530, como vimos, era notória a posição pendular do rei de Portugal na guerra entre Igreja e judeus. Era dessa forma que ele procurava equilibrar-se no atendimento das contraditórias demandas de ambos os lados. Ao mesmo tempo em que ordenava os esforços junto ao papa para a instauração da Inquisição, ele criava condições para que judeus saíssem de Portugal, burlando inclusive a lei que ele mesmo, d. João III, havia criado para proibir os judeus de sair do reino. É fato que ele tinha criado a toque de caixa as capitanias hereditárias no Brasil.

Isso se dá no momento exato em que a instauração da Inquisição fracassa com a morte do papa Clemente VII e a ascensão do papado de Paulo III leva adiante o projeto português – d. João III resolve quase que de improviso criar as capitanias hereditárias no Brasil. Fica claro que a criação das capitanias hereditárias no Brasil está umbilicalmente ligada ao fracasso da contenção da instauração da Inquisição em Portugal. Contenção que, no período em que foi mantida, custou muito dinheiro pago ao papa e a seus prepostos, dinheiro que bancou inclusive melhoramentos significativos no patrimônio da Igreja, pois foi no papado de Clemente VII, por exemplo, que Michelangelo Buonarroti pintou a obra *Juízo Final* no teto da Capela Sistina. E não por acaso também depois desses escândalos, o Concílio de Trento proibirá que não sacerdotes fossem alçados a qualquer posição na hierarquia eclesiástica. A criação das capitanias é uma reação imediata ao fracasso das negociações em Roma, pois com a Inquisição era preciso proteger o que rendia ainda a Portugal algum dividendo – o comércio que estava nas mãos sobretudo de judeus.

Enquanto em Portugal esse dilema se prolongava, no Brasil estava em curso a expedição de Martim Afonso. A urgência de se tomar uma decisão faz com que o rei aborte aquela missão e solicite a Martim que retorne imediatamente a Portugal, como se pode observar em sua carta: "Depois de vossa partida se praticou se seria meu serviço povoar-se toda essa costa do Brasil, e algumas pessoas me requeriam capitanias em terra dela. Eu quisera, antes de nisso fazer coisa alguma, esperar por vossa vinda, para com vossa informação fazer o que me parecer. [...]."[1]

Das doze capitanias que foram criadas, ao menos oito pertenciam a judeus: Duarte Coelho, Martim Afonso de Sousa [que ficou com duas], Pero Lopes de Sousa, Vasco Fernandes Coutinho, Pero do Campo Tourinho, Pero de Góis e Francisco Pereira Coutinho eram judeus.

O rei sabia que a perseguição e expulsão de judeus era, no longo prazo, um problema insolúvel para as finanças do reino, embora momentaneamente parecesse ser a solução mais imediata para a sua situação extremamente deficitária. Desse ponto de vista, a criação das capitanias hereditárias no Brasil vai ser uma jogada de mestre que frutificaria apenas mais tarde.

Martim Afonso, antes de voltar para Portugal a fim de tratar da divisão do Brasil em capitanias, faz uma parada estratégica na ilha Terceira, nos Açores, para falar com Duarte Coelho e dali vão juntos a Lisboa. Não foi por acaso, pois o arquipélago dos Açores era pioneiro na fabricação de açúcar e um importante oásis da comunidade judaica na Europa.

Desse modo, pela *expertise* no cultivo da cana e na produção do açúcar, a mais importante capitania criada no Brasil foi dada a Duarte Coelho. Por que não ficou para Martim Afonso de Sousa, já que o rei disse ao próprio Martim que ele escolhesse o melhor quinhão para si? Porque ele escolheu a região de São Vicente e não a de Pernambuco, que já tinha uma feitoria conhecida e produzia algum açúcar, além do pau-brasil, somando-se a isso o fato de ser a mais próxima da Europa. Enquanto em São Vicente não havia nada? Será que Martim Afonso estava esperançoso de encontrar o ouro dos Andes pelo caminho que se fazia até lá a partir de São Vicente? Ou a motivação para tal escolha seria o fato que ele já havia se decidido a abandonar suas donatarias, seguir seu espírito aventureiro e nunca mais voltar ao Brasil, como realmente fez?

Martim Afonso e Duarte Coelho serviram a Portugal nas lutas travadas nas Índias, o que os havia aproximado muito, numa espécie de irmandade, além da ancestralidade judaica comum a ambos. Isso explica o fato de a donataria de Pernambuco, que era de longe a melhor, ter ficado com Duarte Coelho por indicação de Martim Afonso. Embora pertencesse oficialmente apenas a Duarte Coelho, ela era propriedade da rede de apoio mútuo que unia a comunidade judaica portuguesa naquele momento conturbado de sua história na Península Ibérica.

A carta de doação da capitania de Pernambuco a Duarte Coelho, de 5 de setembro de 1534, diz: "Faço doação e mercê de juro e herdade para todo sempre como dito e quero e me apraz que o dito Duarte Coelho e todos seus herdeiros e sucessores que a dita terra herdarem e sucederem se possam chamar e chamem capitães e governadores dela e outrossim lhe faço doação e mercê de juro e herdade pera sempre pera ele e seus descendentes e sucessores no modo sobredito da jurisdição civil e crime da dita terra da qual ele dito Duarte Coelho e seus herdeiros e sucessores e nos casos crimes hei por bem que o dito capitão e governador e seu ouvidor tenham jurisdição e alçada de morte natural inclusive em escravos e gentios e assim mesmo em peões cristãos homens livres em todos os casos assim para absolver como para condenar."[2]

A Inquisição em Portugal, somada à crise do monopólio das especiarias do Oriente e às malfadadas tentativas de encontrar riquezas na América, deixou claro que a única forma de exploração do Brasil seria por meio do trabalho produtivo, por meio da transformação da natureza. Mas o problema fundamental era que a produção do açúcar exigia uma grande e precisa racionalização do trabalho. Quem iria trabalhar, já que a isso o espírito português, acostumado com as grandes conquistas, não se predispunha? A resposta é simples: os comerciantes judeus.

Essa talvez seja também uma das respostas possíveis para a escolha de Duarte Coelho, ou seja, por conta de suas relações com a comunidade judaica portuguesa que vivia na Holanda, mas que formava, como veremos, uma rede mundial de negócios. Eles dominavam toda a *expertise* da produção do açúcar, desde a plantação da cana até o trabalho nos engenhos, a produção, a transformação da natureza em riqueza.

De 1534 a 1549, as capitanias hereditárias viveram tempos relativamente bons. Mas as intrigas que assolavam a Europa embarcaram rumo ao Brasil, e era só o tempo de atravessar o oceano para que a lufada de confusão chegasse também por aqui. Não eram poucas e seriam devastadoras.

MAGIA, PODER E AMBIÇÃO NO SERTÃO DO BRASIL: O GOVERNO-GERAL

Passados quinze anos da fundação das capitanias, a verdade é que quase nenhuma delas havia prosperado, salvo as da Bahia, de Pernambuco e de São Vicente, de modo que não havia muito para o governo português arrecadar em 1549, quando criou o Governo--geral e trouxe na bagagem o regimento de Tomé de Sousa de 17 de dezembro de 1548, que em matéria de arrecadação e monopólio dos produtos da colônia dizia: "Hei por bem que com os ditos capitães e oficiais assenteis os preços que vos parecer que honestamente podem valer as mercadorias que na terra houver e assim as que vão do reino e de quaisquer outras partes para terem seus preços certos e honestos conforme a qualidade de cada terra e por eles se venderem, trocarem e escambarem."[1]

E sobre a questão da fé dizia: "Porque a principal coisa que me moveu a mandar povoar as ditas terras do Brasil foi para que a gente dela se convertesse a nossa santa fé católica vos encomendo muito que pratiques com os ditos capitães e oficiais a melhor maneira que para isso se pode ter e de minha parte lhes direis que lhes agradecerei muito terem especial cuidado de provocá-los a serem cristãos e pera eles mais folgarem de o ser tratem bem todos os que forem de paz e os favoreçam sempre e não consintam que lhes seja feita opressão nem agravo algum e fazendo se lhe façam corrigir e emendar de maneira que fiquem satisfeitos e as pessoas que lhes fizerem sejam castigadas como for justiça."[2]

Essas duas determinações trazidas por Tomé de Sousa procuravam atender a duas demandas: a do rei e a da Companhia de Jesus. É dessa maneira que a guerra religiosa desembarcava no Brasil e a primeira vítima será Francisco Pereira Coutinho, donatário da capitania da Bahia, que foi envolvido numa mal esclarecida guerra com os naturais da terra, iniciada por um padre de nome João Bezerra. O donatário acabou sendo, por isso, expulso da capitania e mais tarde foi capturado na ilha de Itaparica, onde aconteceu uma "cena hedionda de carnificina" sendo que seu corpo "terminou num bestial repasto de antropófagos".[3]

Duarte Coelho, prevendo que o perigo rondava como um lobo feroz, sai veementemente em defesa de Francisco Coutinho, seu irmão de armas no Oriente. Na carta de 20 de dezembro de 1546, enviada ao rei d. João III, Duarte Coelho aconselhava-o a mandar o padre João Bezerra "preso para Portugal e nunca mais torne ao Brasil porque tenho sabido ser um grão ribaldo",[4] ou seja, um grande velhaco, um patife. O rei, que estava de mãos atadas em Portugal, nada fez em relação ao padre e à carnificina.

Outro grande injustiçado sobre o qual os jesuítas derramaram sua fúria foi o donatário de Porto Seguro, Pero do Campo Tourinho, que foi processado e preso pela Inquisição. Denunciado à Inquisição de Lisboa por João Barbosa Pais, em 13 de setembro de 1543, três anos depois, em 24 de novembro de 1546, foi preso em Porto Seguro e remetido com algemas para o reino, onde compareceu perante o Tribunal do Santo Ofício. Segundo seu processo: "Aos oito dias do mês de outubro de 1550, em Lisboa, na casa do despacho da Santa Inquisição, estando os senhores deputados, mandaram vir perante si a Pero do Campo Tourinho, capitão do Porto Seguro das terras do Brasil, e pelo juramento dos Santos Evangelhos lhe fizeram pergunta. Quanto tempo havia que era capitão do dito porto e capitania? Disse que haverá dezessete ou dezesseis, e que ao tempo que lhe el-rei Nosso Senhor fez mercê da dita capitania estava em Viana de Caminha onde era morador e nascera e fora batizado. Perguntado em que causas gastara seu tempo enquanto estivera na sua capitania, disse que [...] em Porto Seguro [...] mandara fazer muitos engenhos na terra e outras causas necessárias pera ela. [...] Perguntado se era lembrado, estando na dita sua Capitania, dizer ou fazer alguma coisa que fosse contra nossa Santa Fé Católica e contra o que tem e crê a Santa Madre Igreja, para que de qualquer coisa de que sentisse nesta parte sua consciência encarregada pedisse perdão a Nosso Senhor e misericórdia à Santa Madre Igreja, para ser recebido com muita misericórdia, disse que não era lembrado dizer nem uma coisa que fosse contra a Santa Fé Católica, antes reprendia as pessoas que via fazer o que não deviam. Perguntado se era lembrado dizer alguma hora, quando fazia alguma coisa, que, se Deus o não ajudasse nela, que diria que a fé dos Mouros que era melhor que a dos Cristãos e que se tornaria mouro, disse que nunca tal disse. [...] Perguntado se dizia ele na dita sua Capitania que nem um dia de Nossa Senhora nem dos Apóstolos nem dos Santos se haviam de guardar e por isso mandasse trabalhar a seus servidores nos tais dias, disse que não, mas antes os mandava guardar e festejar; somente que reprendia às vezes o vigário francês por dar de guarda S. Guilherme, São Martinho, S. Jorge e outros Santos que não mandava guardar a Santa Madre Igreja, nem os prelados mandavam guardar em suas constituições, porquanto a terra era nova e era necessário trabalhar para se povoar a terra e fazerem-se algumas coisas do serviço de Deus. Perguntado se era lembrado dizer alguma hora que merecia mais que os Santos Apóstolos e que, se Deus lhe não dava alguma cadeira mais alta que a dos profetas, que guardasse seu paraíso, disse que nunca tal dissera, somente dizia às vezes, vendo que trabalhava da noite e de dia com muitos cuidados: que mais trabalhos podia ter S. Pedro que ele? [...] Perguntado se dissera alguma hora que não há tantos

Santos de guarda [...] dizia que [...] quem era preguiçoso por jogar e folgar buscava muitos Santos, e que isto tudo disse para animar os homens que trabalhassem pera que a terra se povoasse e se fizesse o que era necessário [...]. Perguntado se dissera alguma hora que os bispos eram uns bugiares e tiranos que casavam e descasavam e faziam o que queriam por dinheiro, disse que não dissera tal e que lhe lembrava mais entender em seu trabalho e no bem da terra que dizer tais coisas, e que quando lhe diziam que os prelados tinham rendas e folgavam, que ele dizia que estes tinham tanto trabalho como os que trabalham de pela manhã até noite e isto com suas ovelhas e com o cuidado delas. Perguntado por que razão deitara de pregador a um frei Francisco que ali pregava na igreja, disse que não o lançara dali, mas que ele se fora e lhe pagara tudo o que lhe devia, e que a causa que se fora era por dizer que se queria ir por ali lhe pagarem seu trabalho em açúcar e em outra parte lhe pagarem em dinheiro [...]. Perguntado se dissera alguma hora que Deus dizia que, conquanto ele fosse capitão que não havia de vir guerra à terra e que não era necessário reparo, disse que não; somente dizia ao povo, quando lhe ouvia falar em guerra, que não houvessem medo que Nosso Senhor tinha cuidado deles e que fossem trabalhar e fazer o que haviam de fazer e não houvessem medo. Perguntado se tinha algumas pessoas que lhe quisessem mal, disse que sim, [...] e que todos estes estavam mal com ele, por ele bradar com eles que não queriam trabalhar e lhes repreendia seus vícios e os castigava e prendia quando era necessário, pelos males que faziam aos Índios, dormindo-lhes com suas mulheres e filhas e faziam outras coisas que não deviam. Perguntado se queria estar pelos autos que contra ele vieram do Brasil, disse que tudo o que contra ele diziam era falso, porque os que contra ele testemunhavam eram seus inimigos, nomeando os sobreditos e outros que lhe queriam mal por ele fazer o que devia e os castigar e aí não disse. E disse que as pessoas que tem nomeado de sua Capitania e estes podiam trazer outros que testemunhassem contra ele e diriam o que queriam e fariam o que quisessem depois que o não viram na terra."[5]

A Inquisição que acusava, diligenciava, julgava e punia acabava de conquistar suas primeiras posses no Brasil, as capitanias da Bahia e de Porto Seguro. Após esse primeiro ataque, os jesuítas partiram para as capitanias do Sul, onde fundaram, como vimos, a cidade de São Paulo em 1554, que serviria de base para atacar tanto os franceses huguenotes, instalados no Rio de Janeiro, como para lançar as missões que construiriam o império teocrático da América do Sul, de onde foram expulsos. Mas havia algo ainda mais importante para a ambição dos jesuítas, que era se apoderar da capitania de Pernambuco, pois estava claro para eles que se tratava da mais rica do Brasil e que era completamente dominada por judeus.

O objetivo era ir até lá impor suas diligências, seu poder e fazer o que sempre faziam: as devassas. Se a capitania não interessava ao rei que dera a Duarte Coelho jurisdição total sobre ela, o problema era dele. Nos planos da Companhia de Jesus ela era fundamental, e para lá a Companhia rumou mesmo sem ter sido investida de poderes para tal pelo rei de Portugal. Mas uma vez instituída a Inquisição em Portugal, quem dava ouvidos ao rei?

MAGIA, PODER E AMBIÇÃO NO SERTÃO DO BRASIL: A COMPANHIA DE JESUS NA NOVA LUSITÂNIA

Os jesuítas, como vimos, chegaram ao Brasil junto com Tomé de Sousa e as determinações do Concílio de Trento, com a cartilha da Companhia de Jesus embaixo dos braços, se arvorando não só em defensores dos "naturais da terra", mas também se dizendo evangelizadores dos colonos, supostamente com o objetivo de introduzir numa terra cheia de pecados "o elemento moral, superior ao político e a qualquer outro, no meio das contendas físicas pela existência e das rivalidades de apetites, das quais o único freio consistia numa religião que, mal compreendida ou mal interpretada, perdera a espiritualidade para sobreviver em ritos, num quase fetichismo. Aos planos de catequese e de colonização teocrática da Companhia sorria de preferência o regime de centralização administrativa, sob uma responsabilidade única, que dela recebesse inspiração".[1]

Foi com esse espírito autoritário que em 1551 estiveram na capitania de Pernambuco os jesuítas Manuel da Nóbrega e Antônio Pires para dar prosseguimento à sua verdadeira cruzada, como se pode notar a partir de suas cartas. Na carta de 1549, o jesuíta faz uma declaração reveladora quando diz que "esta terra é nossa empresa".² Em outra carta revela um pouco mais sobre os verdadeiros objetivos da missão quando diz que "há aqui grande quantidade de ouro e do mesmo modo pedras preciosas, mas pelas poucas forças dos cristãos não se descobre".³

As impressões sobre a sua estada em Pernambuco em 11 de agosto de 1551 são as seguintes: "Nesta capitania de Pernambuco onde agora estou tenho esperança que se fará muito proveito, porque como é povoada de muita gente, há grandes males e pecados nela. Andam muitos filhos dos cristãos pelo sertão perdidos entre os gentios, e sendo cristãos vivem em seus bestiais costumes. [...] os clérigos desta terra têm mais ofício de demônios que de clérigos, porque além de seu mal exemplo e costumes, querem contrariar a doutrina de Cristo, e dizem publicamente aos homens que lhes é lícito estar em pecado com suas negras, pois que são suas escravas e que podem ter os salteados, pois que são cães e outras coisas semelhantes, por escusar seus pecados e abominações, de maneira que nenhum demônio temos agora que nos persiga senão estes. Querem-nos mal porque lhes somos contrários a seus maus costumes e não podem sofrer que digamos as missas de graça, em detrimento de seu interesse."⁴

Em carta de 13 de setembro volta a relatar o que vira em Pernambuco: "Há um mês que chegamos a esta capitania de Pernambuco eu e o padre Antônio Pires, a qual nos faltava por visitar e tinha mais necessidade que nenhuma outra por ser povoada de muito e ter os pecados muito arraigados e velhos [...] havia aqui muito pouco cuidado de salvar almas, os sacerdotes que cá havia estavam todos nos mesmos pecados dos leigos e os demais irregulares, outros apóstatas e excomungados. Alguns pediram perdão e outros que são contumazes não dizem missa e andam encartados sem aparecerem por seus erros serem muito públicos e escandalosos [...] estavam os homens aqui numa grande abusão, que não comungavam quase todos por estarem amancebados."⁵

E em carta ao rei d. João III de 14 de setembro de 1551 diz que "nesta capitania se vivia muito seguramente nos pecados de todo o gênero e tinham o pecar por lei e costume, quase todos não comungavam nunca e a absolvição sacramental a recebiam perseverando em seus pecados. Duarte Coelho é já velho e falta-lhe muito para o bom regimento da justiça e por isso a jurisdição de toda costa devia ser de Vossa Alteza".[6]

Em outra manifestação diz que "pondo de um lado o que o erário despendia em cada ano com os aprestos das naus que mandava à Índia; os soldos da gente de guerra e marítima; moradias de seus criados; mercês feitas a particulares; juntamente com o cabedal que remetia para a compra de pimenta do Malabar; e do outro o que esta lhe rendia e mais o arrendamento dos direitos que pagavam a canela de Ceilão, o cravo de Maluco, a massa e noz-moscada da Banda, o almíscar, benjoim, porcelana e sedas da China, as roupas e anil de Cambaia e Bengala, a pedraria do Balaguate e Bisnaga e Ceilão, os ganhos excedentes ficavam todavia aquém do rendimento do consulado e da entrada no reino do açúcar de Pernambuco, Itamaracá e Paraíba, cultivado somente no litoral". Insinuava novamente o jesuíta ao monarca que reivindicasse para a Coroa a capitania de Pernambuco, que ele reputava como "uma das melhores da terra".[7]

Como se pode ver o espírito de milícia da Companhia de Jesus se fez presente desde o primeiro instante em que pisou no Brasil e na América. O *modus operandi* era o de sempre, ou seja, reduzir tudo à maniqueísta batalha entre Deus e o Diabo e tratar tudo aquilo que fugisse ao seu dogma como maldito e sujeito a perseguição pela verdadeira matilha em que se transformaram os jesuítas, ávidos para abastecerem, por meio dos autos de fé, as chamas da Inquisição e os cofres da Igreja. Contra esse estado de coisas que começou a se implantar no Brasil a partir do Governo-geral, Duarte Coelho envia em 24 de novembro de 1550 uma furiosa carta ao rei d. João III em que diz: "E quanto ao que por esta me V.A. escreve e diz que há por bem assim por folgar de me fazer mercê, como pelas mais razões conteúdas em minhas cartas que lhe o ano passado escrevi que é estar como estava e guardar-me minhas doações e que não se estenda em mim o que tinham mandado a Tomé de Sousa nem ele venha cá nem entenda em minha jurisdição, no qual V.A. fez como magnânimo e virtuosíssimo e justíssimo Rei e Senhor, e eu tal confiança de V.A. tinha e tenho muito perfeitamente e lerei em mostrar ao Senhor Deus lhe sustentar os dias de vida e afirmo a V.A. que a todos pareceu tanto bem e tão excelente exemplo qual era razão e se de V.A. esperava por sua real e magnânima condição e virtuosíssima inclinação e pois e Luzeiro e estrela do norte por onde todos havemos de navegar e seguimos as nossas obrigações os que carregos per V.A. tivermos. E quanto, Senhor, a mercê que me ora per esta sua faz para mim e em vida de V.A. bastava porque outras mercês e honras ainda espero, mas para o de diante pera com seus filhos que Deus deixará lograr depois de V.A. e por fim de seus dias, seus Reinos e senhorios e senhor necessário ser por alvará de confirmação assinado por V.A. e selado de seu selo e passado por sua chancelaria conforme as minhas doações e isto outrossim por causa destas mudanças que ora houve, depois ao diante não haja alguns maus conselheiros que com os Reis se querem congraçar às custas de suas consciências de que se os tais induzidores não dão nada por não terem amor verdadeiro senão aos seus interesses seguindo suas inclinações não olhando a obrigação do seu Rei e Senhor que diante se devia de pôr e respeitar pelo qual peço a V.A. pois começou acabe de me fazer esta justa mercê."[8]

Nesse início pede ao rei que mantenha sua jurisdição sobre a capitania e segue: "Senhor, me obriga por descarrego de consciência a dar disto esta breve conta a V.A. e digo que todo este povo e república desta nova Lusitânia foi e está muito alterado e confuso com estas mudanças e afirmo a V.A. que se por mim não fora se queriam muitos ir da terra e isto sobretudo em lhes não quererem seus ofícios que nem no Reino guardar suas liberdades e privilégios conteúdos em minhas doações e foral que lhe foram provicados e pregoados e estes oficiais que cá vieram quiseram usar asperezas que para em tal tempo e rezam e para em terras novas não eram então cedo, porque são, Senhor, coisas mais para despovoar o povoado que para povoar o despovoado.[...] seus oficiais que cá vieram [...]

agora fizeram-me grandes requerimentos e protestos para que lhes guardasse e fizesse guardar as liberdades e privilégios que até aqui lhe foram guardados e lhes ora queriam quebrar e se não que largariam a terra [...], Senhor, digo que e necessário dizer acerca disto a V.A. a verdade do que me parece seu serviço e descarrego de sua consciência e da minha se o não dizer pelo qual digo que e muito odiosa cousa e prejudicava ao serviço de Deus e seu e proveito de sua fazenda e bem e aumento das coisas que tão caro custam quebrar e não guardar as liberdades e privilégios aos moradores e povoadores e vassalos [...]. Tome V.A. isto de mim como o deve de tomar de quem se disso doe e o deseja servir assim acerca do que a sua obrigação e consciência toque como nas do seu proveito porque a gente contente e quieta estará e arreigará na terra e faram fazendas de que muito dobrado e tresdobrado proveito V.A. terá desta terra e cada vez mais isto senhor."[9]

Havia certamente um movimento no sentido de deixar o Brasil, e Duarte Coelho alertava o rei para o prejuízo da Coroa: "Que, Senhor, foram provocadas muitas novidades que por outra dou conta a V.A. e algumas delas prejudicam a mim e ao povo moradores e povoadores desta Nova Lusitânia, e são bem contra seu serviço e assim me deixou aqui disso o provedor mor Antonio Cardoso em seu regimento as ditas novidades e assim que V.A. me dava e com pena que eu não entendesse em sua fazenda ao qual digo que isto me não prejudica per minha parte, porque nem da minha queria ter cuidado mas se prejudicar a fazenda de V.A. isso veja ali que a mim não seria culpa, mas ali de menos não será pôr me eu nunca em parte alguma nem em tempo algum aproveitar de sua fazenda nem lhe ser em carrego de um só real! nem nunca o Deus permita nem mande que lhe eu, Senhor, seja nunca em tal carrego, mas antes se achara e é provido e notório ter eu em todo parte além dos serviços de minha pessoa o servi e a seu pai que Deus em sua glória tem com muitos gastos de minha fazenda na Índia e aqui e em todas partes e assim o juro pelo meu Deus que creio e adoro sem hoje em dia ter nem levar tença nem juro de V.

A. nem essa moradia que tinha depois que de lá parti que agora faz dezesseis anos nem a serviço se quer pera especiaria que não posso viver sem ela."[10]

As intrigas em torno da possível sonegação de impostos devidos ao rei foram obviamente levantadas para desestabilizar a relação entre ambos, abalar a confiança e, em última instância, interferir na jurisdição sobre as terras. Sobre este assunto diz Duarte Coelho: "Digo isto, Senhor, porque isto deste regimento destes seus novos oficiais ou foi inovação deles, ou alguma falsa informação dalgum pouco virtuoso que contra mim desse [...]. Muitas coisas se me oferecem pera poder dizer que por não enfadar a V.A. e por ser de tão longa via o deixo pera quando me com V.A. vir o que bem desejo somente, Senhor, digo que ao presente estamos de paz e pacíficos a Deus louvores e estes cinco engenhos estão de todo moentes e correntes e cada dia se fazem mais fortes as casas deles pela maneira de um que eu tenho feito, e tudo vai pera bem se estas mudanças o não estorvar, mas outros engenhos que comigo estavam averiguados estes estão duvidosos e me escrevem por não saberem guardarem lhes as liberdades e privilégios que lhes foram per mim provicados conteúdos em minhas doações e foral pois lhes eu guardo o que lhes fiquei que não viram. Peço a V.A. pelo que a serviço de Deus cumpre e ao proveito de sua fazenda que mande cumprir e guardar as liberdades e privilégios conteúdos em minhas doações e foral aos moradores e povoadores que eu tiver assentados por moradores e povoadores em o livro da matrícula e tomo que para isso e feito desde o princípio e com isto deixe me fazer e verá o proveito que se disso segue. Desta vila de Olinda a 24 de novembro de 1550. Servo e vassalo de V.A. Duarte Coelho. Sobrescrito: Para El-Rei nosso senhor de Duarte Coelho."[11]

O que salta aos olhos na carta de Duarte Coelho ao rei de Portugal e no processo que a Inquisição moveu contra Pero Coutinho é a lógica do trabalho. De um lado a indignação de ambos em relação a um mecanismo externo – no caso, a intervenção do Estado e da Companhia de Jesus, impondo regras e criando dificuldades ao que já era difícil – que seria nefasto para o andamento dos negócios e, consequentemente, para a fazenda do reino. De outro lado, o *modus operandi* da Companhia de Jesus procurando se apoderar de tudo por meio da intriga.

É contra as normas absolutistas que tinham sido implantadas no reino e que se queria fazer passar a valer no Brasil a partir de 1549, com a instituição do Governo-geral, que Duarte Coelho, com toda a razão, se mostra irredutível. Sobretudo no que diz respeito ao que havia sido convencionado e acordado entre ele e o rei, na ocasião da doação da capitania, que previa a liberdade e o privilégio de outorga de franquias e mercês que a ele, e por meio dele, a quem ele indicasse e, mais que isso, o resguardo total de sua incondicional jurisdição.

Desconhecemos a resposta do rei d. João III às demandas e reclamações de Duarte Coelho, mas podemos deduzir por meio da correspondência entre o rei e Tomé de Sousa, o governador-geral, que o rei ficou do lado de Duarte Coelho e manteve a isenção de jurisdição de sua donataria. Fez a defesa de seus direitos e de forma "tão apaixonada se mostrara ele na defesa de antigos foros, privilégios e liberdades, que desejava acrescidos, em vez de limitados, e tão viva era ainda a lembrança de seus feitos que d. João III acabou por ceder [...] e a Tomé de Sousa, que, pelo seu regimento, estava obrigado, juntamente com o ouvidor-geral e o provedor-mor, a governar e visitar as várias capitanias da costa, não hesitou em mandar uma contraordem, por onde ficasse resguardada a autonomia das terras de Duarte Coelho".[12]

Ainda em 1549, quando da criação do Governo-geral, Tomé de Sousa insiste para que d. João III permita maior jurisdição sobre Pernambuco, e estranha porque aquela donataria deveria correr livre, como uma espécie de território independente.

Numa das cartas dirigidas pelo primeiro governador-geral ao rei, datada de julho de 1551, é manifesto o ressentimento com que Tomé de Sousa recebeu a ordem de redução, em relação a Pernambuco, dos amplos poderes de que viera revestido. Diz ele: "Torno a dizer que os capitães destas partes merecem muita honra e mercê de V. Alteza, e mais que todos Duarte Coelho, sobre que largamente tenho escrito a V.A., mas não deixar de ir V.A. às suas terras parece-me grande desserviço de Deus, de Vossa consciência e danificamento de vossas rendas."[13] Em outra carta, de julho de 1553, depois de ter percorrido as capitanias "de baixo", Tomé de Sousa volta a insistir com o rei e manifestar seu pesar em não poder, junto com a Companhia de Jesus, tomar posse da capitania de Duarte Coelho. Diz ele "que a justiça de V.A. entre em Pernambuco e em todas as capitanias desta costa e de outra maneira não se deve tratar da fazenda que V.A. tiver nas ditas capitanias, nem menos da justiça que se faz".[14] Esse embate mostra uma espécie de mosaico de poder que existia no Brasil e que envolvia jesuítas, o rei, o Governo-geral e os donatários.

Mas se a isenção de jurisdição foi respeitada pelo Governo-geral, não foi pelos jesuítas, como podemos notar no caso do ex-jesuíta Antônio Gouveia, que sairia de Pernambuco a ferros direto para os porões da Inquisição em Portugal. Era só o prenúncio do que estava por vir.

MAGIA, PODER E AMBIÇÃO NO SERTÃO DO BRASIL: A INQUISIÇÃO NA NOVA LUSITÂNIA

Antônio Gouveia havia nascido na ilha Terceira dos Açores, mesmo lugar de onde, como vimos, havia partido Duarte Coelho para assumir sua donataria. Não seria então por mero acaso que o ex-jesuíta andava por lá, certamente protegido da perseguição que sofria da Companhia de Jesus. Na juventude, nos anos de formação, entrou em contato com as obras de Alberto Magno, um frade dominicano autor de obras de teologia, botânica, astronomia, astrologia, mineralogia, alquimia reunidas em obras como *De Mineralibus*, *Theatrum Chemicum* e *Speculum Astronomiae*, entre outras.

Em 1556 transitava pelas ruas de Lisboa se dizendo alquimista. No dia 9 de maio foi recolhido aos cárceres da Inquisição acusado de práticas alquímicas e diabólicas. Em maio de 1557, na sua primeira audiência, negou saber "nigromancia ou alguma ciência de invocar demônios ou quiromancia", mas assumiu ser iniciado em "astrologia judiciária", ou seja, a prática segundo a qual os astros determinam ou influenciam o futuro dos homens, fato grave para a Igreja Católica, e, para piorar sua situação, afirmou que sabia a arte de fazer "ouro potável".

Na audiência de 23 de maio de 1557, sem nenhuma cerimônia, Antônio Gouveia confessou que "o demônio lhe falara com voz clara e distinta, sem que visse figura alguma e lhe ensinara a entrar no mar adentro, a pé enxuto, para dali trazer tesouros, o que realmente fez mais de uma vez, apartando-se as águas do mar ante as suas encantações e permitindo que, de uma feita, apanhasse da areia limpa peças que valeriam até vinte cruzados e dias depois o demônio ofereceu-lhe, em troca da posse de sua alma, fornecer-lhe o meio de se tornar invisível".[1]

Por essas declarações foi encarcerado por quatro anos até que o Tribunal da Inquisição determinou que fosse, além de outras penas, desterrado para o Brasil, para onde embarcou em 17 de outubro de 1567. Nesse caso os jesuítas usaram contra um desertor da Companhia de Jesus o método explicitado na *Monita Secreta*, que, como vimos, era o de ridicularizar publicamente a pessoa até deixá-la completamente desacreditada e, em última instância, tachá-la de psicologicamente degenerada e sem juízo. É o que aparece nos autos do processo onde está escrito que Antônio Gouveia sofria de "doença mental".

Era esse homem que se encontrava em Pernambuco na época do segundo donatário da capitania de Pernambuco, Duarte Coelho de Albuquerque, filho de Duarte Coelho e Brites de Albuquerque. Alguns autores relatam a presença de Antônio Gouveia em Pernambuco. O primeiro é Anchieta, que relata em 1584, nas guerras contra os índios, a presença de um homem "que se tinha por nigromante"; Fernão Cardim também diz que na guerra "juntou-se um clérigo português mágico, que com seus enganos os acarretou todos [os índios] a Pernambuco e assim se acabou esta nação". Mas o relato mais impressionante nos dá frei Vicente do Salvador, o qual, na sua *História do Brasil*, diz que a Pernambuco "veio um clérigo a que vulgarmente chamavam o *Padre de Ouro*, por ele se jactar de grande mineiro e por esta arte era muito estimado de Duarte Coelho de Albuquerque, e o mandou ao sertão com trinta homens brancos e duzentos índios que não quis ele mais, nem lhe eram necessários, porque em chegando a qualquer aldeia de gentio, por grande que fosse, forte e bem povoada, depenava uma ave ou desfolhava um ramo e quantas penas ou folhas lançava para o ar tantos demônios negros vinham do inferno lançando labaredas pela boca, com cuja vista somente ficavam os pobres gentios, machos e fêmeas, tremendo de pés e mãos e se acolhiam aos brancos que o padre levava consigo os quais não faziam mais do que amarrá-los e levá-los aos barcos e se vendiam porque o padre mágico os tinha enfeitiçado".[2] Também se refere a ele Capistrano de Abreu, que diz que "no ano de 1571 foi o padre Luis da Grã com o bispo Pedro Leitão a visitar a capitania de Pernambuco, havia muitos dias que os padres padeciam uma grande perseguição, levantou essa tempestade um sacerdote por nome Antônio Gouveia que em algum tempo foi de nossa companhia".[3]

Em 1º de outubro de 1569, o padre Silvestre Lourenço, vigário-geral da capitania de Pernambuco, recebeu denúncias secretas de que Antônio Gouveia "ia pelo sertão adentro, sob o pretexto de descobrir minas de ouro e prata, levando ornamentos supostos de Inglaterra e de luteranos, com os quais fazia missa [...] culpavam-no ainda de jactar-se publicamente de falar com demônios e de adivinhar muitas coisas".[4] Em 25 de abril de 1571, o ouvidor eclesiástico Manuel Fernandes Cortiçado, em nome do bispo de Salvador, Pedro Leitão, determinou sua prisão colocando-o a ferros. Em 4 de maio do mesmo ano já estava a bordo de um navio rumo a Lisboa. Na mesa do Tribunal do Santo Ofício foi acusado de incorrer em "desobediência e de se haver provado todas as suas proposições heréticas, simonias judaicas e vitupério feito ao santíssimo sacramento".[5]

Esse acontecimento envolvendo o alquimista Antônio Gouveia é o primeiro sinal de que a guerra religiosa que assolava a Europa havia definitivamente ancorado na América portuguesa. A guerra não era apenas religiosa, era econômica. A Companhia de Jesus era tão pragmática quanto os comerciantes. Que ninguém se engane, desembarcaram no Brasil por motivos venais, pecuniários.

O radicalismo das Inquisições portuguesa e espanhola vai fazer com que mais de cem mil judeus iniciassem uma fuga para países como França, Turquia, Países Baixos, Inglaterra e Brasil, onde, em pouco tempo, fizeram fortuna e suplantaram Portugal, Gênova e Veneza como *players* do comércio internacional.

A opinião mais comum é a de que, portanto, saindo de Portugal, nos reinados de d. Manuel e d. João III, os judeus foram enriquecer, sobretudo, nos Países Baixos com os grandes cabedais que levavam consigo. Muito antes de os judeus serem expulsos da península, já as praças de Flandres e Holanda estavam em grande florescência e mantinham considerável comércio com os países do norte da Europa. Foram habitantes dos Países Baixos que, refugiando-se na Inglaterra, levaram para lá a indústria da tecelagem.[6]

Desse modo, pode-se dizer que os judeus sefarditas, de tanta perseguição e consequente imigração, formaram uma rede comercial que se estendia por vários países europeus e até a outros continentes. Ao mesmo tempo em que eram parceiros de reis, como o de Portugal e o da Espanha, eram também concorrentes em outras praças com outros parceiros. O Brasil holandês vai ser mais um braço dessa imensa rede comercial.

Os judeus se constituíram na primeira rede mercantil do mundo com representação em todas as partes. Pode-se dizer que anteciparam as multinacionais e, enquanto os países viviam por si e competiam entre si, eles atuavam em todos os países, antecipando, assim, o espírito do capitalismo, que "pressupõe, se quiser triunfar, uma rede, uma série de confianças e cumplicidades colocadas adequadamente nos pontos precisos do tabuleiro do mundo".[7]

Eles estavam em busca de ambiente mais propício para se desenvolver e naquele momento todos os caminhos levavam para a região dos Países Baixos, sobretudo por causa de duas características: oportunidades de negócios – que em Portugal e na Espanha estavam monopolizados nas mãos dos reis – e tolerância religiosa – em Portugal e na Espanha vigorava a Inquisição. A sua difusão por toda a Europa prepara o caminho para os holandeses e assinala, no relógio da história mundial, a hora inicial do ciclo de Amsterdã.[8]

Todos os países se esforçavam para atrair investimentos. Espanha e Portugal, com seus tribunais inquisitoriais, expulsavam aqueles que tinham maior poder de investimento, de capital. Esses judeus foram absorvidos por países como a Holanda, a Inglaterra e, mais tarde, pelos Estados Unidos, não por acaso os países que se sucederam como potência nos ciclos de desenvolvimento do capitalismo.

Na primeira oportunidade, toda a América vai se tornar também parte da grande e auspiciosa rede de relações que os judeus estabeleceram entre o Ocidente e o Oriente e em qualquer lugar em que vicejava o comércio. De forma indireta, a instalação da Inquisição em Portugal foi auspiciosíssima também para o Brasil. Sem a Inquisição em Portugal não haveria, por exemplo, as capitanias hereditárias.

Na verdade, podemos dizer que o ano de 1531, com a primeira consulta ao papa sobre a Inquisição em Portugal, configura-se como o ato fundador do período que pode ser considerado o mais moderno da história do Brasil: o Brasil holandês. No século XVI, e no seguinte, o império holandês das Índias ocidentais – ou seja, o Brasil – vai ser um dos mais ricos e prósperos do mundo, uma potência mundial que fará girar o relógio da história. Não era qualquer coisa: o Brasil será a vertente de nada mais, nada menos do segundo ciclo mundial de acumulação de capital: o ciclo holandês.[9]

Mas não nos antecipemos, pois a região da Nova Lusitânia estava extremamente vulnerável e a blindagem do Brasil, por meio da manutenção da isenção de jurisdição, e de todos os direitos concedidos pelo rei a Duarte Coelho e à Nova Lusitânia, não iria se sustentar por muito tempo.

Em 1580, com a União Ibérica, os jesuítas vão encontrar o aliado ideal na sanha de invadir o quinhão mais rico das Américas, que estava nas mãos de "infiéis, hereges e pecadores". O aliado era um homem, contraditoriamente ou não, para aqueles que pregavam a fé em Deus, cognominado de "O demônio do meio-dia."

O DEMÔNIO DO MEIO-DIA E O CÍRCULO ALQUÍMICO DE EL ESCORIAL

Felipe II, a quem os inimigos chamaram de "O demônio do meio-dia", assumiu o trono da Espanha em 16 de janeiro de 1556 e, a partir desse momento, foi certamente o mais importante dos reis católicos. Sua parceria com a Igreja e a Companhia de Jesus seria duradoura e extremamente fecunda.

Felipe II assumiu o reino em meio a mais uma severa crise financeira, produto de grandes bancarrotas que vinham ocorrendo, sabe-se lá por quê, de forma recorrente justo num momento em que a Espanha havia se apoderado de imensos tesouros. Inexplicavelmente porque, assim como as crises, era muito comum também a chegada de frotas das Índias e da América carregadas de grandes riquezas, sobretudo ouro e prata. Ao que parece, essa enorme riqueza não contribuía em nada para remediar os imensos custos das guerras que a Espanha travava na Europa. É o que se pode auferir de uma carta do rei Carlos V datada de 28 de junho de 1552 enviada ao vice-rei de Nápoles, Pedro Alvarez de Toledo, na qual o rei reclama que o dinheiro que havia sido enviado daquele reino não cobria os custos das despesas, pois a Espanha: "Devia tanto que o que havia chegado só havia o suficiente para começar a pagar e sendo assim todos os credores confiavam poder cobrar quando chegassem as esperadas naus [...] dias e ainda quase um ano que já não previ tudo o que me aconteceu e ainda agora buscava em toda parte remédio de dinheiros, não somente [não] o enviaram como naquele tempo veio aquele dinheiro do Peru, vós todos me pedistes que os enviasse [uma parte deles] e afinal com alguma soma que *eu* peguei emprestada para pagar dívidas devoradas pelos juros e por conservar o crédito, o restante que me sobrou do que havia chegado à Espanha foi todo consumido nessa negra guerra de Parma, mas pouco, pois afinal foi bom; de modo que me vi sem um maravedi [moeda espanhola antiga] e onde pensei ter granjeado crédito, não farei outro, e com isso não pude conseguir um homem de guerra, nem quis me meter nisso, porque já que não tinha como consegui-los, e nem depois como pagá-los e mantê-los, tudo se resumiria a perder crédito e dá-lo aos inimigos [...]. Desde que me enviastes os duzentos mil ducados, com os cento e sessenta mil que deles me restaram eu comecei a convocar alguma gente; mas com o que eu consegui reunir tenho somente o suficiente para fazer o primeiro pagamento; e se as embarcações não chegarem rapidamente de Espanha, não seria exagero supor que essa gente se desfaça, porque já não sei mais de onde encontrar um real que seja; e mesmo tendo me prestado um grande serviço ao enviar esse dinheiro, bem sabeis que é "pouca sopa para tão grande convite", e que as mulheres e filhos não podem me servir para cobrar dinheiro; e que além disso vejo que dizeis não poder cumprir o [referente] àquele reino, se não houver provisão [que venha] de outra parte, e a mesma coisa dizem todos os outros reinos e senhorios, e maldito seja o remédio para isso; se deles não me vier algum socorro, pouco poderei remediar as coisas; e o pior é que se trata de arte, e nestes termos tenho poucos recursos, mas garanto que não estou tão perturbado pelas coisas que acontecem que não sei o que deveria fazer, e sou alguém que nem mesmo quando mais jovem e sadio temeu os perigos pessoais e da vida, [por isso] menos ainda os temeria agora, tendo a cada dia um pé na fossa e como pessoa [estando] tão perdido, que por [simplesmente] manter-se [vivo] por um dia não daria um cuatrín [moeda espanhola antiga de pouco valor]".[1] Ou seja, as riquezas, por mais que chegassem a baldes, não eram suficientes para cobrir o custo de um império tão vasto e paquidérmico como o império espanhol.

É nesse contexto de crise financeira e de falência que Felipe II aprofunda seu interesse pela alquimia e surgem daí as primeiras tentativas de transmutação do ouro bancadas pelo rei. Por meio da análise dos relatórios dos embaixadores em Veneza, Miguel Soriano e Marcantonio La Mula, sabemos que Felipe II já em 1557 – ano seguinte ao da sua ascensão ao trono e de sua primeira bancarrota – havia, durante sua estada em Flandres, patrocinado os trabalhos alquímicos de Tibério Roca. Outra tentativa de Felipe II foi levada a cabo por um alquimista alemão chamado Peter Sternberg, essa empreitada teria custado ao rei mil ducados. Dessa vez os trabalhos foram supervisionados por uma pessoa muito importante, praticamente braço direito do rei, chamado Ruy Gómez, príncipe de Éboli, segundo o qual, "Sua Majestade viu a prova do pó: com prata viva e boa prata". Somente dez anos depois, em 1567, apareceriam novas notícias sobre a alquimia na corte de Felipe II, data em que o rei patrocinou a construção de um laboratório secreto na casa de seu secretário e confidente, Pedro del Hoyo. Um laboratório improvisado montado à custa do rei num dos quartos da casa de Pedro com um grupo de alquimistas cujos nomes são desconhecidos, pois não foram citados nas correspondências entre o secretário e o rei, encontradas no Arquivo Geral de Simancas.[2]

Na carta de 30 de janeiro de 1567, a primeira da série, diz Hoyo: "No meu cômodo já estão feitos os braseiros/tachos para aquele teste, os quais se acabaram essa noite. Precisam de alguns dias para secar, porque são um tanto grandes e eu não tenho todos os materiais reunidos, falta um que não foi possível encontrar e que chegará no sábado. Aquele que conhece o segredo fala e demonstra estar inteirado que assim é; queira Deus que assim seja, que já estejamos próximos de ver. Todas as diligências foram cumpridas, de modo adequado e não se suspeitou de nada, o que não é pouco; mas o aparelho do aposento é de tal forma que se Vossa Majestade quiser vê-lo poderia, sendo servido, sem ser ouvido e sem nenhum inconveniente."[3]

Dois dias depois, em 1º de fevereiro, Hoyo escreve novamente ao rei: "Bendito seja Deus, todas as coisas já estão a ponto de se poder fazer o teste, que amanhã bem cedo começará e só terminará à uma ou duas da madrugada. Vossa Majestade peça a Deus; pois segundo o que ouvi hoje à noite do mestre do negócio, tenho enorme esperança que tudo dê certo, o que me deixa animado; e sendo assim, todas as coisas de Vossa Majestade ficarão no estado que desejo [...]. Não me espanta que Vossa Majestade esteja dubitativo, já que não fez esse negócio com essa gente, nem viu as diligências que vêm sendo feitas; porque sua finalidade exige que assim seja; e mesmo eu não tenho certeza de tudo, vou pondo uma certa esperança nele, por ser coisa tão natural o caminho por onde se procede e se afirmam esses que parecem ser gente tão honrada e franca, que o viram não uma, mas três ou quatro vezes. Hoje a massa está no fogo; amanhã se fundirá e acredito, sem dúvida, segundo os sinais, que saia com uma boa cor; logo se passará ao aperfeiçoamento: Deus mostra a luz. Hoje fizemos algumas tentativas para ver se é possível encurtar o processo no futuro, e creio que os procedimentos serão mais curtos, o que permitirá que Vossa Majestade possa ver, alguma vez. Tenho esperança, e eu o digo para dar alguma a Vossa Majestade, que até ver o final não se pode ter garantia."[4]

Na terceira carta, datada de 9 de fevereiro, em relação às tentativas de fabricar ouro em grandes quantidades, Hoyo afirma que: "Naquele negócio em que estivemos ontem, desde bem cedinho até quase duas horas da manhã e a coisa foi tal que os do segredo estão convencidos sem dúvida que da matéria que se misturou o que se produziu foi puro ouro; mas dizem que para obter a cor perfeita (porque agora tudo parece negro) é preciso outras providências e devolver o material ao fogo. Nisso se gastará um dia e se se conseguir terminar a tempo de poder avisar a Vossa Majestade, eu o farei. Todavia, o que afirmo é que sempre confiei, e agora não é diferente, que esse negócio é sem dúvida seguro; queira Deus que assim seja, como desejo, que sendo-o, [seja] o maior negócio já efetuado desde Adão. Ontem à noite eu perguntei a um dos irmãos se com boa diligência seria possível fazer sete ou oito milhões num ano; e ele me respondeu tranquilamente que até vinte. Julgue Vossa Majestade o que eu pude sentir ouvindo isso. É inegável que é qualquer coisa de admirável ver o modo como se procede. E foi assim que eu fui anotando de meu próprio punho ponto a ponto, para que Vossa Majestade o veja, apesar de eles não quererem que tais escritos sejam vistos por quem quer que seja, com exceção de Vossa Majestade, o que é justo, até que a coisa toda progrida. Quando for prestar contas a Vossa Majestade, levarei comigo o papel [com as anotações]. O mestre não quis começar com mais do que cinquenta ducados de ouro e outro tanto de chumbo, um pouco menos, e creio que assim quis por dois motivos: primeiro, por lhe parecer que os recipientes e instrumentos que tinha eram pequenos para uma grande quantidade; e segundo, por só ter feito um teste em pequena quantidade; mas à noite se arrependeu de não ter começado com uma quantidade maior, vendo o quanto aquela tentativa havia sido bem-sucedida, e que os recipientes eram bastantes para poder produzir meia arroba. O mestre me disse que com o que havia procedido pensava misturar prata e cobre o tudo que poderia ser purificado em ouro, e que acrescentaria um bom pedaço de um e de outro, para que Vossa Majestade possa ver; e que eles sem dúvida o tratam como gente que assistiu ao experimento. Também me disse que uma vez tendo acabado este, haveria outra mistura, porque Vossa Majestade pode ficar inteirado e satisfeito e que assim estará bem, estando Vossa Majestade servido; ainda que, para mim, se isto der certo, em todos os testes, quer me parecer que não haverá mais qualquer dúvida, já que o mais sadio e seguro é fazer o segundo teste em mistura crescida. Do alcatrão (espuma de nitro), que é material extremamente necessário, não há aqui o que coletar, por ser coisa que só os vidreiros utilizam. Penso enviar hoje por um carregamento a Cadahalso, pois é coisa de baixo custo."[5]

Já em 11 de fevereiro Hoyo diz que: "Ontem à noite não foi possível fazer a fundição da segunda multiplicação da prata porque para secar bem a massa foi necessário que ela estivesse dezesseis ou dezessete horas no lume com fogo alto. Há que fazer já antes de comer ou para um pouco depois e até agora isso da multiplicação da prata tem dado bom resultado. Assim que essa fundição terminar se prosseguirá com a multiplicação do cobre e com as demais diligências que faltam para aperfeiçoar o ouro, para se poder cunhar escudos; e com certas diligências que se farão hoje, o maestro afirma que desta mesa sairão quatrocentos ducados ou algo cerca disso, que terá sido um bom teste, se sair tão bem como eles afirmam sem dúvida alguma. E a mim disse ontem o letrado em grande prioridade que de um teste de oito ducados que ele viu ser feito multiplicaram-se vinte e oito e ele levou o mineral para ter o contraste testado e atestou-se vinte e quatro quilates, e o mesmo contraste dava quinze reais por cada ducado daquele. O negócio é bastante espaçoso e assim creio que isso do ouro deverá se manter de hoje até segunda ou terça-feira o dia todo; mas que tudo corra bem; que tudo tenha um bom emprego. E eu os dou e trato da melhor forma possível. Uma vez terminado esse teste, eles querem fazer o teste só com prata, que, segundo dizem, é muito mais fácil e rápido."[6]

Na carta de 18 de fevereiro um extasiado Hoyo comunica ao rei que: "Bendito seja Deus. Este negócio vai de bem a melhor: no ponto em que estamos, acabou-se de fazer a fundição da segunda multiplicação do cobre e a resposta foi tão positiva que se converteu em todo peso que se colocou de prata e que se colocou de cobre e além disso, segundo bom cômputo, ainda sobre algo, mesmo que pouco, do chumbo. Vossa Majestade tenha certeza que fiquei tão alegre e contente que o coração não me cabe no corpo. Faltam ainda outros procedimentos e ao cabo o teste da gravação pela técnica de água-forte, para que se possam cunhar escudos, que penso estará terminado em três dias, e todos ficamos tão cansados com o trabalho dos últimos dias que não começaremos antes de amanhã, depois de comer. Se Vossa Majestade desejar ver o que saiu dessa fundição, faça-o pela manhã."[7]

Em 20 de fevereiro declara: "Concordaram em multiplicar com prata e chumbo o produto que ultimamente saiu do cobre e julgo que assim fazem por dois motivos: o principal, porque o produto que primeiro saiu da multiplicação da prata tinha uma boa cor de ouro e o de cobre não saiu com uma boa cor; e o outro motivo é para fazer maior corpo de teste e proveito, porque se este der certo não será necessário outro, para o que diz respeito ao ouro. O mal é, nestes dias, ter-se mais atraso; mas não quis deixar nessa primeira ocasião de ir conforme seu parecer e ainda que fosse verdade (o que não acredito) que o cobre não fosse o propósito desse negócio, como vi com meus próprios olhos o [teste] da prata, só aquilo bastaria para a substância que se pretende, por saber-se fazer a prata, como eu disse a Vossa Majestade, que tudo é questão de acrescentar mais equipamentos e gente."[8]

O grande centro de pesquisa alquímica de Felipe II foi, sem dúvida, o El Escorial ou El Real Sítio de San Lorenzo de El Escorial, construído a partir de 1557 em Madri e que, de certa forma, representa o que Sagres foi para o infante d. Henrique. No complexo de El Escorial, Felipe II se mostrou um católico pouco ortodoxo ao se envolver diretamente com a alquimia. Os laboratórios se concentravam no desenvolvimento de fármacos, elixires, quinta-essências, destilação e arte terapêutica, mas também trabalhavam na busca pelo elixir da longa vida, do ouro alquímico, da pedra filosofal e da transmutação de metais em ouro, fundamental, claro, para livrar a Espanha da bancarrota.

A ligação de Felipe II com a alquimia – a predecessora da química – não tinha relação com questões espirituais, mas, sim, com motivações pragmáticas e científicas. Felipe II perseguiu o conhecimento da alquimia, sobretudo a forma de se obter o ouro alquímico, sem descanso, cercado dos melhores alquimistas e bruxos daquela época.

Desse modo, "o primeiro que se edificou no palácio El Escorial foi o claustro da igreja pequena e a enfermaria, para permitir o assentamento dos monges e a assistência a suas necessidades espirituais e sanitárias, de acordo com o esquema clássico dos monastérios medievais e renascentistas; por isso, no claustro da enfermaria se construíram quatro celas, uma botica e sobre ela uma torre, na qual se propôs fazer uma capela. E nessa zona conventual, ligada à vida cotidiana da comunidade, afastada das necessidades representativas do monastério, se construiu uma bodega, a cozinha, uma hospedaria e outras zonas de serviço. Sabemos que a botica chegou a contar com recipientes de cerâmica belamente decorados com os motivos do monastério e caixas de madeira para os simples medicamentos, e que num edifício próximo, mas independente, se estabeleceu a casa para destilar as águas, na qual trabalhavam os destiladores do palácio El Escorial. Segundo Jean L'Hermite (1560-1622), ali se preparavam diversos azeites medicinais e aromáticos, de canela, de cravo, de lavanda, de alecrim, alguns ácidos, álcoois, diversos medicamentos, a meio caminho entre a alquimia e a iatroquímica, como ouro potável, o magistério de pérolas [material outrora usado em reações químicas], soluções de ferro [...] os alambiques eram uns de metal e outros de vidro, em aparente contradição com o que havia sido ordenado por Francisco Valles (1524-1592), segundo o qual todas as destilações efetuadas pelos boticários deveriam ser feitas em recipientes de vidro, ainda que a presença desse tipo de destilatórios no palácio El Escorial, pelo que nos indicam, é a fabricação preferente de águas, vapores, quinta-essências e elixires medicamentosos, destilados em recipientes de vidro; a preparação, também, de aguardentes e licores para a mesa real, destilados nos mesmos recipientes e em banho-maria, e tinturas medicamentosas para uso externo e quinta-essências aromáticas, que hoje chamamos de perfumes, para a casa real, destilados nos alambiques metálicos. No palácio El Escorial, Vicencio Forte mandou construir quinhentos alambiques de vidro, o que nos dá uma ideia da magnitude do aparato destilador, quatrocentos dos quais destinavam-se ao trabalho cotidiano, e cem para repor possíveis quebras. O vidreiro encarregado do trabalho foi Guillermo Carrara, um veneziano domiciliado em Recuenco, na província de Cuenca. Em 9 de agosto de 1588, Vicencio Forte entregou ao frei Francisco Bonilla a caldeira, a torre de água, os alambiques, as trempes, o braseiro e dois compartimentos com cinquenta e seis fogareiros pequenos e oito fogareiros de ferro de terça com chave e uma chave de latão de frente e vinte e cinco corpos de alambique de vidro, trinta e cinco caixas de esparto. Essa expectativa levou o monarca a desenvolver a arte destilatória, e se a destilação pudesse ter efeitos benéficos para a saúde humana, e as práticas propostas por Bartolomé Medina significando uma possível revolução na metalurgia da prata e relançado o comércio do mercúrio, por que não se acreditaria na possibilidade da consecução do ouro alquímico? Na realidade, todas eram atividades empíricas muito relacionadas e somente a alquimia pretendia enobrecer-se com argumentações filosóficas".[9]

Depois dessa primeira experiência, que não se sabe ao certo se foi frustrada ou exitosa, e também, à medida que as bancarrotas se sucedem, a busca pela prática alquímica na corte de Felipe II tem um vertiginoso avanço com o passar dos anos. Para este empreendimento, "Felipe II teve contato, ao longo de todo seu reinado, com alquimistas de diversas nacionalidades empenhados em obter ouro e prata: flamengos, alemães, italianos, ingleses e espanhóis, nos Países Baixos e na Espanha, cujas atividades foram controladas por altos burocratas. E apesar dos critérios contrários aos da Igreja [católica] e de sua forte atividade repressora inquisitorial, eles não tiveram problemas durante seu reinado [...] mandou instalar aparelhos destilatórios, além do palácio El Escorial, também em Madri e em Aranjuez. Sua atividade e os livros conservados na biblioteca do palácio El Escorial atestam como se abriu uma nova via para a introdução do paracelsismo na Espanha".[10] Depois da Batalha de Lepanto, em 1571, uma enorme quantidade de livros sobre o tema da alquimia enriqueceria ainda mais as bibliotecas dos pelo menos três centros de estudos do rei.

Chama a atenção a percepção pragmática, o aspecto econômico e político que o conhecimento da alquimia teve no reinado de Felipe II – um aspecto pouco estudado em todo o mundo, já que a maioria dos estudos se concentrou nos aspectos místicos. "É o interesse econômico e político que suscitava o projeto alquímico, afinal de contas – simbolismos à parte – a alquimia se propunha a fabricar ouro ou multiplicá-lo [...] e esse aspecto interessou aos monarcas e ao poder [...] fabricar ouro equivalia a dispor de poder, multiplicar a riqueza, aumentar os recursos financeiros [...] por essa razão príncipes e reis contrataram alquimistas, para que fabricassem ouro para sanar suas finanças e levar a cabo seus projetos políticos e suas empresas militares [...] era questão, pois, de colocar as mãos à obra e fabricar ouro [...] é seguro que Felipe II como um rei endividado e como político envolvido em custosos projetos imperiais teve um interesse meramente material em que os alquimistas lhes fabricassem ouro [...]. Na corte de Felipe II a alquimia se converte em um sugestivo milagre financeiro."[11]

Felipe II, portanto, investe pesado na alquimia, considerada um tema de Estado, e em todo o seu imenso império, onde o sol nunca se põe. No mesmo período de expansão das experiências alquímicas, o Mediterrâneo é invadido por moedas espanholas, que eram utilizadas quase em todas as grandes praças comerciais.

"E o espaço do mar não diminuía. Logo fazia parte do cotidiano. Vejamos, por exemplo, o caso de Argel, em 1580. No mercado da cidade as moedas correntes são o ducado espanhol, o escudo espanhol, de ouro em ouro, o real de prata, as moedas de oito, de seis e de quatro, sobretudo as de oito reais. Todas essas moedas têm primazia no mercado e são uma das grandes mercadorias enviadas à Turquia, onde são expedidas em caixas inteiras os reais da Espanha. Os registros do consulado francês em Argel, que acabam de ser descobertos e que remontam quase a 1579; os do consulado francês em Túnis, que começam em 1574, indicam em 90% dos casos a primazia das moedas espanholas. Os preços dos resgates eram fixados, em geral, nessa moeda. Em fevereiro de 1577 alguns cativos se insubordinaram em Tetuan (ou Tetuão), a bordo de um navio argelino. Os turcos, assustados, se atiraram precipitadamente na água e muitos deles, carregados com sacos de reais em ouro, foram arrastados ao fundo, por não quererem soltar os pesados fardos. Em Liorna, além dos grandes desembarques oficiais, as barcas que chegam diretamente de Gênova ou da Espanha carregam caixas de reais entre os volumes de mercadorias. [...] Outro detalhe: em maio de 1604, um marselhês reconhece em Ragusa que deve a um florentino *duo centum sexaginta tres peggias regaliorum de 8 regaliis pro qualumque pezzia*. Ou seja, nessa época Ragusa estava tão invadida pela moeda espanhola como, em geral, o restante do Mediterrâneo. A partir de 1580 aumentaram as quantidades de metal precioso trazido a Gênova pelas galés espanholas. Em junho de 1598 foi atingida a cifra recorde: 2.200.000 escudos (200.000 em ouro, 1.300.000 em lingotes de prata e 700.000 em reais), num único lote. É possível que esse recorde seja inferior ao estabelecido em 20 de junho de 1584, data na qual chegaram a Gênova 20 galés. Que por ordem de Gian Andrea Doria transportaram, ao que parece, de 3 a 4 milhões de escudos, mas os dados que possuímos não são suficientemente precisos para que possamos afirmá-lo com certeza. Uma coisa é evidente: efetuavam-se envios em massa. De acordo com um cálculo realizado pela Contadoria Principal em 1594, chegavam anualmente à Espanha 10 milhões de ducados, dos quais seis milhões eram exportados, três pelo rei e os outros três por particulares. Os quatro milhões restantes ou ficavam na Espanha ou eram exportados clandestinamente por correspondência, viajantes ou marinheiros."[12]

    Terão sido mera coincidência as intensas experiências alquímicas e a grande quantidade de ouro e prata espanholas que invadiu o Mediterrâneo? A América fornecia tanto assim, já que por essa época estava sob forte ataque de corso, sobretudo inglês? Quanto Felipe II não teria pago a seus credores com o material produzido por seus alquimistas? Mas são só conjecturas. Depois da morte de Felipe II, muitos desses alquimistas foram acusados de nigromancia, demonolatria e alguns acabaram sendo condenados à morte pela Inquisição.

É sabido que Felipe II se interessou pela alquimia desde a juventude, e, depois de ascender ao trono da Espanha, ele praticamente oficializa a prática da alquimia em território espanhol. Para convencer a Inquisição, usou o argumento da destituição total dos aspectos mágicos da prática e a condução dos esforços apenas no sentido da produção de ouro e prata. O rei sabia que a Inquisição aprovaria a exploração da alquimia, se fosse considerado "apenas" seu aspecto econômico.

Mas ainda que o rei tenha conseguido a aprovação, a relação entre o catolicismo e a alquimia sempre foi tensa. Ainda na Idade Média, o inquisidor-geral de Aragão, Nicolas Eymerich, foi um dos maiores opositores da prática. Na época em que Felipe II iniciou seus trabalhos, o inquisidor-geral era Gaspar de Quiroga, que chegou a incluir vários dos livros diletos de Felipe II na lista dos livros proibidos: os de Paracelso, *Chirurgia Minor*, publicado na Basileia em 1570, e *Chirurgia Magna*, publicado em Estrasburgo em 1573; o *Capricci Medicinali*, de Leonardo Fioravanti, publicado em Veneza em 1561; a maior parte dos livros publicados por Johannes Herbst Oporinus, sobretudo a primeira tradução do *Alcorão* para o latim; e os de Michael Toxites, um alquimista responsável por grande parte da edição da obra de Paracelso. Mas é claro que no seletíssimo círculo de alquimistas e iatroquímicos escurialenses esses livros eram estudados à exaustão. Ao que parece, as proibições tinham um caráter apenas pedagógico, era a forma que a Inquisição tinha para manter sua fama de terrível instituição.

O apreço de Felipe pela alquimia foi determinante para a estranha ambivalência de critérios adotada pela Inquisição em meados do século XVI. E essa atitude ambígua dos inquisidores renascentistas diante desse tema "fez com que a Inquisição espanhola, tão enérgica na perseguição ao protestantismo e a todas aquelas condutas que considerava heterodoxas, se preocupasse pouco com os alquimistas".[13]

A justificativa para esse aparente desinteresse reside no fato de que na verdade "a alquimia que se praticou em El Escorial em todo o período de Felipe II passou por um processo de cristianização, perdendo, portanto, seu aspecto pagão [...] a alquimia foi reduzida a uma técnica financiada, enquanto promessa para se obter o ouro necessário para financiar a política do monarca".[14]

Essa cristianização se dá não só à medida que a alquimia torna-se algo a serviço do monarca e, portanto, a serviço de Deus, mas ela também foi fundamentada no pensamento de doutrinadores, como são Tomás de Aquino, que considerava "uma fraude a venda de ouro ou de prata alquímicos se como tal se entende [que sejam] metais falsificados, mas admitia a possibilidade de se obter os verdadeiros, porque não há nada falso em empregar causas naturais para produzir efeitos naturais [...] e segundo a *Enciclopédia católica*, no Concílio de Trento, chegou-se à conclusão de sua licitude se não se oferecesse ouro falso, em concordância com a hipótese tomista".[15]

Dois autores são responsáveis por essa cristianização. Primeiro, Richard Estanihurst, autor católico irlandês exilado na Espanha e um dos membros mais ativos do círculo alquímico escorialense, que escreve o manuscrito intitulado *O toque da alquimia*. O segundo é Christophoro Parisiense, autor da obra *Summa Menor*.

Em *O toque da alquimia* se lê logo no primeiro capítulo que não havia nenhum mal na prática alquímica desde que "se empregasse seu talento ao serviço de Vossa Majestade cujo real zelo por todo mundo se sabe não é outro que com todo seu poder e riqueza manter a cristandade, oprimir a infidelidade, defender a religião católica, destruir os muito abomináveis luteranos e calvinistas, lutar por Deus e contra o Diabo".[16]

Para Christophoro, na *Summa Menor*, os pecados que impedem a ciência da transmutação são a soberba, a luxúria e a avareza: "Quem segue esta arte [para] poder tornar-se rico não [a] busque porque jamais a alcançará, assim se deve ter grande prudência contra esse pecado porque quem nele cai estará em eterna condenação e por conseguinte se lhe fecharão as portas dessa desejada ciência [...] o homem há de ser conforme a vontade do Senhor guardando seus santos mandamentos e separando-se de todos os pecados". [17]

Christophoro Parisiense chega a considerar que a alquimia "se recebe por iluminação, uma revelação que Deus outorga para as pessoas que por sua elevada moralidade a merecem [...] deveis entender que Deus não revela essa ciência a pessoas imprudentes [...] como a alquimia concede muito poder ao multiplicar o ouro, Deus só a revela aos homens virtuosos e a oculta do resto para que não façam mau uso dela. E como a monarquia espanhola está convencida de seguir e defender a causa de deus, considera que por sua virtude merece que lhe sejam revelados os segredos da arte transmutatória".[18]

Como braço armado de Deus, "o exército espanhol tinha direito de que a alquimia revelasse seus segredos e aportasse o ouro necessário para defender a causa de Deus. Desse modo, o ouro alquímico desejado por Felipe II era para combater a heresia e os infiéis e propagar a fé verdadeira. Para isso ele teria financiado ensaios alquímicos com a esperança de que Deus lhe concedesse o ouro que precisava para seguir lutando pelo Senhor".[19] Não se sabe se deu certo ou não a fabricação do ouro, mas a pergunta a se fazer é: se não deu certo, por que todo o esforço de cristianização da prática alquímica durante o reinado de Felipe II?

O lado místico da alquimia será cultivado pelo sobrinho e pupilo de Felipe II, o imperador do Sacro Império Romano-germânico Rodolfo II, que depois dos anos de formação na Espanha se estabeleceu em Praga, para onde atraiu a fina flor da intelectualidade europeia e alquimistas. Sobre ele madame Blavatsky escreveu no seu *Glossário teosófico*: "Um dos soberanos que maior proteção dispensaram à alquimia e aos sábios a ela consagrados foi Rodolfo II [...] educado na Espanha, na corte de Felipe II, adquiriu neste país afeição à astrologia e à alquimia [...] as primeiras lições de alquimia recebeu-as dos seus médicos regulares Tadeo Hájek, Miguel Mayer e Martin Ruland. Todos os alquimistas, qualquer que fosse a sua nacionalidade ou condição, tinham a segurança de ser bem acolhidos na corte do imperador, que os recompensava largamente quando, na sua presença, executavam uma experiência digna de interesse [...]. Rodolfo figurava entre os afortunados possuidores da pedra filosofal, o que se comprovou quando, depois de sua morte, se encontrou no seu laboratório oitenta e quatro quintais de ouro e sessenta de prata fundidos em pequenas massas em forma de ladrilhos."[20]

Não é mero acaso que no centro histórico da Cidade Velha de Praga as ruas possuam nomes de elementos alquímicos tais como Zlatá [ouro], Stříbrná [prata] e Železná [ferro]. Giordano Bruno esteve em Praga, pouco antes de sua morte, em visita a Kepler e Tycho.

Em 2002, uma enchente causou danos num dos edifícios históricos mais antigos de Praga, situado na rua Haštalská nº 1, e o que se encontrou por lá após a tragédia chocou a todos: "Alguns trabalhadores encarregados de limpar o barro e os escombros no centro da cidade descobriram uma passagem subterrânea que levava ao sótão dessa residência. Em seu interior, encontraram um empoeirado laboratório de alquimia cuja entrada havia sido fechada há séculos [...]. O laboratório de alquimia da rua Haštalská devia receber a visita de importantes cientistas e alquimistas da época, que procuravam [descobrir] a maneira de transformar metais em ouro e alcançar a vida eterna. É inclusive possível que ela tenha sido visitada pelo rabino judeu Rabbi Löw, a quem a lenda atribui a criação de um *golem*, uma criatura fantástica feita de argila. Uma prova de sua importância são as três passagens subterrâneas que ligavam o laboratório ao castelo de Praga, à praça da Cidade Velha e à zona na qual hoje está instalado o centro comercial Palladium, onde anteriormente havia um quartel. Os túneis foram demolidos durante a grande reconstrução do antigo bairro judeu, mas alguns livros explicam que a passagem subterrânea que conectava a casa e o castelo podia ser percorrida em 15 minutos."[21]

Quem chega hoje a Praga pode visitar esse misterioso laboratório de alquimia que foi transformado no museu Speculum Alchemiae, aberto em 2012. É possível levar para casa um frasco do famoso elixir da longa vida, produzido de acordo com a receita encontrada no velho laboratório.

No século XVI, portanto, a parceria da Companhia de Jesus, e consequentemente da Inquisição, com "O demônio do meio-dia", que se iniciou em 1556 – quando Felipe II assumiu o trono espanhol –, seria longeva e renderia muitos dividendos.

E nosso "O demônio do meio-dia", que só usava preto porque o livro *Picatrix* dizia que se vestir "com roupas negras era um meio eficiente de trazer ao usuário as influências benéficas de Saturno",[22] será rei do Brasil de 1580 até 1598, ano de sua morte. Nesse período, a Companhia de Jesus e a Inquisição vão, enfim, avançar sobre a Nova Lusitânia.

A GUERRA DOS TRONOS E O REINO ONDE O SOL NUNCA SE PÕE

Havia no século XVI uma verdadeira guerra dos tronos que seguia um roteiro recheado de assassinatos, traições, espionagens e guerras. Felipe II era o mais voraz de todos os pretendentes ao poder. Além de rei da Espanha, das colônias espanholas espalhadas pelo mundo, de parte da Itália e da Holanda, disputava ainda os tronos da Inglaterra, onde foi rei consorte – casado com Maria Tudor, que foi rainha da Inglaterra entre 1553 e 1558 –, e da maior potência da época, Portugal – era filho de Isabel, neto do rei d. Manuel I, sobrinho de d. João III, primo de João Manuel, príncipe herdeiro de Portugal, e tio de d. Sebastião. Em ambas as Coroas havia apenas uma possibilidade remota de Felipe II ascender ao trono, mas o mundo dá suas voltas... e em matéria de ser rei nem sempre é só se herdar o trono, mas, muitas vezes, de fazer isso acontecer. E Felipe II fazia isso como ninguém.

Só o trono de Portugal já poderia lhe render enormes dividendos. Para isso, Felipe II organizou e distribuiu pela Europa, África, Ásia e Brasil uma rede de espiões com o intuito de saber de tudo que os seus concorrentes e inimigos tramavam e, assim, surpreendê-los.

O trono de Portugal, além de render a Felipe II uma fatia generosa do comércio de pimenta, renderia também a colônia mais auspiciosa do império holandês, a Nova Lusitânia, que rendia uma verdadeira fortuna com a produção de açúcar e com o negócio de escravos. É no trono de Portugal, portanto, e consequentemente no Brasil, que Felipe II estava de olho e para onde concentrou seus esforços.

Veneza, o grande *player* do mercado internacional, estava em xeque pela expansão do império turco-otomano, que começara em 1453 e crescia a cada dia, a cada nova conquista. Já tinha avançado e tomado toda a costa oeste da Península Balcânica, ou seja, todo o território onde hoje se encontram Albânia, Bósnia, Bulgária, Grécia, Macedônia, Montenegro, Sérvia, Croácia, além da Romênia, da Eslovênia e tinha, inclusive, chegado às portas de Viena, na Áustria.

Estava, portanto, a poucos quilômetros de distância da costa leste da Itália, no mar Adriático. A ilha de Corfu, por exemplo, importante entreposto veneziano no caminho de Constantinopla, ficava na costa da Albânia, ou seja, estava praticamente em poder dos turcos. Mas não era só Veneza e os comerciantes venezianos que estavam em risco, o pavor da proximidade dos turcos tomou conta de Roma, a sede do catolicismo. Ainda mais quando o sultão prometeu que em breve entraria a cavalo na Basílica de São Pedro.

Nos primeiros anos do século XVI, os turcos aumentaram seu poderio conquistando a Pérsia e o Egito e avançaram em direção ao norte da África, rumo ao estreito de Gibraltar. Em 1524, ocuparam Belgrado e, em 1530, 90.000 otomanos chegaram a Viena e a sitiaram por dois meses. Em junho de 1552, tomaram a Transilvânia. O avanço e a voragem eram avassaladores, frutos do enriquecimento conquistado ao longo de décadas. Em fins de 1569, num ultimato, os turcos exigiram que Veneza entregasse um de seus entrepostos comerciais mais importantes: o de Chipre. Com o aumento da agressividade, tudo levava a crer que, se nada fosse feito, o avanço sobre a Itália seria iminente.

Desesperado com a possibilidade de ser atacado, o papa Pio V, que havia assumido o papado em 1566, convocou os reis católicos a formar uma coalizão contra o avanço dos turcos, a chamada Santa Liga, e um dos seus primeiros gestos foi o de se aproximar ainda mais de Felipe II, o único rei que possuía uma armada capaz de fazer frente ao poderio otomano. Para isso o papa passou a contribuir para o aumento do armamento marítimo da Espanha, sobretudo por meio de favores eclesiásticos, que envolviam imensas e escusas negociatas, e, é claro, com o pagamento de gratificações e propinas. Por exemplo, antes que todo esse revés se apresentasse, o papa Pio IV havia emitido uma bula – a bula da cruzada – em que instituía um subsídio do clero ao rei espanhol "destinado a armar embarcações para conter os infiéis, que não só ameaçavam as costas e cidades marítimas da Espanha, como também as da Itália e particularmente o estado da igreja".[1] A primeira contribuição – concedida por um quinquênio – foi de trezentos mil ducados, que expiraria precisamente na altura da eleição de Pio V. O desespero em que se encontrava a Igreja era tão evidente que em 11 de janeiro de 1566, quatro dias depois da subida ao trono pontifício, os agentes de Felipe II na Itália informavam-no de que haviam conseguido renovar com o papa Pio V o subsídio por mais um quinquênio e que "não tinha custado um único maravedi ao Rei",[2] ao contrário do primeiro, que "tinha custado quinze mil ducados de renda sobre os vassalos do reino de Nápoles e doze mil ducados de pensão, na Espanha, para os sobrinhos do papa, sem contar as grandes somas despendidas para enviar os ministros encarregados da negociação".[3]

A formação da Liga era fundamental num momento em que o catolicismo encontrava-se enfraquecido num mundo em franca expansão do protestantismo. A Igreja era atacada por todos os lados – na Europa pela Inglaterra, pela França, pela Holanda –, e esse enfrentamento incentivava o avanço do império turco-otomano. Havia, portanto, duas frentes a serem combatidas: o avanço do protestantismo na Europa e o avanço do islamismo no Oriente, no Leste Europeu e no norte da África. Nessa luta, o catolicismo só contava então com Portugal e a Espanha, com os reis católicos Felipe II e d. João III. Havia, no entanto, um problema quase insolúvel para o papa Pio V resolver: como remediar os imensos interesses comerciais que estavam impedindo a formação da Liga? E são esses interesses comerciais que fariam com que a Espanha vendesse caro seu apoio à Santa Liga para defender a Itália e, consequentemente, a sede do catolicismo.

Por questões comerciais e econômicas Felipe II não se mostra muito interessado na constituição da Liga. Diante dessa apatia, não resta ao papa alternativa senão acenar com outra vantagem, não só a pecuniária, uma que envolvia também o interesse político: Veneza. E só assim o papa passa a falar a mesma língua do rei. Em carta a Felipe II, o papa apela dizendo que "Veneza é a fronteira da cristandade. Ficar-se-á mais forte quando tiver sucumbido? Ou quando tiver assinado com o turco um desses arranjos que o governo francês se oferece para negociar por ela? [...] As fortalezas venezianas são o antemural das praças-fortes do rei católico".[4] Do ponto de vista político, o papa procura seduzir Felipe II a tomar a liderança na formação da Liga dizendo que o ato significaria para ele "ter ao seu serviço os Estados de Veneza, os seus homens, as suas armas, a sua frota".[5]

Quanto ao interesse financeiro, além da prorrogação por mais um quinquênio da bula da cruzada e do subsídio em 1566, aumentado para quatrocentos e vinte mil ducados, o papa Pio V concedeu à Espanha em 1567 outro benefício, o escusado. Esse novo benefício consistia em transferir para os cofres do rei os dízimos da Igreja mais rentável de cada paróquia do reino – ou seja, as mais lucrativas. Tentando atualizar os valores, podemos dizer que houve anos em que "essa renda chegou a produzir vinte milhões de reais".[6]

Com esse novo e auspicioso subsídio no horizonte, o enviado do sumo pontífice, Luis de Torres, levava consigo a Felipe II não só a reedição da bula da cruzada, mas também o novo e substancial apoio para o orçamento espanhol que será decisivo para que Felipe II não só tome parte na Liga, mas a lidere e operacionalize sua ação na guerra travada no Mediterrâneo contra o império turco-otomano. Roma praticamente contrata a Espanha para participar da Liga contra os turcos.

O resumo da ópera é que, embora instituída a Liga, talvez isso tenha acontecido tarde demais. Em 1570, os turcos tomaram Nicósia e Famagusta e avançaram sobre o Chipre. Mesmo com a vitória dos aliados sobre os otomanos na Batalha de Lepanto, em 1571, foi impossível para Veneza recuperar seu importante entreposto, Chipre, que se converteu numa província otomana – restando a Veneza o ônus de uma indenização astronômica de trezentos mil ducados. Embora a armada turca tenha perdido a Batalha de Lepanto, Veneza viu seu poderio econômico diminuir. E Roma se viu aliviada de um possível ataque turco. As perdas impostas a Veneza eram excelentes para seus concorrentes, sobretudo Portugal e Espanha – e para o papa, que, de quebra, safou-se também do perigo que rondava seu quintal.

Por fim, com a derrota dos turcos na Batalha de Lepanto, o assombro inicial arrefeceu e a vida no Mediterrâneo parecia ter voltado ao normal, mas não para Felipe II, que tinha outras ambições e passou a alimentá-las. Havia outras guerras a serem vencidas e outros tronos a serem conquistados.

Havia uma disputa comercial entre vários países europeus e Veneza era a grande atacadista dos produtos do Oriente. Todos os concorrentes, sobretudo Portugal, queriam ver Veneza jogada na cova dos leões. A fissura aberta no seu império econômico caiu como uma luva para os concorrentes, que há décadas buscavam meios de neutralizar ou, ao menos, obstaculizar o livre trânsito e o monopólio veneziano no comércio do Mediterrâneo. O reino de Nápoles, integrado ao império espanhol, abrangia todo o sul da Itália e a ilha da Sicília – uma aliança entre a Espanha e Portugal representaria uma forte concorrência a Veneza nesse momento de fragilidade. Encerrados os trabalhos da Santa Liga, o pragmático Felipe II parte para conquistar seu outro objetivo.

A primeira tentativa de minar Veneza foi levada a cabo por Portugal: "Com data de 10 de novembro de 1575 escreve a Felipe II o irmão Mariana Azaro, carmelita descalço e ex-estudante da Universidade de Pádua, extremamente versado nessas questões. Trata-se de um projeto para introduzir a pimenta portuguesa nos domínios espanhóis da Itália, Milão, Nápoles, Sicília e Sardenha, e eliminar desses locais a pimenta veneziana ali vendida; para tratar de envolver no movimento o sumo pontífice e outros poderosos italianos, e organizar no porto de Santa Maria, em Cartagena, ou em qualquer outro da península, um centro de redistribuição para a Itália."[7]

A segunda tentativa é de outro concorrente de Veneza, a Toscana, ou seja, os Médicis: "Entre os anos 1576 e 1578, o grão-duque Francisco se esforça para conseguir um contrato de especiarias que cheguem das Índias e de Portugal. Com esse fim, especula com a promessa de créditos para aquele estranho descendente dos reis de Lisboa, para aquele autêntico cruzado dom Sebastião, o qual, obcecado com a ideia de lutar contra os infiéis no Marrocos, tinha muita pressa em conseguir o dinheiro necessário para o que acabaria sendo seu próprio suicídio, o de sua nobreza e o de seu reino [...]. Esses projetos ambiciosos acabaram ficando reduzidos a uma simples negociação de um empréstimo de 200 mil escudos entre os mercadores de Florença, os Médicis e um embaixador português, Antonio Pinto, que assegurou a autorização de uma importação maciça de pimenta portuguesa em Liorna, como contrapartida [...]. A terceira tentativa ficou por conta do próprio Felipe II. Para eles, tratava-se de manter sob sua tutela o reino vizinho, de bloquear os rebeldes dos Países Baixos (privando-os de sal, de trigo e de especiarias) e de organizar um ativo comércio hispano-português de sal e de especiarias. Além de também render-se às razões dos grandes homens de negócios, desejosos de se apoderar, à distância, da imensa Ásia."[8]

O que estava em jogo? O negócio mais importante do mundo naquele momento: o monopólio mundial do comércio de pimenta. Documentos recentemente descobertos no Arquivo Geral de Simancas revelam que para atingir seus objetivos Felipe II lançou mão de um intricado jogo de espionagem que possibilitou a ele estar a par de tudo o que acontecia ao seu redor e no território dos seus inimigos.

Era extremamente sofisticada e organizada a agência de espionagem da Espanha. A direção estava a cargo do rei e do seu secretário do conselho-geral, que tomava decisões sobre a contratação de espiões, a autorização de missões, o pagamento dos agentes e o uso das verbas destinadas para esse fim ao segundo escalão, que era composto por embaixadores, vice-reis e governadores-gerais. Esse segundo escalão "era responsável por aplicar as ordens procedentes da corte e encabeçava a rede de espionagem que funcionava em suas respectivas áreas geográficas e abaixo deles se encontram seus secretários, que tinham o controle efetivo da rede e o trato direto com os espiões".[9]

Ao longo de todo o século XVI, esse serviço secreto foi bastante efetivo e sustentou "uma vasta rede de tráfico de informação secreta nas principais cidades europeias e do mundo turco, tais como Londres, Paris, Istambul, Argel, Ragusa (atual Dubrovnik), Roma, Gênova, Nápoles e sobretudo Veneza, sem dúvidas a capital mundial da espionagem nos séculos XVI e XVII".[10]

Em nome de um novo conceito político denominado "razão de Estado", teve início uma verdadeira guerra de inteligência que se entranhou dos mais suntuosos palácios e embaixadas até as mais assombrosas tabernas e os mais imundos becos. Os espiões desempenharam atividades próprias dos serviços secretos que envolviam desde o suborno até o assassinato político, se julgassem necessários.

Em 1547, por exemplo, ao nomear o vice-rei da Sicília, reino integrado à monarquia hispânica, Juan Veja, o rei Carlos V indica que: "Vós estareis com muita vigilância e cuidado para saber e estar advertido pelos navios que aportem no reino e por todas as outras vias ou maneiras que os parecer, das novas e avisos do levante e das outras partes que puderes para dar-nos aviso do substancial dele e que verdes que importa, tendo inteligência e boa correspondência com os vice-reis de Nápoles, Milão, e embaixadores em Roma, Veneza e Gênova e outros nossos ministros aos quais havemos ordenado que tenham com vós a mesma."[11] Dessa mensagem se conclui que o vice-rei da Sicília devia realizar as seguintes atividades de inteligência: "Obter informação a partir dos barcos que chegassem à ilha ou por qualquer outro meio relativa a um amplo território controlado em sua maior parte pelo império otomano, ou seja, o levante [as terras a leste da península italiana] e toda a Berbéria, ou seja, a região do norte da África entre o Mediterrâneo e o Saara que incluía os atuais Marrocos, Argélia, Túnis e Líbia. Analisar essas informações e enviar à corte informes úteis para a tomada de decisões e manter correspondência e trocar informação com outros cargos institucionais (vice-rei de Nápoles, governador de Milão, embaixadores em Roma, Veneza, Gênova e outros ministros."[12]

Mas não era apenas a Espanha que estava usando de forma sistemática esse expediente, a prática havia se generalizado num momento de intensa instabilidade social, política e econômica. Em 1590, o rei Felipe II publicou uma determinação que incluía medidas como: "A criação do ofício dos censores [com autoridade judicial] cada um ajudado por quatro oficiais de justiça, destinados a busca, captura e imposição de penas a vagabundos, lacaios e espiões, o registro de hotéis, tabernas e casas particulares de aposento para buscar e interrogar suspeitos, a obrigação dos donos das casas de aposento de informar sobre seus hóspedes aos censores, o controle por parte dos censores dos peregrinos e estrangeiros chegados sem causa justificada."[13]

E sabe quem foi um dos espiões mais importantes de Felipe II? Miguel de Cervantes, autor de *Dom Quixote de la Mancha*, que havia lutado e ficado preso em Argel por vários anos. Outro importante espião espanhol foi o pintor Peter Paul Rubens, que entre os anos de 1627 e 1630 foi diplomata espanhol nos Países Baixos e na Inglaterra, de onde remetia importantes informações para o rei espanhol.

Os espiões, quando entravam no círculo de espionagem de Felipe II, recebiam "instruções relativas a sua missão e também uma cifra que devia utilizar para cifrar e decifrar a correspondência que mantivesse com o rei e os vice-reis. Todos deviam escrever suas correspondências em linguagem cifrada seguindo métodos criptográficos e suas principais atribuições incluíam: a observação de movimentos de tropas e a saída de barcos em portos inimigos, a análise de fortalezas, a captação de aliados, a execução de tarefas de contraespionagem para desmascarar espiões traidores ou infiltrados, a propagação de rumores, notícias falsas e propaganda, a participação em negociações secretas, a captura de pessoas, a realização de ações de sabotagem, a intervenção em conspirações ou assassinatos de políticos, a espionagem industrial".[14]

Um método curioso que consta dos arquivos de Simancas utilizado pelos espiões foi o uso da tinta invisível – algo extremamente novo e sofisticado para a época. Um espião italiano numa carta à embaixada da Espanha em Veneza indica "o modo em que ocultará a autoria da carta, o destinatário e o conteúdo: usando tinta invisível". E descrevia o procedimento para fazer a tinta: "se escreve sobre o papel a mensagem secreta com uma dissolução de vitríolo romano (sulfato) pulverizado em água. Se escrevia sobre o papel o conteúdo não secreto com uma solução de carvão de salgueiro diluída em água e finalmente para se fazer legível o texto secreto se esfregava o papel numa tinta negra proveniente de uma planta comum no Mediterrâneo".[15]

Todo esse esquema de espionagem fará com que Felipe II em pouco tempo seja alçado à condição de o homem mais poderoso do mundo, senhor do reino onde o sol nunca se põe e – como a sorte segue a coragem – rei do Brasil.

Finda a guerra encabeçada pela Santa Liga, que rendeu enormes dividendos e capitalizou o sempre deficitário erário régio espanhol, Felipe II teria de enfrentar três acontecimentos importantes: o processo de secessão na Holanda, o movimento separatista e de independência que ia na contramão dos anseios do rei; a guerra pelo trono português; e teria, por fim, de enfrentar as invasões, sobretudo de ingleses e holandeses. Esses três eventos estão diretamente relacionados ao Brasil, que, embora distante do palco principal, estava no centro dessa guerra que mudará a nossa história para sempre.

No primeiro evento, a espionagem do pintor Rubens nos Países Baixos, por exemplo, foi estratégica. Desde 1568, a Holanda, se aproveitando do fato de que a Espanha estava ocupada com a guerra no Mediterrâneo, começa um processo de secessão em relação ao domínio espanhol que só vai crescer ao longo dos anos e se agravar muito a partir de 1580.

No segundo evento, em Portugal, as peças do xadrez da guerra dos tronos de Felipe II começam a se mover. A crise dinástica aberta por ocasião da morte de d. Sebastião, em 1580, vai levar Felipe II direto ao trono português. Felipe II era filho de Isabel de Portugal e neto, portanto, de d. Manuel I, rei de Portugal falecido em 1521, que era pai, além de Isabel, do rei de Portugal d. João III, que faleceria em 1557. D. Sebastião, futuro rei de Portugal, era sobrinho de Felipe II, filho do príncipe João Manuel, filho de d. João III e Joana da Áustria, irmã de Felipe II. D. Sebastião nasceu no mesmo ano da morte do pai, em 1554, e, em 1557, com a morte do avô, torna-se rei de Portugal com apenas três anos de idade. No primeiro momento, a avó Catarina da Áustria assume a regência entre os anos de 1557 e 1562 e nessa data transfere a regência para o tio-avô, cardeal d. Henrique. Em 1568, enfim, d. Sebastião assume o trono que vai durar pouco mais de dez anos, até a sua morte, em 1578, em Alcácer-Quibir. Na vacância do trono surge uma luta de sucessão que será vencida por Felipe II, ocasião em que se dará a União Ibérica, em 1580.

No terceiro evento, com a união dos tronos de Portugal e Espanha sob o reinado de Felipe II, Holanda e Inglaterra, que tinham relações amistosas com Portugal, passam a tratar Portugal como inimigo. Terá início aqui – como veremos – um período de ataques, guerras e invasões ao império português e, é claro, ao Brasil.

Mas não nos antecipemos, pois a guerra dos tronos de Felipe II envolveu uma conspiração, no mínimo, maquiavélica. O período compreendido entre 1554-1580 foi tenso, momento em que a Espanha voltou a perder fortunas com os saques dos piratas do Caribe. Para Felipe II seria, portanto, muito auspicioso retomar a rota do Peabiru, que havia sido extinta – como vimos – pelos portugueses, por ocasião da fundação da cidade de São Paulo. A

União Ibérica era, portanto, para a Espanha uma conquista estratégica das mais importantes dentro do reinado de Felipe II. Ao tomar Portugal, Felipe unificaria o negócio da prata, da pimenta, do açúcar e também de escravos.

Mas de hipótese remota, a união entre Espanha e Portugal torna-se uma possibilidade real por ocasião de uma guerra dinástica na sucessão do governo do Marrocos em 1576, envolvendo direta ou indiretamente os países ibéricos. Moulay Mohammed, que estava no governo do Marrocos, foi expulso pelo tio, Al-Malik. Felipe II, logo após a vitoriosa Batalha de Lepanto, que havia atraído a ira dos turcos-otomanos para a Espanha, costurou – ainda antes da guerra dinástica pelo trono do Marrocos, ou seja, quando ainda reinava Moulay Mohammed – uma aliança de paz com Al-Malik, na qual previa um retraimento da política intervencionista de ocupação espanhola no norte da África em troca de um pacto de paz com o império turco-otomano.

Quando Moulay Mohammed procura por Felipe II para pedir ajuda para combater Al-Malik, Moulay não sabia que entre Al-Malik e o rei da Espanha já havia sido estabelecido um acordo de paz. Moulay ouviu do rei da Espanha que os seus esforços no momento estavam concentrados na guerra contra a Holanda e a Inglaterra e sugeriu que ele fosse a Portugal buscar o apoio de d. Sebastião.

Felipe II e d. Sebastião se encontraram em Nossa Senhora de Guadalupe, na província de Cáceres, na comunidade autônoma da Estremadura, próxima da divisa de Portugal, em 1576. O motivo principal dessa reunião dos reis foi para resolverem dois pontos: a ajuda de Felipe II a d. Sebastião na guerra da África e o casamento de d. Sebastião com a infanta Clara, que o rei Felipe II "houve por bem dar-lhe a filha em casamento depois da jornada da África". E no tocante à guerra "o rei d. Sebastião quis tomar o parecer de seu tio, rei tão poderoso e prudente, e cercado de tão ilustres capitães e soldados, práticos em todas as coisas das milícias que aprovaria o acertado e reprovaria o mal tentado, principalmente do duque de Alba, com quem d. Sebastião praticou seus desenhos, e a quem pediu com muita insistência quisesse ser o seu general, pela fama e experiência de esclarecido capitão: e o que mais temia o rei de Portugal era que de Larache teriam os turcos mais comodidade para discorrerem pelo mar oceano e chegar até a boca da barra de Lisboa, onde forçadamente entram e saem todas as frotas de sua conquista e comércio da Índia, Mina, Brasil, Guiné mais ilhas adjacentes, e as do socorro dos lugares de África, onde as poderiam saltear e roubar: juntamente o mesmo temor poderiam ter os estrangeiros de toda Europa, que navegam na parte do norte, como franceses, flamengos, ingleses, alemães, não virem a Lisboa, escala principal, trazer as mercadorias, de que o rei teria grande perda, principalmente na falta de pão e outros mantimentos, de que o reino tem grande necessidade. Que por estas razões e exaltação da fé católica, desejava empregar o seu talento e esforço contra tão prejudiciais perigos".[16]

De tanto argumentar "pediu o rei de Portugal ao rei seu tio o quisesse ajudar nela, pois os inconvenientes de a dilatar eram comuns a ambos os reinos: as quais petições o rei de Castela por lhe comprazer se inclinou de liberal vontade e prometeu ao rei seu sobrinho ajudá-lo no verão de 1577 com 50 galés [navio movido a remos] e cinco mil homens, com o qual trato e oferecimento o rei d. Sebastião ficou muito contente, dando isso as graças ao rei seu tio".[17]

Quando d. Sebastião determinou que era hora de armar a guerra, cobrou de Felipe II a ajuda das cinquenta galés e dos cinco mil homens. Felipe II se mostrou pouco inclinado a ajudar, declarando friamente que "ele nunca mudara a vontade nem parecer de cumprir com a ajuda oferecida ao rei seu sobrinho, das cinquenta galés e cinco mil homens; mas que tinha sabido claramente não haver em Portugal forças, nem aparelho de gente, nem de munições, para o Rei passar aquele ano à África, e esta era a causa de não mandar vir as galés, nem desamparar as partes da Itália, onde eram necessárias; de modo que nem fazia as despesas que sabia haviam de ficar perdidas e em vão".[18]

A decepção e o golpe sofrido por d. Sebastião não o demoveram da sanha de fazer a guerra acontecer no norte da África. Al-Malik, vendo porém que o rei d. Sebastião estava irredutível, mesmo depois de o tio não ajudá-lo, enviou um recado ao rei por meio de André Corso e de d. Duarte de Meneses, capitão de Tânger, propondo um acordo de paz, dizendo que "não entendia que zelo o movia a se querer fazer juiz entre ele e Moulay Mohammed, pois eles ambos eram mouros e sempre foram seus inimigos, para agora se inclinar mais à parte de um que de outro, e se isto era zelo de justiça, nem tinha esta opinião por cristã".[19]

Al-Malik, percebendo quão mal o rei d. Sebastião se aproveitava dos bons conselhos, e como se inclinava para Moulay Mohammed, enviou uma carta ao rei Felipe II dando-lhe "conta do quão apostado ele estava em não consentir turcos em Berbéria, e pedia a Sua Majestade persuadisse o Rei de Portugal [para que] não perturbasse os negócios com guerra, pois com paz podiam os Reis ambos de Castela e Portugal tirar mais proveito; porque, como ele não havia de dar aos turcos lugar algum do sertão, nem marítimo, com isto ficavam os seus reinos seguros dos assaltos que temiam [...]".[20]

Nessa guerra de informação, a verdade é que, por interesses "pessoais", Felipe II foi mais fiel a Al-Malik que a seu familiar, d. Sebastião. A razão era simples: desestabilizar a região com uma guerra sem sentido, como a que buscava d. Sebastião, era abrir um espaço para a expansão do império turco-otomano para fronteiras cada vez mais próximas da Espanha.

O desfecho dessa intriga é bem conhecido na famosa Batalha de Alcácer-Quibir. Em 4 de agosto de 1578, Felipe II se livra dos três personagens dessa conspiração: morrem nessa batalha Moulay Mohammed, Al-Malik e d. Sebastião – este se viu com seu nome cravado na História como o rei que "desapareceu" e numa espécie de mito coletivo poderia voltar a qualquer momento. Felipe II não poderia ter sido mais pragmático. Nem Maquiavel teria imaginado um monarca assim. Eliminados aqueles três "empecilhos", era hora de conquistar o mundo. Em meio ao torpor no qual Portugal estava imerso com a perda de d. Sebastião, o reino se tornou uma presa fácil. No ano de 1580, Felipe II anexou Portugal aos seus domínios e com essa cartada genial conseguiu uma dupla vitória: conquistou mais um trono para a sua coleção e tornou-se senhor das rotas mais lucrativas do comércio mundial. O curioso é que, com a morte de d. Sebastião, a dinastia de Avis termina como começou, com a luta contra infiéis no norte da África, numa jornada que teve início em Ceuta, em 1415, e terminou em 1578, em Alcácer-Quibir.

Dentre as incontáveis especulações sobre o desaparecimento de d. Sebastião, várias atestam que ele sobreviveu à Batalha de Alcácer-Quibir e ficou mantido preso – a mando de Felipe II? – no território espanhol na Itália, em Nápoles. Quando esse suposto d. Sebastião esteve preso em Veneza, sua história foi analisada por uma junta de notáveis da Igreja Católica. Dessas análises resultaram três Breves pontifícios, o primeiro é de Clemente VIII, datado de 1598: "Clemente VIII, por divina providência servo dos servos de Deus: Saúde e paz em Jesus Cristo Nosso Senhor, que de todos é verdadeiro remédio e salvação: Fazemos saber a todos os nossos filhos caríssimos, que debaixo da proteção do Senhor virem com fervorosa fé em especial aos do reino de Portugal, que o nosso mui amado filho d. Sebastião Rei de Portugal se apresentou pessoalmente nesta Cúria Romana no Sacro palácio, fazendo-nos com muita instância e súplica o mandássemos meter na posse do seu reino de Portugal, pois era o verdadeiro e legítimo Rei dele; que por pecados seus e juízo divino se perdera em África indo pelejar com El-Rei Malik no campo de Alcácer-Quibir, e até agora estivera oculto e não quisera dar conta de si por meter tempo em meio dos males que sucederam por seu conselho, e que para justificar ser o próprio estava prestes para dar toda a satisfação que lhe fosse pedida."[21]

O segundo Breve foi de Paulo V, sentenciado 19 anos depois de Clemente VIII, e diz o seguinte: "Paulo V, Bispo de Roma, servo dos servos de Deus: Ao nosso mui amado filho Felipe III. Rei de Espanha, Saúde em Jesus Cristo Nosso Senhor, que de todos é verdadeiro remédio e salvação: fazemos saber que por parte de El-Rei d. Sebastião, que se dizia ser de Portugal, nos foi apresentada uma sentença apostólica de nosso antecessor Clemente oitavo, de que constou estar julgado pelo verdadeiro Rei e legítimo de Portugal, nos pedia humildemente mandássemos por nosso Núncio assim o declarasse para efeito de se lhe dar a posse pacífica, mandamos a vós Felipe III, Rei de Espanha, em virtude da santa obediência que dentro de nove meses, depois da notificação d'esta, largueis o dito Reino de Portugal a seu legítimo sucessor d. Sebastião mui pacificamente sem efusão de sangue e sob pena de excomunhão maior *lata sentencia* da maneira que está julgada: Dada em esta Cúria Romana sob o sinal do Pescador a 17 de março de 1617."[22]

E o terceiro Breve, do papa Urbano VIII: "Urbano VIII por Divina Providência Bispo de Roma, Servo dos Servos de Deus. A todos os arcebispos e Bispos e pessoas constituídas com dignidade que vivem debaixo do amparo da Igreja Católica, em especial aos do reino de Portugal e suas conquistas, saúde e paz em Jesus Cristo nosso Salvador que de todos é verdadeiro remédio e salvação: Fazemos saber que por parte do nosso filho d. Sebastião Rei de Portugal nos foi apresentado pessoalmente no Castelo de Santo Ângelo duas sentenças de Clemente Oitavo e Paulo Quinto nossos antecessores, ambas incorporadas, em que constava estar justificado largamente ser o próprio Rei e nesta conformidade estava sentenciado para o largar Felipe III Rei de Espanha, ao que não quis nunca satisfazer; pedindo-nos agora tornássemos de novo a examinar os processos, e constando ser o próprio o mandássemos com efeito investir da posse do Reino. Dada em esta Cúria Romana sob o sinal do Pescador aos 20 de outubro de 1630."[23]

Ainda em 1599, chegou a Veneza o frei dominicano Estevão de Sampaio para investigar as notícias que circulavam acerca da história de d. Sebastião, e em carta ao papa diz que: "O rei de Portugal está detido, como prisioneiro nesta cidade, há vinte e dois meses, por um julgamento secreto de Deus, que permitiu que tenha chegado aqui pobre, por ter sido roubado, mas esperando encontrar auxílio nesta república. O embaixador de Castela perseguiu-o vivamente persuadindo a Senhoria de que é um ladrão calabrês, o que ele prometia provar e imediatamente procedeu contra ele, conforme as informações do embaixador. Tem-no sepultado na prisão, sem o deixar ver nem o querer soltar, nem fazer algum ato de justiça... Juro-lhe, pela Paixão de Jesus Cristo, que ele é tão verdadeiramente o rei d. Sebastião como eu sou o frei Estevão. Se isto não é assim, eu seja condenado não somente por mentiroso, mas por renegado, blasfemador e herético. Fiz grandes diligências em Portugal por este motivo. Fui lá e regressei. Soube secretamente que dos dezesseis sinais que tinha no seu corpo desde a infância, de que trouxe certificado autêntico de Portugal, ele os tem todos, sem falhar algum e sem contar as cicatrizes das feridas da batalha."[24]

De Veneza o suposto d. Sebastião foi transferido para Nápoles, onde estava, portanto à disposição de Madri. "O conde de Lemos, vice-rei de Nápoles, teve com ele largas conferências, em que falaram das maiores particularidades relativas a duas embaixadas com que Felipe II o enviara a d. Sebastião. O conde ficou tão crente que ele era o próprio rei, que lhe suavizou muito a prisão, e à hora da morte disse a seu filho e sucessor: 'Declaro que este homem é o verdadeiro Sebastião rei de Portugal.'"[25]

Ainda em território espanhol na Itália, seguiram-se as seguintes histórias: "O duque e a duquesa de Medina-Sidonia quiseram vê-lo; e depois de larga conversação, Sebastião perguntou ao duque se ainda possuía uma espada que lhe dera quando passou a África. [...] dizendo d. Sebastião que a reconheceria, posto que fossem passados vinte e quatro anos, o duque mandou trazer doze espadas, as quais assim que d. Sebastião viu, disse que não vinha ali. O duque mandou trazer mais algumas, e tanto que d. Sebastião para elas olhou, logo apontou para a mesma. À duquesa, sua prima, perguntou Sebastião se ainda tinha o anel que lhe dera. A duquesa mostrou o anel a d. Sebastião e ele o reconheceu e disse: 'Este anel tem debaixo da pedra gravado o meu nome.' Foi desencravado e achou-se efetivamente o que Sebastião dissera."[26]

Faz todo sentido o suposto d. Sebastião ter aparecido prisioneiro em Veneza, pois eram imensas as rusgas que ficaram entre Veneza de um lado e Espanha e Portugal de outro depois da Santa Liga e dos resultados contraditórios da Batalha de Lepanto. Teria d. Sebastião sobrevivido e se tornado prisioneiro na África? Teriam os turcos "negociado" o rei com Veneza? Teria d. Sebastião permanecido prisioneiro da Espanha, em Nápoles, na conspiração de Felipe II para tomar o trono de Portugal? Seria Felipe II um regicida? Uma espécie de Jaime Lannister?

Ainda que praticamente tudo sobre d. Sebastião não passasse de lenda, de uma espécie de delírio português, uma coisa era fato: Felipe II, "O demônio do meio-dia", era o novo rei de Portugal, e para as pretensões da Companhia de Jesus no Brasil, Felipe II era o cara.

Tanto a Companhia de Jesus quanto a Santa Inquisição certamente esboçaram um sorriso de canto de boca, porque se lembraram de um lugar distante e que até então tinha permanecido protegido pelos reis de Portugal e, portanto, intocável: a Nova Lusitânia. Era hora de acender as fogueiras.

A INQUISIÇÃO NO BRASIL

Em 1580, Felipe II assume o trono de Portugal e, ato contínuo, em 1581, os Países Baixos decretam a independência da Espanha, numa guerra que se arrastaria por décadas e que, claro, reverberaria fortemente no destino do Brasil.

Em 1588, a invencível armada espanhola ataca a Inglaterra que, além de apoiar a Holanda na guerra de independência contra a Espanha, havia acabado de condenar à morte uma pretendente ao trono inglês, a católica Maria Stuart, decapitada em 1587 – o que enfureceu Felipe II, que tinha, como vimos, pretensão ao trono inglês, e a Igreja, que já havia, em 25 de fevereiro de 1570, decretado, por meio da bula *Regnans in Excelsis*, a excomunhão de Isabel (Elizabeth I), rainha da Inglaterra. Mercadores e piratas ingleses, entre eles Francis Drake, Cavendish, Fenton, James Lancaster, Robert Withrington e Christopher Lister, que atuavam como piratas no Caribe, atacaram mais e mais a nova possessão espanhola na América: o Brasil. No século XVI era assim: qualquer bater de asas de uma borboleta na Europa causava um furacão no Brasil.

O Brasil que estava no meio dessa guerra dos tronos estava longe de ser uma unidade. Sua configuração era, pelo contrário, mais a de um arquipélago, e uma das principais ilhas chamava-se Nova Lusitânia, por onde a guerra também se alimentava e se movia. Pudera, esse pedaço de mundo talvez fosse, se não o mais opulento, o mais promissor negócio do século XVI, e não é por acaso que a Holanda iria investir e insistir tanto na posse desse território e se tornar, assim, uma grande potência mundial naquele que ficará conhecido como o segundo ciclo de acumulação de capital do mundo moderno.[1]

Se para Portugal a União Ibérica foi uma catástrofe, para a Companhia de Jesus foi o paraíso, pois a insistência do rei de Portugal, d. João III, em manter a isenção de jurisdição para a Nova Lusitânia vai abrir uma cisão no relacionamento entre Portugal e a Companhia de Jesus.

Pode-se dizer que a guerra dos tronos que fez com que Felipe II assumisse o trono de Portugal foi também uma espécie de conspiração para a Companhia de Jesus partir para cima da Nova Lusitânia, pois eram diferentes as relações entre os judeus e a Espanha e entre os judeus e Portugal. Portugal dependia da Nova Lusitânia, tanto por conta do açúcar – dos impostos, do quinto que recolhiam –, quanto por conta do fornecimento de escravos para regiões produtoras de açúcar, que havia se tornado o seu mais rentável negócio. Desestabilizar essa região tão crucial, tão vital, com as devassas da Inquisição, era pôr em risco o erário da Coroa. Isso explica por que a Inquisição, embora criada em Portugal em 1536, como vimos, ignorou o Brasil, diferente, por exemplo, de Goa, onde esteve já em 1560. A Inquisição só viria ao Brasil e atacaria Pernambuco e a Bahia no período da União Ibérica com Felipe II, em 1591. Teria a Companhia de Jesus incentivado Sebastião a combater os infiéis no Marrocos numa luta quase desnecessária? Tanto a Companhia quanto Felipe saberiam que a guerra era uma verdadeira roubada? Teriam ambos lançado o jovem d. Sebastião na fogueira para, em última instância, tomar conta do Brasil? Porque do ponto de vista bélico a Espanha era muito mais poderosa que Portugal. A invencível armada havia acabado de vencer os mouros em Lepanto. Conspirações!

Em 10 de julho de 1548, pouco mais de dez anos após terem sido criadas as Capitanias Hereditárias, uma bula assinada por Paulo III (papa de 1534 a 1549), a pedido de d. João III, concedeu perdão geral aos judeus – ato este que fez com que cerca de mil e oitocentos encarcerados ganhassem a liberdade. Essa trégua não significou que a Inquisição tivesse arrefecido, mesmo porque os autos de fé continuavam. Nos autos entre 1548 e 1563 "saíram penitenciadas mil trezentas e trinta e oito pessoas e foram cinquenta e oito executadas. A Évora pertenceram duzentas e quarenta e sete das primeiras e dezoito das que perderam a vida".[2]

Outra característica da época de d. João III era que, desde que havia sido autorizada em Portugal, a Inquisição não colocou em vigor a cláusula que determinava e autorizava o confisco dos bens dos judeus, que só vigoraria em 1568, depois da morte do rei. Na época de d. João III, o confisco se fazia de forma indireta, ou seja, por meio de uma espécie de contribuição que os judeus davam ao governo mediante empréstimos e donativos.

Em 1558, um ano após a morte de d. João III (1557), a regente de Portugal, Catarina da Áustria, consultou a Santa Sé pedindo permissão para manter o sistema de empréstimos e donativos da comunidade judaica portuguesa em troca de prorrogar por dez anos o início da pena de confisco de bens contra judeus argumentando que "havendo assim mesmo respeito aos serviços que me tem feito assim para minhas armadas como para outras necessidades de minha fazenda".[3]

Quando o cardeal d. Henrique assumiu a regência de Portugal, em 1563, anulou completamente a prorrogação do início da pena de confisco de bens e colocou em execução aquilo que era o desejo da Inquisição e estava previsto no seu códice: o sequestro dos bens dos condenados. O empréstimo ou a doação de dinheiro direto à Coroa beneficiava apenas à fazenda do rei e estava longe do controle da

Igreja. Já o sequestro dos bens dos condenados permitia à Igreja o controle sobre a arrecadação. Essa guinada era importante porque os documentos mostram que, mesmo com o início dos confiscos, "o estado econômico da instituição [a Inquisição em Portugal] [era] deplorável [...]. Havia dívidas, estavam por pagar os ordenados dos funcionários e o produto dos bens confiscados só devagar entrava, mal chegando para as mais urgentes necessidades".[4]

Só a intensificação dos autos de fé e dos confiscos de bens poderia salvar os vazios cofres da Igreja, embora os judeus, já experientes, não mantivessem mais suas riquezas em solo português. Eles começaram a fazer seus investimentos fora do país, em Flandres ou na Itália.

Mas a lógica do confisco durou pouco, ou, mais precisamente, até d. Sebastião fazer sua guerra na África – um empréstimo de duzentos e cinquenta mil cruzados, tomado junto à comunidade judaica, financiou a empreitada de d. Sebastião. A contrapartida ao empréstimo era justamente a suspensão por dez anos do que d. Henrique acabara de aprovar, em 1563: que a Inquisição confiscasse diretamente os bens dos judeus. O que evidentemente enfureceu não só a Inquisição, claro, mas também Felipe II e d. Henrique, que saiu em defesa dela e criticou de maneira dura a decisão do rei d. Sebastião dizendo que era justamente "a pena do confisco a que mais temiam os heréticos" e que sem ela não se poderia refreá-los "na prática dos ritos judaicos".[5] A pergunta que podemos fazer é: quanto teria também essa reaproximação com os judeus, por parte de d. Sebastião, contrariado a Inquisição, contribuído para a sua morte precoce?

Para sorte da Inquisição, d. Sebastião morreu na Batalha de Alcácer-Quibir ou, como vimos, permaneceu como um preso político nos territórios espanhóis, na Itália. Sorte ou pragmatismo, assim que retornou ao trono português, o cardeal d. Henrique voltou a anular o contrato que havia sido estabelecido entre d. Sebastião e a comunidade judaica e ordenou a imediata retomada da política de confiscos. "Estava por fim em exercício, sem nenhuma restrição, a fábrica destinada a depurar de heresias a nação contaminada"⁶ e, é claro, encher os cofres da Inquisição.⁷ Pudera, d. Henrique era ao mesmo tempo rei de Portugal e inquisidor-geral, poderia haver cenário mais propício para a Inquisição?

A partir da morte, ou do desaparecimento, de d. Sebastião, em 1578, a Inquisição mostrará sua face mais cruel, a sua verdadeira face. O processo de endurecimento e recrudescimento se agravará a partir de 1580, quando Felipe II assume o trono de Portugal e a Inquisição usará as temidas e cruéis "práticas de Castela" de tortura. O regimento estabelecia duas classes de tortura: "O potro, espécie de cama de ripas onde, ligado o paciente com diferentes voltas de corda nas pernas e braços, se apertavam aquelas com um arrocho, cortando-lhe as carnes; e a polé, que consistia de uma roldana presa no teto, onde era suspensa a vítima, com pesos aos pés, deixando-a cair em brusco arranco sem tocar no chão."⁸

As notas secretamente elaboradas e guardadas pelo médico português António Ribeiro Sanches, que atendia os presos da Inquisição, narra os devastadores efeitos desses métodos de tortura. "Os infelizes que sofreram a tortura, homens e mulheres, ficam, pelo menos, durante os primeiros seis meses, incapazes de fazer uso das mãos; alguns desses vi que nem podiam segurar a colher para comer a sopa [...]. As cordas penetram tão fundo nos braços que eu vi os sinais delas à maneira de cicatrizes, em toda a volta dos braços, em vários homens, mulheres e raparigas."⁹ Não é por acaso que o regimento da Inquisição proibia o uso de tortura quinze dias antes dos autos de fé, quando os sentenciados saíam em desfile pelas ruas "para não serem aparentes nas vítimas as contusões recebidas".¹⁰

Outra característica do regimento de d. Henrique era o segredo, pois "nada mais apropriado a inspirar aos acusados desânimo e pavor, que o mistério de que todos os atos do tribunal se rodeavam. A organização inteira do Santo Ofício assentava no sigilo. Sigilo dos cárceres, das denúncias, dos delitos arguidos e dos depoimentos; sigilo das decisões, que só na ocasião última se davam a conhecer aos réus; cumulando, finalmente, em assinar o preso à saída termo de conservar secreto tudo quanto tinha visto e ouvido, sob a cominação de graves penas".[11]

O padre Antônio Vieira escreveu um texto – *Notícias recônditas do modo de proceder a Inquisição de Portugal com os seus presos* – denunciando e condenando as condições deploráveis, humilhantes e degradantes em que viviam os sentenciados: "Nesses cárceres estão de ordinário quatro a cinco homens e às vezes mais, conforme o número dos presos que há, e a cada um se dá seu cântaro de água para oito dias e outro mais para a urina, com um serviço para as necessidades que também aos oito dias se despejam, e sendo tantos os que conservam aquela imundice é incrível o que nele padecem esses miseráveis e no verão, são tantos os bichos que andam nos cárceres cheios e os fedores tão excessivos que é benefício de Deus sair dali homem vivo. E bem mostram os rostos de todos quando saem nos atos o tratamento que lá tiveram, pois vêm em estado que ninguém os conhece. É também móvel daqueles cárceres um estrado que toma meia casa em que fazem as camas e são assim ainda tão úmidos que sobre os estrados em poucos dias lhe apodrecem as esteiras das camas e os colchões e tomando medida ao estrado sendo cinco, cabem só na cama de costas e ombro com ombro juntos, e assim, precisamente vêm alguns a ficar nos ladrilhos fora dos estrados. [...] Se atrevem a falar uma palavra de um cárcere para outro são castigados por mordaças e açoites pelos corredores da mesma forma que açoitam na praça pública os que já foram condenados [...] os açoites são tão cruéis que alguns padecem muitos dias, meses e anos [de] intoleráveis dores e inchações nas costas de que ficam achaques perpétuos. Esta é a forma dos cárceres de Coimbra, Évora e Lisboa."[12]

Nessas situações ficaram centenas de presos durante anos, aguardando interrogatório. Muitos, depois desse suplício, eram inocentados, como, por exemplo, segundo os dados do Arquivo Nacional da Torre do Tombo: João Félix de Lima, 10 anos; Manoel Rodrigues Alter, 6 anos; Francisco Pereira e António da Fonseca, 13 anos; Maria Lopes e Violante Dias, 5 anos; Sebastião Francisco, 14 anos; Maria de Souza e Anna Nunes, 5 anos; Brígida Rodrigues, 5 anos; Simão de Pina, 11 anos; Genevra e Branca Henriques, 4 anos.

Os autos de fé, por serem muitos dispendiosos, não eram celebrados mais que uma vez por ano e aconteciam sempre aos domingos. Saía o cortejo "da casa do tribunal para a praça, onde em um vasto cadafalso se representava o drama sinistro. Ia na frente o guia, onde de um lado se via a imagem do padroeiro da Inquisição São Pedro Mártir, dominicano inquisidor, sacrificado em Verona pelos hereges; do outro o emblema do Santo Ofício, o ramo de oliveira ao qual se sobrepunha a palavra Misericórdia, a espada a encimá-la o letreiro Justiça. Após o estandarte, as comunidades religiosas, e em seguida os penitenciados pela ordem das culpas, começando das mais leves, com seus hábitos penitenciais. Os que já sentenciados à morte na fogueira usavam pintadas no sambenito, em vez das aspas, labaredas invertidas, chamadas fogo revolto, ia um grande crucifixo, com a face do Cristo voltada para os relaxados, que seguiam na cauda, com figuras ridículas de demônios, chamas ao alto, e um suposto retrato seu no sambenito; na cabeça a mitra, denominada carocha, às vezes com o rótulo do crime; e a esses acompanhavam os confessores, quase sempre jesuítas [...]. Quando a procissão tinha chegado ao destino, caminhavam os Inquisidores, segundo o regulamento, a cavalo. Tomados os lugares no tablado, onde se achavam as principais autoridades, e em Lisboa muitas vezes o soberano e família real, dava princípio a cerimônia um sermão, em que alternavam com exortações aos heréticos os louvores à mansidão e excelências do tribunal. Em seguida, saíam em turmas, na média de seis, os penitenciados a ouvir de joelhos ler as sentenças, e perante um altar, disposto no local, pronunciar as fórmulas da abjuração. Aos ausentes, condenados à pena capital, lia-se em ato público a sentença, e se executava em um manequim que, figurando o réu, era com as usuais formalidades lançado à fogueira. Com os defuntos achados em culpa, quer falecidos nos cárceres, quer nunca apreendidos, se procedia de modo idêntico, levando a queimar os ossos desenterrados e, não se encontrando estes, o manequim figurativo. E se lhes infligia a pena de confisco, da mesma sorte que aos vivos, pelo que eram citados os herdeiros para a defesa, como interessados. Só a prescrição legal de quarenta anos livrava da apreensão os bens".[13] No fim do século XVI, a Inquisição chegou ao auge em Portugal. Não é por acaso que o fim do século XVI coincide com o período de maior esvaziamento da comunidade judaica na Península Ibérica, tendo ela imigrado para diversos países europeus, África, Oriente Médio e para o Novo Mundo.

E é essa Inquisição, tomada de uma virulência poucas vezes observada em toda a sua história, que desembarcará no Brasil em 1591. Quando Heitor Furtado de Mendonça chegou ao Brasil e trouxe consigo oficialmente a primeira visita do Santo Ofício, ele publicou um comunicado em cada comunidade que visitou – Bahia, Pernambuco e Paraíba – no qual dava trinta dias para que as pessoas pudessem, por conta própria, se apresentar à Inquisição a fim de se confessar ou para fazer alguma delação.

O texto era assustador: "Somos informados, por informação de pessoas fidedignas e por fama pública, que nos ditos reinos e senhorios de Portugal, há algumas pessoas, tanto homens como mulheres, que não temendo o Senhor Deus, nem o grande perigo de suas almas, apartados de nossa Santa Fé Católica, têm dito, feito, cometido e perpetrado delitos e crimes de heresia e apostasia contra a dita nossa Santa Fé Católica, tendo, crendo, guardando, e seguindo a lei de Moisés e seus ritos, preceitos, cerimônias, tendo outras opiniões e erros heréticos; querendo nós, como por nosso ofício de Inquisidor-Mor, somos obrigados, para glória, honra, e louvor de N. Senhor e Salvador Jesus Cristo, e exaltamento da Santa Fé Católica reprimir as ditas heresias, arrancá-las do povo Cristão, pela dita autoridade Apostólica, a nós nesta parte cometida. A vós requeiramos e admoestamos que dentro de trinta dias venhas, e cada um de vós venha ante nós pessoalmente, a nos dizer e notificar qualquer pessoa, ou pessoas de qualquer estado, condição, grau, e proeminência, que seja, ou sejam, presentes ou absentes que nos ditos Reinos e Senhorios de Portugal, vistes, ou ouvistes, que foram, ou são hereges, ou herege, difamados, ou difamadas, suspeitos ou suspeitas de heresia, ou que mal sentiram, ou sentem dos Artigos da Santa Fé, ou do Santo Sacramento, ou que se apartaram, ou apartam da vida, e costumes dos fiéis cristãos."[14]

Em relação às práticas judaizantes, recomendava a Inquisição que as pessoas confessassem ou denunciassem os seguintes sinais:

"- se degolam a carne, e aves, que hão de comer, à forma e modo judaico, atravessando-lhe a garganta, provando, e tentando primeiro o cutelo na unha do dedo da mão, e cobrindo o sangue com terra por cerimônia judaica.

- que não comem toucinho, nem lebre, nem coelho, nem aves afogadas, nem enguia, polvo nem congro, nem arraia, nem pescado, que não tenha escama, nem outras coisas proibidas aos judeus na lei velha.

- se sabem, viram, ou ouviram, que jejuaram, ou jejuam, o jejum maior dos judeus, que cai no mês de setembro, não comendo todo o dia até noite, que saiam as estrelas, e estando aquele dia do jejum maior, descalços, e comendo aquela noite carne, e tigeladas, pedindo perdão uns aos outros.

- se viram, ou ouviram, ou sabem alguma pessoa, ou pessoas jejuaram, ou jejuam o jejum da Rainha Esther por cerimônia judaica, e outros jejuns que os judeus soíam e costumavam de fazer, assim como os jejuns das segundas e quintas-feiras de cada semana, não comendo todo o dia, até a noite. [...]

- se por morte de alguns, ou de algumas, comeram ou comem em mesas baixas, comendo pescado, ovos, e azeitonas, por amargura, e que estão detrás da porta, por dó, quando algum, ou alguma morre, e que banham os defuntos, e lhes lançam calções de lenço, amortalhando-os com a camisa comprida, pondo-lhe em cima uma mortalha dobrada, à maneira de capa, enterrando-os em terra virgem, e em covas muito fundas, chorando-os, com suas literias cantando, como fazem os judeus e pondo-lhes na boca um grão de aljófar ou dinheiro de ouro ou prata, dizendo que é para pagar a primeira pousada, cortando-lhes as unhas, e guardando-as, derramando e mandando derramar água dos cântaros, e potes, quando algum, ou alguma morre, dizendo, que as almas dos defuntos se vêm ali banhar, ou que o Anjo percuciente, lavou a espada na água. [...]

- que quando nasceram, ou nascem seus filhos se os circuncidam, e lhe puseram, ou põem secretamente nomes de judeus.

- se depois que batizaram, ou batizam seus filhos, lhe raparam ou rapam o óleo, e a crisma, que lhes puseram, quando os batizaram."[15]

Em relação às celebrações muçulmanas, a Inquisição recomendava que as pessoas confessassem ou denunciassem os seguintes sinais: "Se algumas pessoas, ou pessoa nos ditos Reinos, e Senhorios de Portugal, sendo batizados, e tornados cristãos, tiveram ou têm; e rezam ou creem, seguiram ou seguem a seita de Mahamede, fizeram ou fazem ritos preceitos e cerimônias maométicas, jejuando o jejum de Ramadan, ou Ramedan, não comendo todo dia, até noite saída a estrela, banhando todo o corpo, e lavando o rosto, e os ouvidos, e os pés e as mãos, e os lugares vergonhosos, e fazendo oração, estando descalços, rezando orações de mouros, guardando as sextas-feiras, das quintas-feiras à tarde por diante, vestindo-se, e ataviando-se nas ditas sextas-feiras, de roupas limpas, e joias de festa, não comendo toucinho, nem bebendo vinho, por rito, e cerimônia maomética, por guarda, e observância da dita festa: fizeram, ou fazem outros ritos, e cerimônias, assim da lei dos judeus, como da dita seita de Mohamede."[16]

Em relação aos ateus, a Inquisição recomendava que as pessoas confessassem ou denunciassem os seguintes sinais:

"- que não creram, ou não creem no Santíssimo Sacramento do Altar, e que aquele pão material, ditas as palavras da consagração pelo Sacerdote, se torna o verdadeiro corpo de Nosso Senhor, e Salvador, Jesus Cristo, e o vinho seu verdadeiro, e precioso sangue.

- que não creem os Artigos da Santa Fé Católica, e, que negaram, ou negam, alguns, ou alguns deles.

- que os sacrifícios, e missas, que fazem na Santa Igreja não aproveita para as almas.

- se afirmaram, ou afirmam, que o Santo Padre, e Prelados, não têm poder para ligar, nem absolver, ou que a confissão, se não há de fazer, nem dizer a Sacerdote, mas que cada um se há de confessar em seu coração.

- que disseram, ou dizem, que a alma saída de seu corpo, entra em outro, e que assim há de andar, até o dia de Juízo. E assim se disseram, ou dizem, que o Judeu, e Mouro, cada um em sua lei se pode salvar também, como o Cristão na sua.

- que negaram, ou negam a virgindade, e pureza de Nossa Senhora dizendo, que não foi Virgem antes do parto, no parto e depois do parto. Ou que nosso Senhor Jesus Cristo, não é verdadeiro Deus e homem, e o Messias na lei prometido.

- se sabeis, vistes ou ouvistes, que algumas pessoas se casassem duas vezes, sendo o primeiro marido, ou a primeira mulher, vivos, sentindo mal do Sacramento do matrimônio."[17]

Em relação aos hereges, de modo geral, bruxas, nigromantes, astrólogos, a Inquisição recomendava que as pessoas confessassem ou denunciassem os seguintes sinais: "Se sabeis, vistes ou ouvistes, que algumas pessoas, ou pessoa, fizeram ou fazem certas invocações dos diabos, andando como bruxas de noite em companhia dos demônios, como os maléficos feiticeiros, maléficas feiticeiras costumam fazer, e fazem encomendando-se a Belzebu e a Satanás e a Barrabás, e renegando a nossa Santa Fé Católica, oferecendo ao diabo a alma, ou algum membro, ou membros de seu corpo, e crendo nele, e adorando-o, e chamando-o para que lhes diga coisas que estão por vir, cujo saber, a só Deus todo poderoso pertence.

- se algumas pessoas, ou pessoa, têm livros, e escrituras, para fazer os ditos cercos, e invenções dos diabos, como dito é, ou outros alguns livros, ou livro, reprovados pela Santa Madre Igreja. [...]

- se vistes, ou ouvistes, que algum Judeu de sinal, ou Mouro, nesses Reinos e senhorios de Portugal procurassem, ou procurem, de induzir, e provocar algum cristão novo, ou velho, para o tornar ao judaísmo ou seita maomética. [...]

E porém porque os cristãos novos que de judeus se tornaram cristãos e os que dele descendem por linha de pai ou mãe são perdoados, desde doze dias do mês de outubro, do ano passado, de mil e quinhentos e trinta e cinco anos para cá, de todos os crimes de heresia, e apostasia da Fé, de qualquer qualidade e gravidade que sejam, que até o dito dia, de doze de outubro do dito ano passado cometeram: declaramos per essa nossa carta, e dizemos, que dos ditos crimes, e delitos de heresia, e apostasia, que até o dito dia cometeram, nos não venhais dizer, nem notificar, posto caso que o saibais, visses, ou ouvisses, e somente dos ditos novos cristãos que de Judeus se tornaram Cristãos, e de seus descendentes per linha paterna, ou materna. E nos vireis dizer e notificar pessoalmente os ditos crimes, ritos e cerimônias judaicas acima ditas, expressas e declaradas, que lhe vistes ou ouvistes fazer. Desde o dito dia de doze de outubro do dito ano passado, a esta parte."[18]

Diante dessas intimações, seguidas de ameaças de excomunhão, muitos compareceram espontaneamente e confessaram seus pecados, já outros foram denunciados, condenados e presos. Dessa primeira visita ao Brasil resultaram nove livros: três de confissões, quatro de denunciações e dois de ratificações. Em 2 de setembro de 1593, Heitor Furtado de Mendonça e a Inquisição desembarcam em Pernambuco, onde permaneceram até 8 de fevereiro de 1594. Era a realização de um desejo secreto que, como vimos, a Companhia de Jesus alimentou e nutriu desde 1549 com a fundação do Governo-geral no Brasil.

Todos os condenados foram levados a Lisboa para os autos de fé. Ao todo estima-se que cerca de dois mil brasileiros foram vítimas da Inquisição. Na maioria dos casos, a pena foi de confisco, mas alguns foram queimados na fogueira em praça pública, como, por exemplo, Anna Roiz e Isaac Tartas.

Anna Roiz, uma senhora octogenária que morava em Pernambuco e tinha posses foi acusada de práticas judaizantes. Segue o seu processo: "Confissão de Anna Roiz, cristã nova, 1 de fevereiro de 1592. Disse ser cristã nova, natural de Covilhã, filha de Diogo Dias, mercador cristão novo e de sua mulher Violante López, já defuntos, viúva, mulher que foi de Heitor Antunes, cristão novo, mercador defunto, de idade de oitenta anos e confessando-se disse que de quatro a cinco anos nesta parte não come cação fresco porque lhe faz mal ao estômago, mas que o come salgado, assado e outrossim; não come raia, mas que nos outros tempos atrás comia raia e cação e que de dois anos a esta parte costuma muitas vezes, quando lança a benção a seus netos dizendo a benção de Deus e minha te cubra lhes põe a mão estendida sobre a cabeça depois que lhe acaba de lançar a benção e que isto faz por desastre. E que há quinze anos pouco mais ou menos que morreu o dito seu marido Heitor Antunes e que, no tempo do nojo da sua morte, ela esteve assentada detrás da porta também por desastre por acontecer ficar ali assim a jeito seu assento e que há trinta e cinco anos que morreu seu filho per nome Antão e depois que morreu lançou e mandou lançar água fora dos potes de água que estavam em casa fora e por nojo de sua morte esteve os primeiros oito dias sem comer carne e estas coisas não sabia que era de judeus porque as ensinou uma sua comadre cristã velha, Inés Roiz, parteira, viúva, cujo marido fora um carpinteiro a qual agora já é defunta e no dito tempo era muito velha e morava defronte dela, confessante a qual lhe ensinou isso dizendo ser bom e por isso o fez e cuidando ela ser isto bom o ensinou também neste Brasil a suas filhas, dona Leonor, mulher de Anrique Monis, e Beatriz Antunes, mulher de Bastiam de Faria. [...] E perguntada quanto tempo há que ela confessante começou a ser judia e a deixar a fé de Nosso Senhor Jesus Cristo respondeu que nunca até agora foi judia e sempre até agora teve a fé de Nosso Senhor Jesus Cristo, mas que fez as ditas cousas e cerimônias sem tenção alguma de judia, não entendendo nem sabendo que eram cerimônias judaicas, mas parvamente as usava por as terem ensinado [...] e logo foi admoestada pelo senhor visitador com muita caridade que ela use de bom conselho e que pois está em tempo de graça que para ela a alcançar lhe é necessário fazer confissão inteira e verdadeira nesta mesa e confessar a sua tenção judaica e que confessando ela a sua tenção e toda a verdade interior lhe aproveitará muito pera alcançar perdão, respondeu que ela tem dita a verdade que nunca fez as ditas coisas com ruim tenção nem com coração de judia, nem de ofender a Deus e nunca cuidou que nas ditas coisas o ofendia. Logo pelo dito senhor visitador lhe foi dito que esta mui forte presunção contra ela que é judia e vive na lei de Moisés e se afastou da nossa Santa Fé Católica e que não é possível fazer ela todas as ditas cerimônias de judeus tão conhecidas e sabidas, serem cerimônias dos judeus como botar água fora quando alguém morre e não comer oito dias carne no nojo e jurar pelo mundo que tem a alma do defunto e não comer cação, nem raia e pôr a mão na cabeça dos netos, quando lhe lançava a benção, tudo isto são cerimônias manifestamente judaicas e que ela não pode negar e que por isso fica claro que ela é judia e que as fez como judia e contudo ela confessante disse e afirmou que ela nunca fez as ditas coisas com tenção ruim de judia nem de ofensa de Jesus Cristo, mas que as fez por ignorância como dito tem e não come o cação nem raia fresco porque lhe faz mal e quando punha a mão na cabeça dos netos era por desastre e que de toda a culpa que tem em fazer as ditas coisas exteriores, sem ter a dita tenção ruim interior como dito tem, pede perdão e misericórdia neste tempo de graça confessou mais que a dita sua comadre Inés Roiz lhe ensinou mais que quando amortalhavam algum finado, não era bom dar agulha para o coserem na mortalha nem era bom tirar ramo nem pedaço fora do lençol em que amortalhavam, mas que havia de ser com o lençol inteiro e que não era bom a vassoura com que varriam a casa emprestá-la a nenhuma vizinha para varrer a sua e que ela confessante não se afirma bem se ensinou estas coisas a suas filhas e prometeu ter segredo e foi lhe mandado pelo senhor visitador que não se saísse desta cidade sem sua licença."[19]

E porque não comia cação e benzia os netos Anna Roiz foi – aos oitenta anos, idade raríssima de se chegar no século XVI – queimada na fogueira da Inquisição em praça pública de Lisboa. É óbvio que por trás dessa condenação estava o famigerado confisco de bens. A

Inquisição sempre foi uma instituição extremamente venal. Para ela não interessava o tanto de pecado ou de heresia que o denunciado ou confidente tinha acumulado, mas, sim, a quantidade de dinheiro. A questão não era, portanto, religiosa ou espiritual, era pecuniária.

Outro que foi queimado por práticas judaizantes foi o filósofo francês Isaac Tartas, preso em Pernambuco nas guerras entre portugueses e holandeses, mas que, diferentemente da pobre Anna Roiz, enfrentou com coragem seus carrascos inquisidores assumindo ser judeu, como se pode notar em seu processo: "Interrogatório em 16 de dezembro de 1644, na Bahia, pelo bispo do Brasil d. Pedro da Silva: 'Perguntado como é seu nome, de que idade e de que nação é, respondeu que se chamava Joseph de Liz, de idade de dezenove anos, natural por nascimento da França, filho de Abrahão Alcatoga; e sua mãe, mulher de seu pai, se chama Sara, moradores em Avinhão na França: e com os ditos seus pais esteve até ser de nove ou dez anos, e fugido foi ter a Tartas, vila de França, onde o recolheu Pedro de Campo, francês, ali morador, letrado. E este o mandou estudar a Bordeaux e a Paris, e nisto gastaria oito anos; e estudou filosofia e princípios de medicina, e daí se foi a Amsterdã, de onde se foi por uma pendência, e daí se embarcou para Pernambuco e aí está há quase dois anos, e parte deles gastou em Pernambuco, na Paraíba e no Recife, e em Guiana, e há dois meses que de lá partiu para esta terra. Perguntado se é cristão e batizado, disse que cristão é, mas não batizado.' Interrogatório de Lisboa, em 22 de junho de 1645: 'É verdade ser ele declarante natural da província de Gascunha, reino de França, e que seus pais se chamam Cristovão Luis, natural da cidade de Bragança, e Isabel de Paz, natural da mesma cidade, um e outro cristãos novos e que vivem ao presente em Amsterdã, observantes da lei de Moisés, que é a mesma que ele declarante segue. Perguntado que fundamento tem ele réu para se persuadir que não é cristão batizado, disse que dizer-lhe a dita sua mãe que o não fora, e que na ocasião em que o devia ser, conforme ao costume da terra em que nasceu e com que ela dita sua mãe costumava batizar os mais filhos irmãos dele declarante, tomara o filho de uma lavradora que na mesma ocasião nascera, e o fizera batizar fingindo ser ele declarante. Na mesma sessão disse que enquanto esteve na sua pátria frequentava as igrejas, como os outros rapazes cristãos, mas depois, passando a Bordeaux, terra mais populosa, não havia mister dessa dissimulação.' Admoestado para que renegasse seus erros, declarou na sessão de 19 de novembro de 1645: 'Como hebreu e nascido de pais hebreus, e sujeito às leis do povo de Israel, não podia haver salvação senão na crença da lei de Moisés, e com este fundamento se resolveu e fortificou em persistir na crença da dita lei de Moisés, com muito firme propósito de a confessar até dar por ela a vida.' No cárcere, observava os ritos judaicos, como lhe era possível, guardando os sábados e dias de Páscoa, jejuando e orando, segundo a sua crença. Consentiu em ouvir a teólogos, encarregados de o persuadirem e com eles discutiu, não cedendo ponto de sua doutrina, e argumentando estarem as Escrituras falsificadas pelos católicos. Uma certidão do notário, junta ao processo, informa que, durante a sessão de 15 de novembro de 1647, passando na rua o Santíssimo Sacramento, se puseram os Inquisidores de joelhos, e lhe ordenaram fizesse o mesmo, ao que ele se recusou. Quando lhe notificaram a sentença de morte, tornou que Deus tivesse piedade da sua alma, e que já há muito esperava a sentença. Esta o declara herege apóstata, convicto e confesso, profitente, afirmativo e pertinaz, e como tal o condenam na excomunhão maior, confiscação de todos os bens e à morte na fogueira na justiça secular. No seu processo nº 11.550 da Inquisição de Lisboa, no final encontra-se a certidão passada em 3 de janeiro de 1648 pelo escrivão do crime da Corte da Casa da Suplicação, João de Moraes Homem, de que viu queimar vivo o réu Isaac Tartas ou José de Liz."[20]

O caso de Branca Dias é também um exemplo da perseguição atroz perpetrada pela Inquisição, pois foi condenada em Portugal, onde permaneceu presa por dois anos nas condições que vimos denunciadas pelo padre Antônio Vieira, nos cárceres de Lisboa, e seus filhos e netos foram igualmente perseguidos e condenados em Pernambuco.

O processo de Branca Dias, registrado sob o nº 5.736 do Tribunal do Santo Ofício da Inquisição de Lisboa, registra que ela era casada com o mercador Diogo Fernandes e que acusada de judaísmo foi sentenciada, em 12 de setembro de 1543, "à abjuração pública, dois anos de cárcere e hábito penitencial, ficando reservada a sua comutação e dispensa". Quando deixou a prisão, Branca Dias imigrou para o Brasil, onde morreu em 1558. Já sob nº 4.580 do Tribunal do Santo Ofício da Inquisição de Lisboa, está registrado o processo da filha de Branca Dias, Beatriz ou Brites Fernandes, que, residente em Pernambuco, foi acusada de práticas judaizantes e presa na cidade de Olinda em 1595, por ocasião da visita da Inquisição àquela cidade. Foi sentenciada a "ir ao Auto de Fé, abjuração em forma, cárcere e hábito penitencial perpétuo, penitências espirituais, além do confisco de bens". Outra filha de Branca Dias e sua neta, Andresa Jorge e Brites de Souza, foram sentenciadas de acordo com os processos nº 4.273 e 6.321 a "irem ao Auto de Fé; abjuração de veemente suspeita na Fé; cárcere a arbítrio; penitências espirituais; pagamento de custas". Briolanja Fernandes, enteada de Branca Dias, filha de seu marido, Diogo Fernandes, foi sentenciada a "ir ao Auto de Fé em corpo, com uma vela acesa na mão, onde abjure de veemente suspeita na Fé, tenha cárcere a arbítrio dos inquisidores, tenha penas e penitências espirituais, instrução na Fé e pague as custas". Tanto os restos mortais de Diogo Fernandes quanto os de Branca Dias teriam sido levados a Lisboa onde foram queimados no mesmo auto de fé que condenou os filhos e netos. Eles eram proprietários do famoso engenho de Camaragibe, onde havia uma sinagoga e onde se reuniam os judeus da Nova Lusitânia para os rituais judaicos. Não há dúvidas de que todas essas condenações tinham um fim meramente pecuniário.

Houve também mulheres que foram penitenciadas por bruxaria, embora nenhuma tenha comparecido para as confissões. Três foram citadas com frequência pelos denunciantes: Isabel Rodrigues, de alcunha Boca Torta; Antonia Fernandes, de alcunha Nóbrega; e Maria Gonçalves, de alcunha Arde-lhe o Rabo. Boca Torta, a mais modesta, apenas fornecia certos pós miríficos e ensinava orações fortes. A Nóbrega, proxeneta de gostos torpes e sacrílegos, impava de pacto com o diabo; possuía num vidro certa coisa que falava e respondia quando lhe perguntavam, amiga de cebolas e vinagre, que gostava lhe dessem uma vez por semana. Arde-lhe o Rabo dez anos antes foi degredada por feiticeira, desembarcara em Pernambuco, onde estivera de carocha, uma espécie de chapéu que os condenados pela Inquisição levavam na cabeça ao serem conduzidos para o suplício à porta de igreja.

Muitos dos denunciados, tanto na Bahia como em Pernambuco, não foram encontrados, pois estavam em viagem ou penetrados no sertão, o que justamente a Coroa espanhola queria proibir, tanto que nas recomendações constava a proposição de que: "Depois de nesta Mesa serem sentenciados alguns homens de culpas cometidas no sertão, aos quais (por se lhes tirar a ocasião de tornar a cometer tais culpas) foi mandado em suas sentenças que não tornem mais ao sertão. Se assentou nela que somente quando os Governadores-Gerais destes Estados mandassem ao sertão destruir alguma abusão da chamada Santidade, ou dar algum socorro em guerra, ou descobrir minas de metais, salitre, e enxofre, poderão ir os tais Condenados com licença desta Mesa, ou em sua ausência, do Bispo deste Estado. Baia, a 2 de agosto de 1593 – O Bispo, Heitor Furtado de Mendonça."[21]

Era notório durante todo o período inicial da colonização que, além da produção de açúcar, judeus estavam envolvidos na prospecção de riquezas minerais no sertão e estavam até passando ao Peru, e esta, claro, era a grande preocupação da Espanha.

Esse avanço da Inquisição no Brasil dificultará as parcas relações comerciais que ainda resistiam entre Brasil e Portugal. A produção de açúcar no Brasil era inteiramente monopolizada por judeus sefarditas, desde o financiamento, passando pelo transporte, pelo refinamento, até a distribuição do produto final na Europa. Grande parte do capital dos judeus sefarditas, que havia sido salvo dos confiscos de bens e dos incontáveis autos de fé ao longo dos anos, estava empregada na produção do açúcar no Brasil. Dessa forma, a presença da Inquisição era nefasta para o equilíbrio das negociações.

Quando ocorreu a União Ibérica, em 1580, uma das primeiras atitudes de Felipe II foi dificultar o acesso dos holandeses ao porto de Lisboa e ao Brasil. Dada as dificuldades, desde 1594, Felipe II, "em atenção às queixas dos contratadores do comércio das Índias e dos negócios com o Brasil, onde não podiam continuar sem uma perseguição mais decidida aos piratas e inimigos, concedeu licença para que urcas e outros navios da Holanda viessem ao Brasil em duas frotas anuais de vinte navios de duzentas toneladas. Os navios deveriam ser bem providos de aprestos e equipagem holandesa, para que pudessem levar convenientemente, e trazer quatro mil toneladas de carga, assim como resistir aos ataques. Deveriam além disso, permanecer em Lisboa por tempo limitado e conduzir piloto português, associando-se, para melhor segurança, os interessados e os arrais dos barcos".[22]

No entanto, em 1598, já no reinado de Felipe III, sem que tivesse sido revogada oficialmente, ou em tempo hábil, a decisão de Felipe II, baixa-se o que Hugo Grotius chamará "um édito bárbaro". Em virtude dessa nova ordem, acrescenta o autor do *Mare Liberum*, navios e mercadorias da Holanda foram sumariamente confiscados, examinaram-se os papéis de todos os agentes e encarceraram-se os homens ocupados nesse tráfico, de sorte que "muitos milhares se viram mandados às galés".[23]

No ano seguinte, em 1599, o almirante holandês Leynssen e os capitães Hartman e Boers atacaram e invadiram a Bahia e toda a área do Recôncavo baiano assaltando engenhos e vilarejos. Era a primeira de muitas invasões holandesas ao Brasil. Tudo isso por conta da Inquisição, que tinha desestabilizado os negócios. Era uma declaração de guerra, e desse modo judeus sefarditas exilados nos Países Baixos foram os grandes financistas da Companhia das Índias Orientais (1602), que tomou grande parte do império português na África e na Ásia. Em 1605, houve uma tentativa de comprar a paz. A situação econômica da Espanha era sempre deficitária, pois ela não conseguia sustentar o custo imenso do seu império, sobretudo o custo altíssimo com defesa – muitas vezes maior que o lucro obtido.

Um grupo de empresários e banqueiros judeus tentou acabar com as diferenciações que se faziam entre cristãos novos e velhos e, assim, eliminar as barreiras religiosas que impediam o livre desenvolvimento comercial dos judeus na Espanha, em Portugal e nas colônias. Mas foi apenas após a morte de Felipe II, em 1598, que as negociações prosperaram. O grupo oferecera cerca de 800 mil ducados para Felipe III, que, depois de enormes embates com a Inquisição, fechou o negócio em 1.700.000 ducados. O papa Clemente VIII publicou um Breve de perdão aos judeus, em 1604, que beneficiou cerca de 410 pessoas que estavam presas pela Inquisição. Não duraria muito tempo, pois, entre 1618 e 1623, a Inquisição estava no Brasil para fazer uma verdadeira devassa nos negócios de judeus no Brasil. Estima-se que em Portugal, nesse período, cerca de 2.500 pessoas tenham sido perseguidas e cerca de 200 queimadas. A violência da Inquisição foi o estopim que deixou claro, de uma vez por todas, que não era mais possível procrastinar a invasão do Brasil e a defesa dos negócios dos holandeses.

O que chama atenção nos Arquivos da Inquisição na Torre do Tombo, em Lisboa, é a contabilidade, a minúcia organizacional que revela ter sido a Inquisição uma empresa multinacional sofisticadíssima para a época, meticulosamente estruturada e, sobretudo, altamente rentável. É impressionante como se apoderavam de absolutamente tudo, de anéis e colares até fazendas e engenhos, a ambição desmedida era algo sem precedentes.

Em 1619, a Inquisição organizou outra expedição ao Brasil, chefiada por Marcos Teixeira. Era quase certo que os holandeses atacariam e invadiriam o Brasil para acabar definitivamente com o *playground* macabro da Inquisição e da Companhia de Jesus.

Em Amsterdã, a paciência havia definitivamente se esgotado.

Era só esperar o furacão chegar ao Brasil.

DA NOVA LUSITÂNIA A MANHATTAN: A ASCENSÃO DO BRASIL HOLANDÊS

E o furacão que estava a caminho do Brasil tinha nome e sobrenome: chamava-se West-Indische Compagnie (WIC) – Companhia das Índias Ocidentais. Ela surge das valiosas informações passadas aos investidores em Amsterdã por ao menos três comerciantes holandeses experientes no trato com o Brasil.

O primeiro deles chamava-se Adriaen Verdonck, que morava em Olinda, de onde redigiu um informe intitulado *Memória apresentada aos Senhores do Conselho desta cidade de Pernambuco, sobre a situação, lugares, aldeias e comércio da mesma cidade, bem como de Itamaracá, Paraíba e Rio Grande segundo o que eu, Adriaen Verdonck, posso me recordar*. O segundo deles chamava-se Dierick Ruiters, que oscilava entre ser comerciante e pirata, e escreveu um texto intitulado *Toortse der Zee-Vaart* [*Tocha da navegação*], no qual oferecia aos holandeses todo seu conhecimento em navegação pelas costas da África e do Brasil, *expertise* fundamental para quem quisesse invadir o país. O último e mais importante deles chamava-se Jan Andreas Moerbeck, que elaborou o mais importante documento sobre a realidade do comércio no Brasil, intitulado *Motivos por que a Companhia das Índias Ocidentais deve tentar tirar ao rei da Espanha a terra do Brasil, e isto quanto antes*. Esse texto foi amplamente distribuído e lido pelos investidores holandeses na tentativa de convencê-los das enormes vantagens e da necessidade de invadir o Brasil. A proposta de Moerbeck teria ocorrido numa reunião em Haia nos dias 4, 5 e 6 de abril de 1623 – período em que a Inquisição voltava a rondar perigosamente o Brasil –, e na ocasião estavam presentes ninguém mais, ninguém menos que o príncipe Maurício de Orange-Nassau e os mais importantes acionistas da WIC, bem como os homens mais poderosos dos chamados Estados Gerais.

Em suma, os argumentos defendidos por eles eram que: "Os negócios de Portugal minguariam e até mesmo deixariam de existir com a perda do Brasil e com isso os comerciantes ingleses, franceses, escoceses, austríacos e dinamarqueses não mais encontrariam açúcar nos portos de Portugal [...]. Desse modo, estando a Companhia das Índias Ocidentais em perfeito estado, ela não pode projetar coisa melhor e mais necessária do que tirar ao Rei da Espanha a terra do Brasil, apoderando-se dela."[1] A partir daí projetava o autor que: "Muitos negociantes holandeses que costumam aplicar seus capitais na França, Inglaterra, Áustria e que, com a conquista do Brasil, passariam a empregá-los na produção e comércio do açúcar."[2]

Além dessas, as razões são muitas e de diferentes espécies, a saber: "Os habitantes são inexperientes em assuntos militares; apoderar-se desse país consiste somente em tomar duas cidades: Pernambuco e Bahia; estando as duas cidades mencionadas perto do mar poderá a Companhia aproximar-se delas imediatamente com seus soldados e instrumentos [...] essas duas cidades poderão ser atacadas e tomadas de modo inesperado; a Companhia das Índias Ocidentais conseguirá grande tesouro em navios e mercadorias, pois, por ocasião do assalto, haverá na Bahia e Pernambuco grande quantidade dos mesmos. Assim, elas podem ser atacadas, confiscadas e conquistadas conjuntamente pela Companhia das Índias Ocidentais; a nação portuguesa fixou-se na costa marítima do Brasil, de modo que ali se pode chegar com um exército e explorá-la, plantando cana, produzindo açúcar, tabaco e gengibre, semeando outros frutos e vendendo todos esses gêneros aos negociantes de Portugal ou, então, mandando-os para cá. Há, pois, nessa terra muitas pessoas ricas e poderosas, às quais se poderia aplicar, por motivo da conquista, um imposto por cabeça, em proveito da Companhia das Índias Ocidentais. Tal imposto importará em muito e será pago sem grandes oposições, visto que aquelas pessoas, bem como todos os residentes portugueses, serão, em troca, libertados da tirania e da Inquisição espanholas e levados à obediência de Sua Majestade e Excelência."[3]

Segue Moerbeck em seus argumentos auspiciosos: "Desta terra do Brasil podem, anualmente, ser trazidas para cá e aqui vendidas ou distribuídas sessenta mil caixas de açúcar. Estimando-se as mesmas, atualmente, em uma terça parte de açúcar branco, uma terça parte de açúcar mascavado e uma terça parte de açúcar panela, e avaliando-se cada caixa em quinhentas libras de peso, poder-se-ia comprar no Brasil, sendo estes os preços comuns nesse país, o açúcar branco por oito vinténs, o mascavado por quatro e o panela por dois vinténs a libra, e revender, respectivamente, por dezoito, doze e oito vinténs a libra; e descontando-se doze florins de carga e de pequenas despesas por cada caixa, ter-se-ia um lucro de, aproximadamente, cinquenta e três toneladas de ouro. O pau-brasil, que compete anualmente ao Rei da Espanha, vale uma tonelada de ouro, livre de despesas. De outras diversas mercadorias, como tabaco, gengibre, xaropes, doces, a Companhia tirará, anualmente, um lucro de três a quatro toneladas de ouro. Da comunidade aí residente, a Companhia das Índias Ocidentais poderá tirar, anualmente, com o emprego de bons métodos, cuja enumeração é aqui desnecessária, pelo menos três a quatro toneladas de ouro. Os dízimos dos bens que o clero possui valem, também, anualmente, três a quatro toneladas de ouro. Todas as terras e rendas confiscadas do Rei e do clero deverão produzir, anualmente, umas três a quatro toneladas de ouro. Tudo isso junto importa cerca de setenta e sete toneladas de ouro, que a Companhia das Índias Ocidentais poderá tirar anualmente destas terras. Deduzindo-se desse total as despesas anuais para a guerra tanto no mar como em terra, a fim de manter em sujeição tais lugares e defendê-los contra o Rei da Espanha, as quais importarão aproximadamente vinte e sete toneladas de ouro, resta ainda para a Companhia um lucro anual de cinquenta toneladas líquidas de ouro, obtido com emprego de capital menor do que esta quantia."[4]

Além dessas enormes vantagens pecuniárias, Moerbeck também elenca uma série de outras no que concerne à fragilização da Espanha. Isso ajudaria na emancipação da Holanda e dos Países Baixos, pois embora a Holanda tenha declarado sua emancipação em 1581, imediatamente após a União Ibérica, seguiram-se a partir daí longas guerras e batalhas e os Países Baixos só conquistariam sua soberania em 1648, com a assinatura do Tratado de Westfália, após, portanto, a invasão do Brasil, provando que Moerbeck realmente tinha razão.

Com esses irresistíveis argumentos e com os pareceres favoráveis dos acionistas da WIC para o início dos trabalhos de intervenção, o comandante Jacob Willekens parte da Holanda, em 1624, com 26 navios e cerca de mil e setecentos homens e invade a Bahia, a capital do Brasil, sem despender muito esforço, prendendo e enviando para a Holanda o governador-geral do Brasil, Diogo de Mendonça Furtado. Foi mais fácil do que se imaginava, e a partir de então era questão de expandir os domínios e submeter as outras capitanias ao comando do novo governador-geral, Johan van Dorth. Mas a Espanha continuava sendo uma grande potência e a mítica invencível armada, com cinquenta e dois navios e doze mil homens, chegou ao Brasil no ano de 1625 e retomou a Bahia.

As escaramuças entre Holanda e Espanha, que estavam restritas à Europa, chegaram ao Brasil e à América do Norte. Nesse mesmo ano de 1625, ao mesmo tempo em que desejava tanto o Brasil, a Holanda vai investir de forma secundária numa espécie de plano B, ou seja, em outro território. Vai fundar um povoado chamado

Nova Amsterdã na atual ilha de Manhattan, que abrangia toda a parte sul onde hoje estão os bairros de Tribeca e Chinatown. A pequena muralha que construíram para se defender deu origem à famosa Wall Street dos dias de hoje. Eles não tinham a menor ideia, mas era ali naquele local então frio e inóspito que construiriam suas vidas. Mas naquele momento o Brasil era o melhor dos mundos, e eles tinham razão em investir no Brasil, pois em 1650, por exemplo, enquanto a Nova Amsterdã, Manhattan, tinha mil habitantes, a Nova Lusitânia, que eles transformariam em Nova Holanda, possuía seis mil. E em termos de comércio e produção de riqueza, ela era infinitamente mais próspera.

Nesse contexto de retomada da Bahia pelos espanhóis, com a derrota imposta aos holandeses, o almirante Pietersen Pieter Heyn atacou e se apossou de um substancial carregamento de açúcar. Em 1628, porém, executou o seu mais importante feito: atacou, no mar do Caribe, uma suntuosa frota espanhola composta de dezesseis navios carregados de prata, ouro, entre outros produtos. Essa riqueza compensou as perdas com a frustrada tentativa de tomada da Bahia e aparelhou economicamente a Companhia das Índias Ocidentais para atacar o Recife.

A Holanda vai conseguir invadir o Recife em 1630, sufocando com êxito os pequenos focos de resistência. Mas a decisão de invadir o Brasil vinha de muito antes.

Aquele pequeno povoado formado na época de Duarte Coelho (1534) caminhou para uma próspera região, a mais próspera do Brasil e, naquele momento, do mundo. À medida que a produção e o desenvolvimento da cultura do açúcar avançavam com novas técnicas de plantio, moagem e beneficiamento, mais atraíam investimentos, de modo que a maioria absoluta do capital ali investido provinha de investidores estrangeiros, sobretudo radicados na Holanda, mas que manejavam o capital da comunidade sefardita espalhada pelo mundo.

Martim Afonso, Duarte Coelho e, por que não, também d. João III tiveram uma percepção estratégica ao anteverem a possibilidade de fundar uma espécie de nação fora da Europa, longe da Inquisição, e de elevar substancialmente a produção de açúcar. Eles não sabiam, mas quando a produção açucareira explodisse nos anos posteriores e Portugal passasse a ser o maior fornecedor de escravos do mundo para essa região, a sorte teria sorrido para os portugueses. O negócio dos escravos e da produção do açúcar substituirá o declinante comércio de especiarias e a frustrante busca por metais preciosos no Brasil. Era como se Portugal tivesse atirado no que viu, mas acertado no que não viu e, nesse erro, ou espécie de acerto involuntário, se dado muito bem.

A Nova Lusitânia, ou Nova Holanda, a partir de 1630, era um mar de tranquilidade e prosperidade que justificava a reflexão de Diogo de Meneses de que "as verdadeiras minas do Brasil, tão ambicionadas pela Coroa, eram em realidade o pau-brasil e o açúcar produzido nas várzeas nordestinas".[5] Aqueles primeiros engenhos de Pernambuco, os engenhos abertos na Bahia e os engenhos dos Erasmos, em São Vicente, colocarão o Brasil no ciclo do desenvolvimento econômico. No final, de todas as possibilidades de riqueza vislumbradas na América, o que vai sobrar para Portugal são os escravos e o açúcar – o negócio com escravos movimentará fortunas para Portugal e Espanha.

Pode-se dizer que a instauração da Inquisição em Portugal, que se iniciou em 1530 e foi responsável pela mudança de planos do rei de Portugal, d. João III, em relação ao Brasil, e a criação das Capitanias Hereditárias foram dois eventos que influenciaram o rumo do Brasil. O sistema de produção e comércio que foi implantado no Brasil será o princípio de um modelo de negócio que abalará as bases nas quais estava assentado o mercantilismo e lançará as sementes do industrialismo. As especiarias que movimentavam o comércio mundial eram produtos naturais, que eram cultivados, mas não sofriam nenhum tipo de beneficiamento. O açúcar foi um dos primeiros produtos industrializados em grande escala na história do mundo moderno. A sua produção envolvia uma sofisticada racionalização do trabalho, levada a cabo por máquinas modernas que implicavam uma até então inédita transformação da natureza. Fora o trabalho escravo, todos os requisitos da Revolução Industrial estavam ali presentes. O capitalismo, o liberalismo econômico, o livre comércio e todas as teorias surgidas nos séculos XVI e XVII tiveram como grande laboratório e como vertente o Brasil.

A interdependência entre produção de açúcar e trabalho escravo vai formatar o melhor negócio do mundo no fim do século XVI e início do século XVII. Para Portugal era uma mão na roda, pois já que tinham mesmo de passar pelo território brasileiro para ir às Índias – seguindo a volta do mar –, aproveitaram para implantar um dos negócios mais rentáveis do mundo moderno: o de escravos. Por que implantaram uma produção de açúcar no Recife e não noutro lugar? Pernambuco era o ponto mais próximo das ilhas dos Açores – espécie de sede da empresa açucareira implantada no Brasil –, de Cabo Verde e da Europa e, por isso, facilitava a travessia de "mercadoria" tão perecível como os escravos. Lisboa se tornou um dos grandes entrepostos de escravos do mundo e os números provam. Entre 1501 e 1550 foram trazidos ao Brasil, pelos portugueses, 32.387 escravos; entre 1551 e 1600, 121.804; entre 1601 e 1650, 469.128; entre 1651 e 1700, 542.064; entre 1701 e 1750, 1.011.143; entre 1751 e 1800, 1.201.860; entre 1801 e 1850, 2.460.570; diminuindo apenas depois da proibição do tráfico de escravos, quando entre 1851 e 1900 entraram 9.309 escravos clandestinos no Brasil.[6]

A partir de 1630, a opulência do Brasil holandês será radicalmente o oposto do que era o restante do país naquele início de século XVII, contrastando brutalmente com a pobreza de outras cidades e regiões brasileiras. Nas demais capitanias predominavam aspectos rurais – quase toda a vida nacional se passava no campo, ao redor dos latifúndios, dos engenhos, das casas-grandes e das senzalas, pois "é efetivamente nas propriedades rústicas que toda a vida da colônia se concentra, durante os séculos iniciais da ocupação".[7] O Brasil holandês vai desenvolver, além do mundo rural, um aspecto predominantemente urbano. Mesmo considerando que, por um lado, a Companhia das Índias Ocidentais tivesse claros interesses comerciais, por outro, ela não deixou de implantar certos preceitos civilizatórios. A Nova Holanda se tornou, sem dúvida, uma das mais importantes e sofisticadas cidades do mundo no fim do século XVI e início do século XVII.

E se a opulência aparece nos números, as questões civilizatórias aparecem nas obras, na racionalização e no cuidado com o espaço. A economia holandesa passou a depender, em fins do século XVI e início do século XVII, inteiramente do suprimento regular do açúcar produzido no Brasil.

Portugal e os Países Baixos, antes da União Ibérica, "mantinham largo comércio, no qual os navios neerlandeses traziam para os portos portugueses não só mercadorias do norte da Europa – trigo, madeira, metais e manufaturas diversas –, como também produtos da sua própria indústria, sobretudo peixe, manteiga e queijo; de torna-viagem carregavam o sal grosso de Setúbal, vinhos, especiarias e drogas do Oriente e da África, açúcar e madeiras do Brasil. É com a União Ibérica que esse equilíbrio vai se romper".[8] Estima-se que "mais de 100 navios holandeses e alemães em serviço de transporte no Brasil no período de 1587 a 1599, e que de 1600 a 1605 esse total deveria ser pelo menos duplicado".[9]

O predomínio dos capitais e transportes neerlandeses foi de tal monta, que numa representação aos mercadores dessa nacionalidade, em 1622, dirigida aos Estados Gerais dos Países Baixos, encontra-se a informação de que, durante 1609-1621, cerca de 40 a 50 mil caixas de açúcar foram descarregadas nos Países Baixos, e que algo em torno da metade, ou de dois terços, do comércio de transporte do Brasil estivera em mãos holandesas e que, se em 1594 existiam nas Províncias Unidas três ou quatro refinarias de açúcar, seu número, em 1621, subira a vinte e nove, sendo vinte e cinco só em Amsterdã. Vê-se, assim, como o produto dos engenhos passara a representar um grande interesse para a economia neerlandesa.[10]

Por isso que, a partir de 1620, com a deterioração das relações entre a Espanha e a Holanda, os ataques vão se sucedendo de modo que, em 1630, se promove um segundo ataque ao Brasil, dessa vez contra Pernambuco, que era capitania de donatário e mal aparelhada na sua defesa, mas a principal e mais rica região produtora de açúcar no mundo de então. Existia ali e nas capitanias vizinhas mais de cento e vinte engenhos, que, nas melhores safras, davam mais de mil toneladas do produto.

Em relação à suntuosidade do Brasil holandês dão testemunhos o padre Fernão Cardim na sua obra *Tratados da terra e da gente do Brasil*, o frei Manuel Calado do Salvador em *O valeroso Lucideno e o triunfo da liberdade na Restauração de Pernambuco*, e, por fim, Gaspar Barlaeu no seu *História dos feitos recentes praticados durante oito anos no Brasil e noutras partes sob o governo do ilustríssimo João Maurício, conde de Nassau*.

Em 1637, o conde João Maurício de Nassau-Siegen foi nomeado governador, capitão e almirante-general das terras conquistadas ou por conquistar pela Companhia das Índias Ocidentais no Brasil, assim como de todas as forças de terra e mar que a Companhia aí tiver. Tudo aquilo que realizava no Brasil, Nassau organizava em relatórios acerca de toda a região ocupada no Brasil e enviava para os Estados Gerais. Por meio desses relatórios é possível conhecer a sua atuação no Brasil, como, por exemplo, a pitoresca plantação junto à sua residência de um "vasto pomar com árvores de fruto: 852 laranjeiras, 50 limoeiros, 80 pés de limões-doces, 80 romãzeiras, 66 figueiras, além de 700 coqueiros – que mandou transplantar para o seu jardim, já em pleno desenvolvimento, num trabalho técnico pioneiro – e ainda mamoeiros, jenipapeiros, mangabeiras e cajueiros".[11]

Do cuidado com suas propriedades particulares para o cuidado do bem comum, podemos destacar, por exemplo, a proibição do lançamento indiscriminado dos restos da produção de açúcar nos rios e açudes. Em relação à cidade de Recife, deve-se à atuação e ao constante interesse do conde de Nassau "os grandes melhoramentos então realizados no Recife, elevado pelos holandeses à categoria de capital de Pernambuco. Entre os trabalhos feitos neste tempo podem ser apontados os de urbanismo e sanitarismo urbano, também pioneiros na América do Sul. As ruas e praças – que, como em qualquer cidade da Holanda, eram denominadas de Heerestraat, Zeestraat, Pontstraat, Plein etc. – foram calçadas também muito à holandesa, com tijolos. Assim nos 417 metros quadrados da Pontstraat foram empregados 224.000 tijolos, nos 350 metros quadrados da Zeestraat 188.000 tijolos, nos 298 metros quadrados do Plein 160.000 tijolos, sendo que, como proteção à pavimentação, foi proibida a passagem, pelas ruas assim ladrilhadas, de carros de bois, nos quais se conduziam as pesadas caixas de açúcar (de mais de 300 quilos cada uma), passando a ser empregada desde então a via fluvial. Iniciativa sua foram ainda as duas grandes pontes – as primeiras talvez de tamanha extensão que se construíram na América – ligando o bairro do Recife à cidade Maurícia e esta ao continente. A primeira media 259 metros de comprimento e a segunda 318 metros e foram concluídas ambas em 1644".[12]

Na construção da cidade Maurícia, Mauritisstad, Nassau empregou todas as últimas técnicas urbanísticas e sanitaristas que se aplicavam nas melhores cidades europeias. Determinou os "arruamentos regulares e drenagem dos alagados por meio de canais. Mandou projetar pelo engenheiro Frederik Pistor ruas de traçado geométrico e canais, vendo-se muitas vezes o próprio Nassau deitando as medidas e endireitando as ruas, para ficar a povoação mais vistosa".[13] Construiu pequenas pontes sobre canais onde, por eles, "entravam canoas, batéis e barcas para o serviço dos moradores", tudo "a modo de Holanda".[14]

Uma de suas obras-primas foi "uma extensa calçada ou dique, ladeada por um canal navegável, foi disposta por ordem sua sobre os manguezais que se situavam entre a Fortaleza das Cinco Pontas – nome que os próprios holandeses lhe deram, de Vijfhoek – e a margem esquerda do rio dos Afogados, onde também foi levantada uma ponte de 110 metros de comprimento. Fez ainda o conde reunir, nos seus palácios, valiosas coleções de curiosidades da terra, tangapemas, arcos, setas, azagaias, redes e ornatos de pena indígenas, ricos mobiliários de jacarandá e de marfim, estes elegantemente torneados e lavrados, tudo feito no Brasil e com motivos ornamentais da flora tropical, folhas de coqueiros, cajus e abacaxis; grandes telas a óleo pintadas por Frans Post e Albert Eckhout, que foram os primeiros artistas a fixar aspectos da terra brasileira e a variedade de seus tipos humanos; e ainda vasta coleção de pintura a óleo sobre papel representando animais e plantas do Nordeste brasileiro e da África".[15]

Colaboraram com Nassau outros artistas: "Zacharias Wagener, natural de Dresden, a quem se devem não só curiosos desenhos representando uma dança do culto africano no Brasil – Xangô –, o Engenho Maciape, a residência do conde antes da construção de Vrijburg, o mercado de escravos do Recife, além de cópias de quadros de Eckhout, como também um texto sobre indígenas, negros e animais do Brasil, intitulado *Thierbuch*; Pierre Condreville, que fez o desenho para uma gravura que representa o assédio de Porto Calvo (1637) e que ilustra o livro de Baerle; e ainda Cornelis Sebastiaansz Golijath, que se declara 'cartógrafo' do conde e que nos deixou desenhos de fortes da Bahia (1638) e um valioso mapa do Recife em 1648 [...]. Favoreceu ainda os estudos de História Natural, de Astronomia e Meteorologia de George Marcgraf (1610-1644), inclusive mandando construir sobre o telhado da casa em que residiu de 1637 a 1642 um observatório (veja-se o desenho de Zacharias Wagener, representando 'Der Hof Sein Excellenz'), no qual aquele cientista teve ocasião de observar e descrever, pela primeira vez no Novo Mundo, um eclipse solar (13/11/1640). Obra extraordinária de Marcgraf foi o levantamento topográfico de extensa faixa territorial costeira entre o Rio Grande do Norte e Sergipe, concluído em 1643, e pela primeira vez impresso em 1647, em grande formato e sob o título *Brasília qua parte paret Belgis*, e em várias folhas, no mesmo ano, ilustrando a bela edição latina da obra de Gaspar Barléu sobre o governo do conde de Nassau no Brasil (1637-1644) [...]. Willem Piso (1611-1678) veio a Pernambuco como médico do conde e aqui se dedicou a estudar as doenças que mais afligiam a população, as qualidades médicas das produções naturais do Brasil, a natureza e o clima tropicais. A obra de Piso é de tal relevância e sem continuadores por mais de uma centúria, que foi de consulta obrigatória sobre o nosso país até o século XIX. Além desses artistas e cientistas, viveram no Recife e conviveram com João Maurício vários letrados ilustres: Johannes Bodecher Benning (1606-1642), professor de Ética e, depois, de Física na Universidade de Leyde, da qual se ausentou para vir servir como conselheiro político no Recife, autor de vários livros, inclusive uma Epigrammata Americana ad Comitem I, Mauriciutn (Leyde, 1639), que contém uma coleção de 32 epigramas em verso latino acerca de assuntos brasileiros; Elias Herckmans (1396-1644), também autor de alguns livros, o qual serviu no Brasil como conselheiro político e a quem se deve uma valiosa Descrição Geral da Capitania da Paraíba (1639); Constantijn Tempereur (1591-1648), especialista em literatura talmúdica e rabínica, que serviu em 1639 no Recife, como conselheiro; Servaas Carpentier (1599-1645), médico e funcionário da Companhia das Índias Ocidentais no Recife, autor de importantes relatórios acerca do Brasil holandês; Franciscus Plante, predicante formado em Teologia em Oxford e poeta latino etc. [...]. Era então o Recife um importante e heterogêneo agrupamento populacional no Novo Mundo, o qual excedia o número de seis mil pessoas. Nomes ilustres da comunidade de sefarditas da Holanda transferiram-se para o Recife. Residiam eles, na sua maior parte, numa rua do Recife que passou então a ser denominada de Jodenstraat (rua dos Judeus), tendo ainda um cemitério privativo, fora da cidade. Os judeus de todos os recantos do mundo estão se mudando para aqui."[16]

Dado esse extraordinário esforço holandês de racionalização e ocupação do espaço e a auspiciosa oportunidade de fugir da perseguição religiosa e da peste negra que assolava a Europa, é que em 1642 partiu para Pernambuco um navio com seiscentos imigrantes: "Ao chegarem a Pernambuco [Moisés Raphael de Aguilar e Isaac Aboab] encontraram os peregrinos muitos dos seus, parte deles degredados pelo Santo Ofício, outros que voluntariamente teriam ido de Portugal, cristãos na aparência até à chegada dos holandeses, economicamente a colônia judaica prosperou tanto que, ao retirar--se para a Europa o príncipe João Maurício de Nassau, deixando o governo, em 1643, foi-lhe proposta a compra da suntuosa vivenda que tinha, pela soma de seis tonéis de ouro, para nela se estabelecer uma sinagoga."[17]

A Holanda se torna o principal *player* do mercado mundial a partir da invasão de Pernambuco, momento em que parte do Brasil era sua colônia, ou seja, as riquezas brasileiras sustentaram essa ascensão que duraria por quase um século. É possível comprovar tudo isso por meio dos números da exportação de açúcar do Brasil holandês: em 1631 foram exportadas 18.200 arrobas de açúcar; em 1632, 23.000; em 1633, 64.062; em 1635, 85.352; em 1636, 144.207; em 1637, 165.972; em 1638, 196.098; em 1639, 273.090; em 1640, 265.789; em 1641, 447.562; em 1642, 298.914; em 1643, 282.286; em 1644, 252.128; em 1645, 207.711; e em 1646, 75.590. Como se pode ver, após a invasão do Brasil, a produção de açúcar sofre um avanço vertiginoso e vai declinando à medida que a guerra de restauração portuguesa se inicia.

O Brasil holandês era a mais rica e próspera província da terra no início do século XVII. Essa foi a sua glória e, desgraçadamente, o seu pecado mortal.

DA NOVA LUSITÂNIA A MANHATTAN: A QUEDA DO BRASIL HOLANDÊS

Em 1640, com a restauração portuguesa, cria-se um imenso problema para Portugal, Holanda e o Brasil holandês. A questão da colônia holandesa no Brasil ganha, assim, uma nova dimensão. A começar que essa colônia não se restringia a Pernambuco – a Nova Holanda se estendia da foz do rio São Francisco, em Alagoas, até o Ceará. Uma enorme região que incorporava ainda os atuais estados da Paraíba e do Rio Grande do Norte – além de Alagoas, Pernambuco e Ceará. E nessa grande região, que tomava praticamente quase todo o Nordeste brasileiro, dos 149 engenhos em operação no ano da invasão holandesa ao Brasil, em 1630, foram confiscados ao menos 65 deles, o que, claro, redundou num clima de animosidade contra os holandeses. Com a restauração portuguesa, muitos portugueses e brasileiros, que habitavam essa extensa região e tinham perdido seus engenhos e suas propriedades, sondaram o rei d. João IV e esperavam que ele tomasse providências no sentido de expulsar os holandeses e retomar aquela parte importante do Brasil.

Mas havia alguns empecilhos! Primeiro, Portugal não tinha condições de entrar em guerra contra a poderosíssima Holanda;

segundo, porque Portugal havia acabado de entrar em guerra contra a Espanha por conta da restauração, e nesse sentido Portugal e Holanda eram aliados na Europa, embora praticamente inimigos na América; terceiro, porque antes dos problemas dos luso-brasileiros do Nordeste, havia o problema dos próprios portugueses, sobretudo dos comerciantes que viveram todo o período da União Ibérica sob certo embargo comercial imposto pela raivosa e beligerante Espanha e ansiavam em retomar seus negócios, sobretudo com o norte da Europa, com os próprios holandeses e com os ingleses.

Portugal dependia dos impostos que recebia da produção do açúcar e da renda que auferia do fornecimento de escravos para o Brasil holandês. Ambas as fontes de renda foram encerradas assim que o Brasil foi invadido e conquistado em 1630, causando, como se pode imaginar, grande prejuízo. Contemporâneos dessa tragédia econômica portuguesa chegaram a sustentar que "o comércio brasileiro era mais rentável que o oriental [...] o Brasil é mais rico e dá mais proveito à fazenda de Sua Majestade que toda a Índia, isto é, todo o estado da Índia contrastando as enormes despesas incorridas na defesa do Oriente com a polpuda receita aduaneira produzida pelo açúcar e pelo pau-brasil [...] as enormes vantagens do Brasil sobre o Oriente em termos econômicos, climáticos, militares e de comunicação marítima [...] comércio riquíssimo equivale aos metais das Índias ocidentais e às drogas do Oriente".[1]

Desse modo, a retomada da jurisdição sobre o Brasil, após a restauração, era já um imenso alívio para o comércio e a fazenda portuguesa, mesmo sem as dantes vultosas rendas do Brasil holandês. Era, portanto, momento de cautela e de se preservar, por enquanto, o que havia recém-conquistado do que pôr tudo a perder numa guerra contra a Holanda pelas riquezas do Brasil holandês. Desse modo, em 1641, Portugal faz um acordo com a Holanda de "cessação das hostilidades, válido por dez anos. Ele congelava o *status quo* territorial, previa a cooperação naval contra a Espanha e autorizava a compra de armas e munições bem como o recrutamento de tropas. [...] No tocante à devolução, teve de contentar-se com a fórmula que permitia a Portugal reivindicá-la eventualmente. Portugal dependia de aprovisionamentos do Báltico em trigo e material de construção naval, de que os holandeses eram grandes intermediários. Ao tempo do domínio espanhol, o comércio holandês com Portugal estivera submetido a embargo".[2]

Mas no Brasil o espírito era outro e "em finais de 1642 e início de 1643 um contingente de soldados percorreu o sul pernambucano para verificar os ânimos e os armamentos da população rural [...] em 1643 o monarca ainda resistia à ideia de movimento armado. O padre Antônio Vieira, já então muito escutado, também estimulava a prudência do monarca com os argumentos expostos no *Papel forte* [...] ao tempo da guerra os luso-brasileiros haviam manifestado a disposição de contribuir para uma armada restauradora com 200.000 arrobas de açúcar e 15.000 quintais de pau-brasil a serem entregues no biênio que se seguisse à vitória. Agora o frade era portador de um plano de compra do nordeste para o qual eles prometiam contribuir com 2.000.000 cruzados".[3] Em 1644, Nassau retorna à Holanda e foi "em 1644 que d. João IV concordou finalmente com o projeto insurrecional [...] contudo, ao dar luz verde ele tratou de jogar em dois tabuleiros, em lugar da alternativa compra ou insurreição, somou-as. A revolta de Pernambuco não visou a criar um fato consumado que levasse os Estados Gerais a cederem o nordeste mas a induzi-los a vendê-lo".[4]

A estratégia do rei de Portugal era gerar empecilhos para que os holandeses concordassem em devolver Pernambuco. A guerra contra os holandeses em Pernambuco era uma dessas dificuldades porque do ponto de vista bélico era inviável, não tinha a menor chance de dar certo.

No entanto a guerra explode, em 1645. Os prisioneiros dessa guerra foram enviados à Bahia, de onde a autoridade eclesiástica os remetia à Inquisição em Lisboa, sendo todos lá, então, submetidos a processo e lhes cabia a sorte dos prisioneiros da Inquisição: o longo cárcere, o confisco de bens ou a morte na fogueira.

No auto da fé de 15 de dezembro de 1647, saíram penitenciados, por exemplo, os seguintes combatentes da guerra do Brasil: Miguel Francês, Manuel Gomes Chacon, Gabriel Mendes, Samuel Velho e Abrahão Bueno, todos portugueses de nascimento, tomados com os flamengos que se renderam no rio São Francisco.

Enquanto a guerra comia solta no Brasil, indiferentes, Portugal e Holanda avançavam nas negociações de compra e venda da Nova Holanda. A estratégia da guerra para forçar a venda da Nova Holanda deu certo, já que com os obstáculos que se apresentavam à produção as ações da Companhia das Índias Ocidentais foram perdendo valor. O valor da ação, que em 1643 valia 95% do seu valor nominal, caiu já em 1644, quando começou a guerra, para 50% do valor; em 1645 foi a 37%; e em 1647, a 30%. A desvalorização encorajava os acionistas a vendê-las, enfraquecendo, assim, o negócio com o Brasil e facilitando a venda do território para Portugal.[5]

O Brasil holandês era apenas um dos problemas, e, assim que a restauração portuguesa se solidifica, parte para Portugal o padre Antônio Vieira a fim de ajudar no processo de reconstrução do país, sobretudo no tocante às relações internacionais com investidores. Em 3 de julho de 1643, Vieira envia ao rei a seguinte proposta: *Proposta feita a el-rei d. João IV em que se lhe representava o miserável estado do reino e a necessidade que tinha de admitir judeus mercadores que andavam por diversas partes da Europa*. Diz o texto: "Por todos os reinos e províncias da Europa está espalhado grande número de mercadores portugueses, homens de grandíssimos cabedais, que trazem em suas mãos a maior parte do comércio e riquezas do mundo. Todos estes, pelo amor que têm a Portugal, como pátria sua e a V.M. como seu rei natural, estão desejosos de poderem tornar para o reino e servirem a V.M. com suas fazendas, como fazem os reis estranhos. Se V.M. for servido de os favorecer e chamar, será Lisboa o maior império de riquezas e crescerá brevissimamente em todo o reino a grandíssima opulência, e se seguirão infinitas comodidades a Portugal, juntas com a primeira e principal de todas, que é a sua conservação. Porque primeiramente se diminuirá em grande parte o poder de nossos inimigos castelhanos e holandeses, pois os homens de negócio portugueses podem sustentar o peso da guerra e as despesas excessivas dos exércitos que, sem a assistência destes homens, sairão dificultosas e quase impossíveis. Os holandeses ficarão muito diminutos no poder de suas companhias, com que nos têm tomado quase toda Índia, África e Brasil, porque os mercadores portugueses entram nas companhias com grandes somas de dinheiro. E não só virão para este reino os mercadores que agora são de Holanda e Castela, mas os de Flandres, França, Itália, Alemanha, Veneza, Índias Ocidentais e outros muitos, com o que o reino se fará poderosíssimo e crescerão os direitos de alfândegas de maneira que eles bastem a sustentar os gastos da guerra, sem tributos nem opressão dos povos, com que cessarão os clamores e descontentamentos. Pagar-se-ão os juros, as tenças e os salários a que as rendas reais hoje não chegam. Crescerá a gente, que é uma parte do poder e estará o reino provido e abundante. Terá V.M. número grande de poderosos navios, sem os comprar nem alugar aos estrangeiros. Terá V.M. vassalos que lhe possam emprestar quantidade de dinheiro e esperar as consignações com que se resgatam. E quando os holandeses continuarem na falsa paz com que se vão se senhoreando de nossas conquistas, terá V.M. quem levante companhias contra as suas, e poderá romper a trégua ou aceitar a boa oferta do conde de Nassau [a compra da Nova Holanda]. Estes homens hão de meter neste reino grande número de milhões, dos quais se poderá V.M. socorrer em um caso de necessidade, sem opressão do reino, nem ainda dos mercadores, para que, fintando-se os homens de negócio, façam o mesmo que fizeram os que havia em Lisboa, que fintando-se para um donativo com que serviram d. Sebastião, achou-se pela finta que a fazenda dos que havia nesta praça subia a cinquenta milhões de cruzados, não chegando a dois o que hoje há em todos os homens de negócio de Lisboa. Enfim, senhor, Portugal não se pode conservar sem muito dinheiro, e para o haver não há meio mais eficaz que o do comércio, e para o comércio não há outros homens de cabedal e indústria aos de nação.

Admitindo-os V.M. poderá sustentar a guerra de Castela, ainda que dure muitos anos como vemos no exemplo dos holandeses, que fundando a sua conservação na mercancia, não só tem cabedal para resistir, como tem resistido a todo o poder da Espanha, mas para senhorear os mares e conquistar províncias em todas as partes do mundo. [...] Os homens de nação que estão espalhados por toda a Europa nós não lançamos fora de Portugal, eles mesmos se foram voluntariamente. Por que dificultamos para logo admitir os mesmos que haviam de estar conosco se se não tiveram ido? Principalmente que os danos que Portugal experimentou na sua ausência com as quebras do comércio e opulência, e o que com eles cresceram nossos inimigos nestas duas partes tão consideráveis, antes são motivos para os chamarmos, que razões para os despedirmos? O Senhor rei d. Manuel os admitiu neste reino e lhes prometeu os favores que se contêm nas palavras seguintes, que são de uma sua provisão real: e lhes prometemos e nos apraz que daqui em diante não faremos nenhuma ordenança nem diferença como de gente distinta e apartada, mas assim nos apraz que em tudo sejam havidos como próprios cristãos velhos, sem serem distintos e apartados em coisa alguma. Isto mesmo confirmou depois o Senhor d. João III, o qual favoreceu muito aos homens de nação e se serviu deles em postos de grande confiança e é certo estes dois reis foram os mais felizes de Portugal e seus anos os mais prósperos e gloriosos, assim espiritual como temporalmente, pelo muito que dilataram a fé e enriqueceram o reino."[6]

Essa era, portanto, apenas uma das frentes em que o padre Antônio Vieira trabalhava, a de criar condições favoráveis em Portugal para atrair os comerciantes portugueses que, por perseguição da Inquisição, estavam exilados em outros países, de onde tocavam seus negócios e enriqueciam outras nações.

Nesse aspecto, conseguiu importantes avanços, como, por exemplo, fazer com que d. João IV emitisse um alvará isentando os comerciantes judeus, que se instalassem em Portugal, do eventual confisco de bens por parte da Inquisição. Sobre esse episódio temos a carta enviada a d. João IV pelo marquês de Nisa, tratando também da viabilidade do alvará: "Que a título de maior aumento do comércio a favor dos negociantes assim naturais como estrangeiros, principalmente amigos e aliados nossos, os quais S.M. quer que gozem em seus reinos de toda a liberdade e segurança, aja por bem S.M. de isentar do fisco as fazendas dos ditos negociantes assim ausentes como presentes, de maneira que por nenhum crime possam ser confiscados, alheados ou embaraçados [...] entrarão, em consequência disso, muitas riquezas no país, melhorarão os câmbios, e se poderá fazer um banco como o de Amsterdã; bem assim, no caso de continuar a guerra com a Holanda, haveria meio de formar companhias de mercadores contra as daquela nação. Com esta concessão obrigaria talvez S.M. os homens de negócio a serem fiadores da compra de Pernambuco."[7]

Em 6 de fevereiro de 1649, d. João IV publicou o alvará sobre a isenção do fisco, não por acaso o mesmo ano em que se constitui a Companhia Geral do Comércio do Brasil. Diz o alvará: "E achando que um dos mais poderosos meios, para isto se conseguir e haver neste Reino comércio livre, sem os bens e fazenda do tal comércio ficarem sujeitos a sequestro, confiscação e perdimento deles [...] e entendendo que o principal meio, com que se poderia aumentar e conservar a dita Companhia, seria não ficarem sujeitas a sequestro, confiscação e condenação as fazendas e bens dos ditos homens de negócio e gente de nação, acontecendo que sejam presos ou condenados pelo Santo Ofício da Inquisição, pelos crimes de heresia, apostasia ou judaísmo. [...] Deste Alvará gozarão todos os que ao diante forem presos, acusados e condenados, desde o dia da data dele. [...] Mandou El-Rey N.S. por um Decreto que se imprimisse o Alvará atrás escrito, aos 14 de abril de 1649. Impresso por Antônio Alvarez, seu impressor."[8]

O papa Clemente X, enfurecido e contrariado com a determinação do rei de Portugal, emite um Breve – a pedido da Inquisição – em que declarava inválido o ato do rei. Mais uma vez entra em cena o padre Antônio Vieira, que publica o seguinte texto: *Em que se mostra se não deve admitir o Breve que por via da Inquisição de Lisboa se impetrou de Sua Santidade para se anular o alvará que o Sr. Rei d. João IV tinha feito à gente de nação, em que lhe remetia os bens, que, depois de sentenciados, pertenciam ao seu Real Fisco.* Indignado, um furioso d. João IV envia carta ao bispo inquisidor--geral, sobre o Breve de eximir do fisco os cristãos-novos que tinham sido desconsiderados pelo papa. Dizia ele: "Poucos dias há me mandastes mostrar um Breve de Roma, passado a vossa instância, em que se declara por nulo o Alvará da isenção do Fisco, que eu passei a favor dos homens de negócio que me servem na Companhia do Comércio, e a grande utilidade, que estes meus Reinos nesta companhia têm, mostra bem o desserviço que eu ficarei recebendo de quem a encontrar, pois por este meio, como me tem aconselhado as pessoas maiores deste Reino, não só se adiantam muito as rendas dele, enriquecendo-se e fazendo-se poderosos meus vassalos, mas ainda a Fé com o comércio se dilata e estende com grandes aumentos, e é a obrigação a que vosso ofício devia atender, e assim, lembrando, não posso deixar dizer que não trateis de dar execução a este Breve, porque em nenhuma maneira o consentirei, pois nele se encontra tanto meu serviço, nem isto vos deve parecer matéria de escrúpulo, assim por eu estar bem aconselhado, como porque em outra ocasião semelhante entendestes que não havia nenhum, ajudando-os de mim para se não executar o Breve, que os padres da Companhia houveram sobre as dúvidas de Évora, e do contrário, e de mais de eu me dar por muito mal servido, farei de vós o caso que merecem vassalos que voluntariamente querem meter-me nos embaraços em que me quereis pôr, envolvendo matérias, que porventura são de interesses, com as de nossa Santa Fé, a que se deve tanto respeito e reverência, e a que eu como Rei Católico estou obrigado."[9]

Em resposta, o inquisidor-geral diz que: "Avisei a Sua Santidade da isenção que Vossa Majestade concedeu aos homens de negócio, porque sendo contra as disposições dos Sagrados Cânones, como representamos a Vossa Majestade, e contra a jurisdição que exercitamos, era justo que Sua Santidade, de quem recebemos esta jurisdição, tivesse notícia como se impedia pela resolução de Vossa Majestade, dando conta da mesma jurisdição e de nós, a quem no-la podia pedir sem lha darmos; e deste modo seria mais para recear do que expondo nós a Sua Santidade os justos motivos, que tinham obrigado a Vossa Majestade a tratar por este meio de melhorar o comércio neste Reino, e podíamos esperar de Sua Santidade que houvesse por bem aprovar e confirmar a concessão, que Vossa Majestade tinha feito, havendo no seu poder e no nosso esta diferença: que o seu, como é absoluto e supremo, não se limita com as leis, e o nosso, como é inferior, totalmente depende delas, e não as podendo nós alterar, nem deixar de nos conformar com o que dispõem, ficávamos muito mais justificados com Vossa Majestade e com todo o mundo, recorrendo a Sua Santidade primeiro, do que nos lembrávamos desta nossa obrigação: e havendo feito tudo presente a Vossa Majestade, não podemos deixar de sentir muito que Vossa Majestade não o estranhe; e mais agora que, tendo Vossa Majestade sabido a determinação do Sumo Pontífice, verdadeira regra da nossa Santa fé, esperávamos que Vossa Majestade se conformasse com ela, pois debaixo do beneplácito da Sé Apostólica concedeu Vossa Majestade a isenção do Alvará, relevando a pena da confiscação, imposta pelos Sagrados Cânones ao crime de heresia, sendo ela, como a experiência mostra, a que mais refreia e castiga, porque é só a pena que tem que sentir como corporal, que priva a alma de seus sentidos. [...] Quanto à execução deste Breve, removendo Vossa Majestade o que ele anula, ficará tirando à Companhia do Comércio uma grande nódoa, que é chegarem a entender nos Reinos estranhos que nestes são prêmios as isenções no crime da heresia, e que só servem a quem o comete, e tão grande descrédito grande motivo era para que nem Vossa Majestade fizesse esta graça, nem houvesse quem a quisesse aceitar; e, cessando esta condição, nem por isso pode ficar cessando o serviço, que os vassalos de Vossa Majestade fazem nesta Companhia, porque as mãos dos Reis são somente grandes e as de Vossa Majestade maiores que todas, em prêmios aos vassalos que o servirem [...]. Como já tenho representado a Vossa Majestade, pelas leis da nossa comissão éramos obrigados a impugnar a isenção que Vossa Majestade concedeu; agora com o Breve de Sua Santidade tem crescido tanto esta obrigação e é tão crescida, que não podemos deixar de o dar à sua devida execução enquanto tivermos esta ocupação; e havendo-me Deus feito tão grande mercê em a fiar de minha insuficiência tantos anos, nestes poucos que me restam de vida, será muito maior dar-me a sentir o tratamento, que Vossa Majestade me promete; porque estou certo em que não só o derramar o sangue e martírio, mas também o sofrer qualquer outra pena. E a todas as do mundo oferecemos o sangue e a própria vida, eu e todos os mais Ministros do Santo Ofício, antes que chegarmos a faltar tão capitalmente em tão precisa obrigação de nossos ofícios."[10]

Se havia por parte da fazenda real o interesse em retirar uma de suas fontes de renda, não seria por meio da subtração da mais importante fonte de renda da Inquisição – o confisco de bens – que esse feito ia se materializar.

Sobre a questão do Brasil, a guerra que havia se iniciado e a proposta holandesa sobre a compra da Nova Holanda diz o padre Antônio Vieira no estudo *Sobre se restaurar Pernambuco ou se comprar aos holandeses*, de 1647: "Ajudando-me das notícias mais próximas da Holanda e mais certas que tenho do Brasil direi o que me parecer acerca de cada um dos pontos dessa matéria, que para maior distinção reduzo a cinco: 1ª como se há de introduzir a prática da compra; 2ª que praças haveremos de receber dos holandeses, em que forma e que preço haveremos de dar por elas; 3ª que efeitos hão de dar suavemente este dinheiro; 4ª com que fianças há de se segurar enquanto ocorrem os prazos, que composição há de haver nas dívidas dos homens de Pernambuco; e 5ª como se há de introduzir a prática da sua compra. A maior dificuldade deste negócio é a abertura por que intentando-se muitas vezes pelos nossos embaixadores nunca os ministros de Holanda deram ouvidos para semelhante prática, mas como tudo naquela república é venal entendemos que o caminho que se pode ter neste negócio é comprar a compra [...] e assim o primeiro e principal fundamento é ter V.M. em Holanda 400 e 500 mil cruzados com que comprar as vontades e juízos dos ministros mais interessados e poderosos. As praças que nos hão de entregar os holandeses são as de Pernambuco, Paraíba, Tamaracá, Rio Grande, ilha de Fernão de Noronha e todas as outras que pertencem às terras do Brasil. Da mesma maneira as praças de Angola, Benguela, São Tomé e Guiné. A forma como entregarão as praças será: fortificadas como estiverem, com toda a sua artilharia, armas, munições e demais apetrechos de guerra. Entregarão todos os bens móveis pertencentes a portugueses. Os holandeses sairão com todos seus bens. O preço que havemos de dar aos holandeses por todas essas praças na forma dita, parece que deve ser até a quantia de três milhões, pagos em 500 e 600 mil cruzados em cada um ano, uma parte em dinheiro e outra parte nos gêneros, em açúcar e pau-brasil."[11]

O pagamento parcelado se daria da seguinte forma: "As negociações deveriam começar diretamente com as câmaras locais da Companhia, subornando-se, em cada uma delas, os acionistas majoritários que levariam à frente o negócio [...] o recurso para compra viria de três fontes. A primeira, as rendas que a coroa voltaria a usufruir no nordeste e em Angola: metade do imposto de exportação de escravos e metade do dízimo do açúcar e o rendimento do pau-brasil. A segunda, a taxação adicional do tráfico negreiro em Luanda e no Brasil. E a terceira, a criação de impostos sobre os proprietários luso-brasileiros de escravos, sobre a produção de açúcar e sua entrada em Portugal, sobre o açúcar estocado nos armazéns da coroa, sobre os fretes dos navios à destinação para Portugal, além da receita dos impostos donatariais de Pernambuco e de Itamaracá. Por fim cada engenho contribuiria com uma cota fixa rateada entre o senhor e os lavradores de cana."[12]

Desse modo, se para os brasileiros a guerra contra os holandeses era um ato heroico, para os portugueses o rei era uma estratégia para forçar a Holanda a vender o Nordeste sob as condições que eram mais favoráveis a Portugal. Quanto mais os brasileiros se empenhavam na guerra, mais ajudavam o rei de Portugal a encaminhar seu projeto de compra do Nordeste por valor cada vez mais módico. Só não avisaram os brasileiros que "os ônus da operação recairiam exclusivamente sobre o Brasil e Angola, sem prejuízo do reino nem de suas exportações para as colônias".[13] Mais tarde o próprio padre Antônio Vieira denunciaria esse estratagema português. Em 1653, após o acordo fechado, os holandeses abandonaram o Nordeste e partiram para Manhattan e para suas colônias na América Central, onde já tinham ido entre 1640 e 1650, transferindo toda a produção do açúcar que antes fabricavam no Brasil.

D. João IV morre em 1656. Nessa data, não só os principais atos em favor dos judeus obtidos por Vieira junto a d. João IV foram abolidos, "como o próprio monarca foi punido pelo Santo Ofício com a excomunhão póstuma". O padre Antônio Vieira, por sua atuação em prol da comunidade sefardita, seria encarcerado pela Inquisição em 1665. Era o Brasil descendo ladeira abaixo rumo de volta ao século XVI.

Desse modo, a nossa heroica guerra contra os holandeses não passou de um simples acordo financeiro. Quisessem os holandeses – que tinham um dos maiores exércitos do mundo –, teriam aniquilado a resistência em pouco tempo. Em decorrência desse incidente e da auspiciosa notícia do encontro de ouro nas Minas Gerais, Portugal abandona o Nordeste, transfere a capital para o Rio de Janeiro e se dedica à prospecção do metal. Ao Nordeste só voltarão a Inquisição, a Companhia de Jesus e as novas Companhias de Comércio para, com seu recém-criado monopólio, extorquir os comerciantes locais.

Com o monopólio, ergueram uma espécie de muralha para separar o Brasil dos auspiciosos ventos que sopravam do mundo moderno.

PERINDE AC CADAVER

O que era para ser provisório, o conjunto de medidas, incluindo os impostos, para pagar a compra do Nordeste, se tornou definitivo e o Brasil, única colônia que havia sobrado do imenso império português de outrora, era de onde se devia retirar exclusivamente o sustento de uma sociedade parasitária.

Contra esse estado de coisas – esse espírito rentista e espoliativo dos portugueses em relação ao Brasil – em várias ocasiões se rebelou e ergueu-se em vão a voz solitária do padre Antônio Vieira. Em carta enviada ao rei, diz ele: "Perde-se o Brasil, Senhor, porque alguns ministros de Sua Majestade não vêm cá buscar o nosso bem, vem cá buscar nossos bens [...]. El-Rei manda-os tomar Pernambuco e eles contentam-se com o tomar [...] este tomar o alheio, ou seja, o do rei ou o dos povos é a origem da doença, e as várias artes e modos e instrumentos de tomar são os sintomas, que, sendo de sua natureza muito perigosa, a fazem por momentos mais mortal. E senão, pergunto, para que as causas dos sintomas se conheçam melhor: toma nesta terra o ministro da justiça? Sim toma. Toma o ministro da fazenda? Sim toma. Toma o ministro da milícia? Sim toma. Toma o ministro do estado? Sim toma. E com tantos sintomas lhe sobrevêm ao pobre enfermo, e todos acometem à cabeça e ao coração, que são as partes mais vitais, e todos são atrativos e contrativos do dinheiro, que é o nervo dos exércitos e das repúblicas, fica tomado todo o corpo e tolhidos os pés e mãos, sem haver mão esquerda que castigue nem mão direita que premie; e faltando a justiça punitiva para expelir os humores nocivos e a distributiva para alentar e alimentar o sujeito, sangra-o por toda parte os tributos em todas as veias, milagre é que não tenha expirado."[1]

O incansável padre Antônio Vieira mais uma vez vai se opor às imposições abusivas de Portugal. Em carta ao rei, lamentava-se ele que no Brasil "desfazia-se o povo em tributos, em imposições e mais imposições, em donativos e mais donativos, em esmolas e mais esmolas e no cabo nada aproveitava, nada luzia, nada aparecia. Por quê? Porque o dinheiro não passava das mãos por onde passava. Muito deu em seu tempo Pernambuco; muito deu e dá hoje a Bahia, e nada se logra; porque o que se tira do Brasil, tira-se do Brasil; o Brasil o dá, Portugal o leva [...]. Aparece uma nuvem no meio daquela Bahia, lança uma manga no mar, vai sorvendo por oculto segredo da natureza grande quantidade de água, e depois que o está bem carregada, dá-lhe o vento, e vai chover daqui a trinta, daqui a cinquenta léguas. Pois, nuvem ingrata, nuvem injusta, se na Bahia tomaste essa água, se na Bahia te enchaste, por que não choves também na Bahia? Se tiraste de nós, porque a não despendes conosco? Se a roubaste a nossos mares, por que a não restituis a nossos campos? Tais como isto são muitas vezes os ministros que vêm ao Brasil. Partem de Portugal estas nuvens, e em chegando a esta Bahia, não fazem mais que chupar, adquirir, ajuntar, encher-se (por meios ocultos, mas sabidos) e ao cabo de três ou quatro anos, em vez de fertilizarem a nossa terra com a água que era nossa, abrem as asas ao vento e vão chover a Lisboa, esperdiçar a Madri. Por isso nada lhe luz ao Brasil, por mais que dê, nada lhe monta e nada lhe aproveita, por mais que faça, por mais que se desfaça. E o mal mais pra sentir de todos é que a água que por lá chovem e esperdiçam as nuvens não é tirada da abundância do mar, como noutro tempo, senão das lágrimas do miserável e dos suores do pobre, que não sei como atura já tanto a constância e fidelidade destes vassalos".[2]

A verdade é que, ao contrário do que se imaginava, sem os holandeses a região mais rica do mundo no final do século XVI e início do século XVII declinou vertiginosamente e por um motivo muito simples: não era a terra que era boa, não era o clima tropical que era propício para a produção extensiva de cana-de-açúcar, não era o trabalho escravo, era a racionalização do trabalho aliado ao desenvolvimento técnico, portanto, ao pensamento científico – foi isso que fez toda a diferença: transformou a natureza e produziu a riqueza que tanto ambicionavam o mundo e os portugueses em especial. Mas o trabalho necessário para manter de pé o negócio formatado pelos holandeses em terras brasileiras não seduzia os portugueses, pois era para eles, obviamente, menos atraente que a aventura, a conquista, de modo que abandonado à própria sorte "nunca povo absorveu tantos tesouros, ficando ao mesmo tempo tão pobre".[3]

O primeiro momento no século XVI é a época de ouro em que Portugal e Espanha exerceram uma hegemonia absoluta sobre o comércio, mas que duraria algumas décadas. A decadência dos povos da Península Ibérica nos três últimos séculos "é um dos fatos mais incontestáveis, mais evidentes da história. A península, durante os séculos XVII, XVIII e XIX, apresenta um quadro de abatimento e insignificância, tanto mais sensível quando contrasta dolorosamente com a grandeza, a importância e a originalidade do papel que desempenhou no primeiro período da Renascença. Em tudo isso acompanhou a Europa, a par do movimento geral. Numa coisa, porém, a excedeu, tornando-se iniciadora: os estudos geográficos, que coroaram tão brilhantemente o fim do século XV, não se fizeram ao acaso. Precedeu-as um trabalho intelectual, tão científico quanto a época o permitia, inaugurado pelo infante d. Henrique, nessa famosa Escola de Sagres, de onde saíam homens como aquele heroico Bartolomeu Dias, e cuja influência, direta ou indiretamente, produziu um Colombo, um Magalhães. Tudo isso prepara a península para desempenhar, chegada a Renascença, um papel glorioso e preponderante. Houve, porém, uma primeira geração, que respondeu ao chamado da Renascença; e enquanto essa geração ocupou a cena, isto é, até meados do século XVI, a península conservou-se à altura daquela época extraordinária de criação e liberdade de pensamento. Deste mundo brilhante, criado pelo gênio peninsular na sua livre expansão, passou quase sem transição para um mundo escuro, inerte, pobre, ininteligente e meio desconhecido. Dir-se-á que entre um e outro se meteram dez séculos de decadência: pois bastaram para essa total transformação 50 ou 60 anos. Em tão curto período era impossível caminhar mais rapidamente no caminho da perdição. Então aparece franca e patente por todos os lados a sua improcrastinável decadência. A preponderância, que até então exerceu nos negócios da Europa, desaparece para dar lugar à insignificância e à impotência".[4]

Todo esse revés se deveu sobretudo ao fato de os reis católicos – espanhol e português – terem sido os grandes entusiastas e apoiadores da Contrarreforma. Sem eles, senhores das duas maiores potências econômicas do mundo, naquele momento de crise, o declínio da Igreja atingiria um nível imprevisível. Teria Roma caído?

E se os países que romperam com a Igreja se desenvolveram, não foi pelo aspecto religioso, mas pelo incentivo ao pensamento científico. A Igreja criou um mundo eivado de problemas para vender a solução por meio do monopólio que queria exercer sobre a relação do homem com Deus, e com isso, naquele momento, entrou em conflito com o mundo. Não é à toa que a Inglaterra vai dominar o mundo no século XVII, o segredo da Revolução Industrial é o conhecimento, o avanço do conhecimento que ela incentivou e não a reforma religiosa à qual aderiu, embora as duas tenham caminhado juntas.

A Inquisição, essa imensa muralha que a Contrarreforma ergueu para conter os avanços da Modernidade, seguiu sempre como um empecilho que perduraria em Portugal e no Brasil, consequentemente, até 1821. Desse modo, enquanto comerciantes, cientistas, filósofos, alquimistas e toda sorte de pensadores, realizadores e empreendedores era bem-vinda em outros países, "entre 1536 e 1821, cerca de mil e quinhentas pessoas foram queimadas e outras 25.000 foram condenadas a diversas penas. Ignora-se quantos morreram nos cárceres e aqueles que foram julgados depois de mortos, os quais, quando condenados, eram exumados e queimados nos Autos de Fé".[5]

Sobre a adesão de Portugal à Contrarreforma e suas consequências, que se mostraram nefastas, inclusive para o Brasil, o escritor português Antero de Quental fez uma dura análise no século XIX. "Assim, pois, meus senhores, o catolicismo dos últimos três séculos, pelo seu princípio, pela sua disciplina, pela sua política, tem sido no mundo o maior inimigo das nações e verdadeiramente o túmulo das nacionalidades. O terror religioso corrompe o caráter nacional e faz de duas nações generosas, hordas de fanáticos. Métodos de ensino, ao mesmo tempo brutais e requintados, esterilizam as inteligências, dirigindo-se à memória com o fim de matarem o pensamento inventivo, e alcançam alhear o espírito peninsular do grande movimento da ciência moderna, essencialmente livre e criadora: a educação jesuítica faz das classes elevadas máquinas ininteligentes e passivas, do povo, fanáticos, corruptos e cruéis. Infiltra-se por toda parte, como um veneno lento, desorganiza moralmente a sociedade, desfaz o espírito de família, corrompe as consciências com a oscilação contínua da noção de dever e aniquila os caracteres, sofismando-os, amolecendo-os. O ideal da educação jesuítica é um povo de crianças mudas, obedientes e imbecis. Realizou-o nas famosas missões do Paraguai e no Brasil. A teocracia dava a mão ao despotismo. D. Sebastião, o discípulo dos jesuítas, vai morrer nos areais da África pela fé católica, não pela nação portuguesa. Carlos V, Felipe II põem o mundo a ferro e fogo por quê? Pelos interesses espanhóis? Pela grandeza da Espanha? Não. Pela grandeza e pelos interesses de Roma. Das influências deletérias nenhuma foi tão universal, nenhuma lançou tão fundas raízes. Há em todos nós por mais modernos que queiramos ser, há lá oculto, dissimulado, mas não inteiramente morto, um beato, um fanático ou um jesuíta. Esse moribundo que se ergue dentro de nós é o inimigo, é o passado. É preciso enterrá-lo por uma vez e com ele o espírito sinistro do catolicismo de Trento [...]. Um dos primeiros benefícios que levamos àqueles povos que conquistamos foi a Inquisição: os espanhóis fizeram o mesmo na América. As religiões indígenas não eram só escarnecidas, vilipendiadas: eram atrozmente perseguidas. O efeito moral dos trabalhos dos missionários [tantos deles santamente heroicos] era completamente anulado por aquela ameaça constante do terror religioso, ninguém se deixa converter por uma caridade que tem atrás de si uma fogueira. A ferocidade dos espanhóis na América é uma coisa sem nome, sem paralelo nos anais da bestialidade humana. Dois impérios florescentes desapareceram em menos de 60 anos. À influência do espírito católico no seu pesado dogmatismo deve ser atribuída esta indiferença universal pela filosofia, pela ciência e pelo movimento moral e social moderno [...]. Durante 200 anos de fecunda elaboração, reforma a Europa culta as ciências antigas, cria seis ou sete ciências novas, a anatomia, a fisiologia, a química, a mecânica celeste, o cálculo diferencial, a crítica histórica e a geologia: aparecem Newton, Descartes, Bacon, Leibniz, Harvey, Buffon, Du Cange, Lavoisier, Vico, onde está, entre os nomes destes e de outros verdadeiros heróis da epopeia do pensamento, um nome espanhol e português? Que nome espanhol ou português se liga à descoberta de uma grande lei científica, de um sistema, de um fato capital? A Europa culta engrandeceu-se, nobilitou-se, subiu sobretudo pela ciência: foi sobretudo pela falta de ciência que nós descemos, que nos degradamos, que nos anulamos. A alma moderna morrera dentro de nós completamente. Pelo caminho da ignorância, da opressão e da miséria chega-se naturalmente. A Inquisição pesava sobre as consciências como a abóbada de um cárcere. O espírito público abaixava-se gradualmente sob a pressão do terror, enquanto o vício, cada vez mais requintado, se apossava placidamente do lugar vazio que deixava nas almas a dignidade, o sentimento moral e a energia da vontade pessoal, esmagados, destruídos pelo medo. Erguemo-nos, mas os restos da mortalha ainda nos embaraçam os passos. Quais as causas dessa decadência, tão visível, tão universal, e geralmente tão pouco explicada? Ora, esses fenômenos capitais são três, e de três espécies: um moral, outro político, outro econômico. Se fosse necessária uma contraprova, bastava considerarmos um fato contemporâneo muito simples: esses três fenômenos eram exatamente o oposto dos três fatos capitais que se davam as nações que lá fora cresciam, se moralizavam, se faziam inteligentes, ricas, poderosas e tomavam a dianteira da civilização. Ora, liberdade moral apelando para o exame e a consciência individual é rigorosamente o oposto do catolicismo do Concílio de Trento, para quem a razão humana e o pensamento livre são um crime contra Deus. A classe média impondo aos reis os seus interesses e muitas vezes o seu espírito é o oposto do Absolutismo, esteado na aristocracia e só em proveito dela governando. A indústria, finalmente, é o oposto do espírito de conquista, antipático ao trabalho e ao comércio. Assim, enquanto as outras nações subiam, nós baixamos. Subiam elas pelas virtudes modernas, nós descíamos pelos vícios antigos, concentrados, levados ao sumo grau de desenvolvimento e aplicação."[6]

Noutro trecho do seu inflamado discurso, continua o autor dizendo que "as nações modernas estão condenadas a não fazerem poesia, mas ciência. Quem domina não é já a musa heroica da epopeia, é a economia política. Quisemos refazer os tempos heroicos na idade moderna. Qual é, com efeito, o espírito da idade moderna? É o espírito do trabalho e de indústria. A riqueza e a vida das nações têm de se tirar da atividade produtora e não já da guerra esterilizadora [...]. Esse espírito guerreiro, com os olhos fitos na luz de uma falsa glória, desdenha, desacredita, envilece o trabalho manual, a força das sociedades modernas [...]. Os netos dos conquistadores de dois mundos podem, sem desonra, consumir no ócio o tempo e a fortuna, ou mendigar pelas secretarias um emprego. O que não podem sem indignidade é trabalhar. Uma fábrica, uma oficina, uma exploração agrícola ou mineira, são coisas impróprias da nossa fidalguia. Por isso as melhores indústrias nacionais estão nas mãos de estrangeiros que com elas se enriquecem e se riem das nossas pretensões. Preferimos ser uma aristocracia de pobres ociosos a uma democracia próspera de trabalhadores".[7]

Todas as escolhas que Portugal fez e que o condenaram ao atraso recaíram lamentavelmente também sobre o Brasil como a pesada pedra de um túmulo e nos condenaram a viver como um cadáver. E assim parece que ainda permanecemos. *Perinde ac cadaver.*

NUVENS, RATOS E CIVILIZAÇÕES

Na Saint James Place Street, 56, em Manhattan, existe um pequeno terreno cercado por grades, uma espécie de praça bem arborizada, um lugar tranquilo para se descansar, desde que o visitante não se importe com velhas lápides espalhadas pelo chão. No alto de um portal de tijolos vermelhos tipicamente nova-iorquinos, numa placa já envelhecida, lê-se First Shearith Israel Graveyard e a data de abertura, 1656. Trata-se do primeiro cemitério aberto na Nova Holanda, onde estão enterrados os brasileiros que saíram do Brasil no processo de restauração portuguesa em 1640. Eles estabeleceram seus negócios em algumas regiões da América Central e foram se unir aos holandeses da Companhia Holandesa das Índias Ocidentais que tinham fundado um pequeno povoado numas terras compradas pelo conterrâneo Peter Minuit, na América do Norte.

É assustador pensar que a pedra fundamental de Manhattan, hoje o maior centro comercial e financeiro do mundo, que cerca aquele pequeno cemitério, foi lançada há cinco séculos, quando, na Europa, nuvens negras cobriram o céu e, no Oriente, ratos embarcaram sorrateiros nos navios mercantes genoveses e venezianos. Quando esses dois elementos se encontraram, fizeram girar a roda da História, que havia permanecido enferrujada por séculos. Brasil e Manhattan existiriam no formato em que existem hoje se esses dois elementos prosaicos – nuvens negras e ratos – não tivessem nunca se encontrado?

A ideia de um mundo novo sempre "impõe-se gradualmente ao mundo velho, converte-o, transforma-o e chega um dia em que o elimina, e a Humanidade conta com mais uma grande civilização".[1] Mas para isso, no caso do Brasil, é preciso que seja derrubada a imensa muralha que construímos e que insiste em nos privar dos auspiciosos ventos que sopram do mundo moderno.

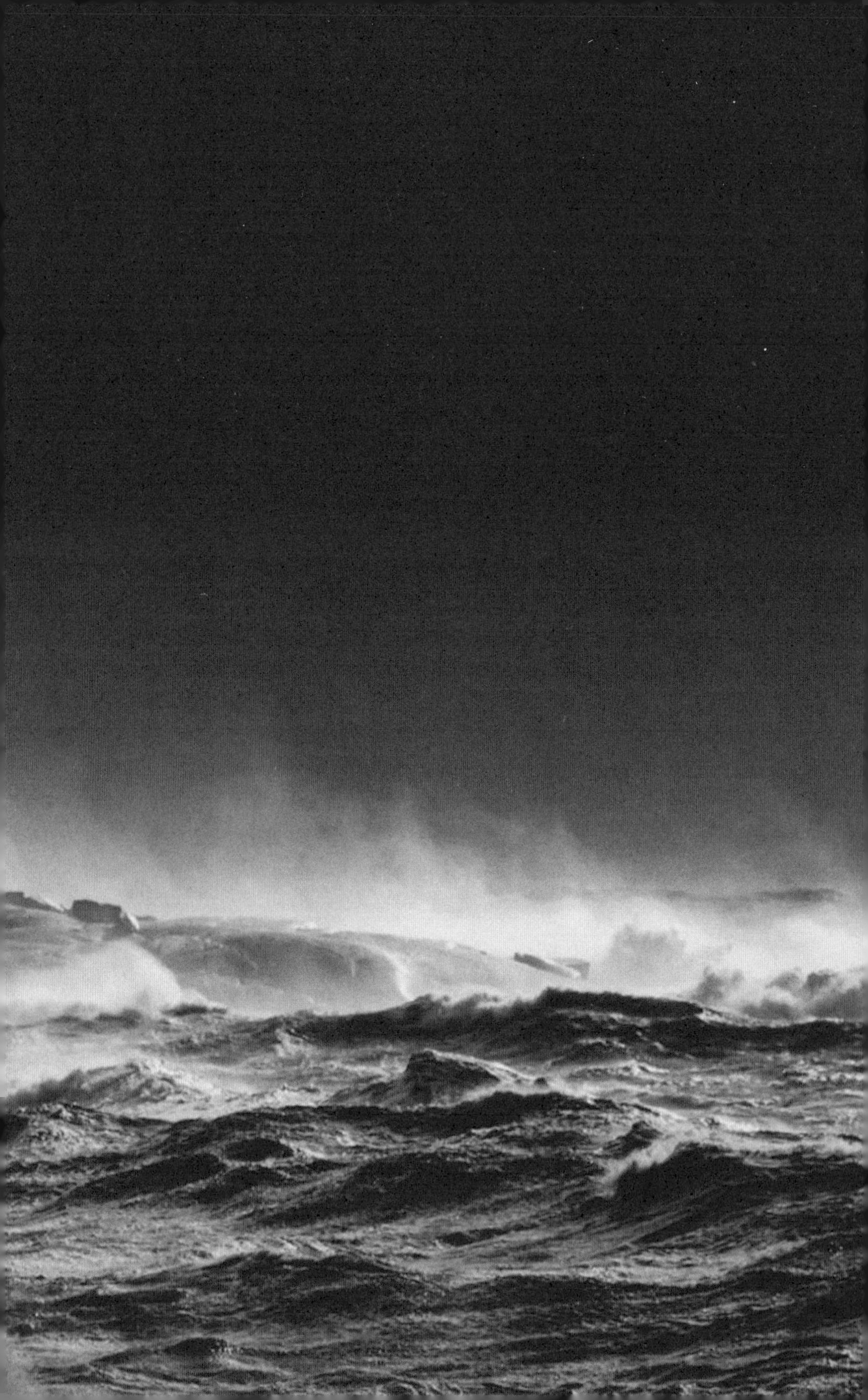

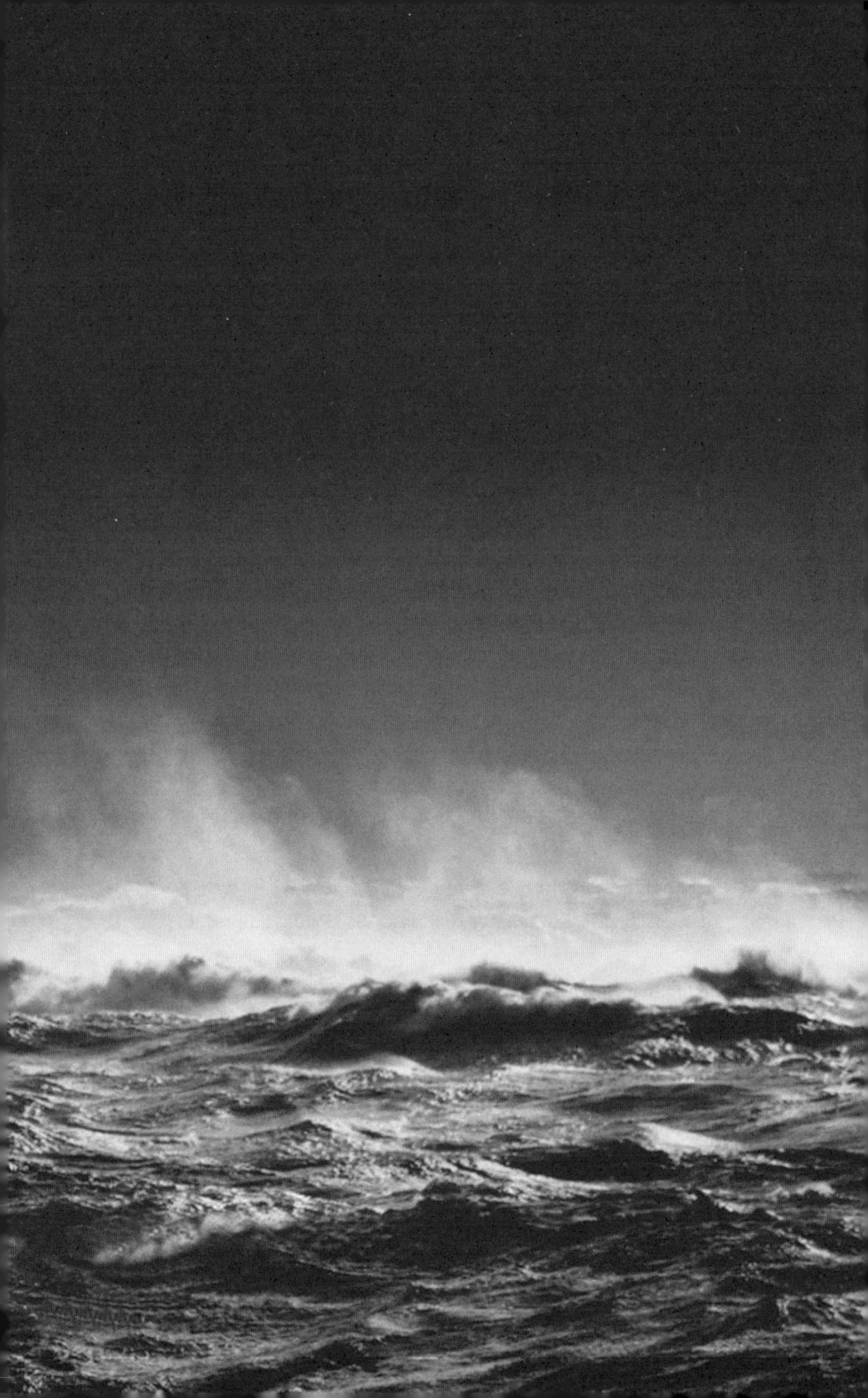

NOTAS

Os ratos de Caffa
1. Marx, K. *Introdução à contribuição para a crítica da Economia Política*. Moscou: Edições Progresso Lisboa, 1982.
2. Laski, J.H. *O liberalismo europeu*. São Paulo: Editora Mestre Jou, 1973. p. 14-15.
3. Arrighi, G. *O longo século XX*. São Paulo: Editora Unesp, 1996. p. 124.
4. Ibid. Id.
5. Ibid. p. 126.
6. Marx, K. Engels, F. *Manifesto comunista*. São Paulo: Edipro, 2015.

A *startup* mais lucrativa da história: a tomada de Ceuta
1. Le Goff, Jacques. *A bolsa e a vida*: economia e religião na Idade Média. São Paulo: Brasiliense, 2004. 3ª reimpressão da 2ª ed. de 1989.
2. Richard, H. *A vida do infante d. Henrique*. Lisboa: Imprensa Nacional, 1876. p. 86.
3. Zurara, G.E. *Crônica da Tomada de Ceuta*. Sintra: Publicações Europa- -América, 1992. p. 158.

⁴ Richard, H. *A vida do infante d. Henrique*. Lisboa: Imprensa Nacional, 1876. p. 86.
⁵ Ibid. p. 161.
⁶ Arrighi, G. *Op. Cit.* p. 126.
⁷ Richard, H. *A vida do infante d. Henrique*. Lisboa: Imprensa Nacional, 1876. p. 85.
⁸ Cf. <https://elfarodeceuta.es/bulas-dadas-portugal-ceuta/>.

A viagem do infante d. Pedro e o manuscrito secreto de Marco Polo

¹ Zurara, Gomes Eannes. *Crônica da Tomada de Ceuta*. Sintra: Publicações Europa-América, 1992. p. 245-246.
² Richard, H. *A vida do infante d. Henrique*. Lisboa: Imprensa Nacional, 1876. p. 93.
³ Galvão, A. *Tratado dos descobrimentos*. Lisboa, 1731. p. 25.
⁴ Ibid. p. 28.
⁵ Le Goff. J. *A civilização do Ocidente medieval*. Rio de Janeiro: Vozes, 2018. p. 60.
⁶ Santo Estevam, G. *Livro do infante d. Pedro de Portugal o qual andou nas sete partidas do mundo*. Lisboa, 1644.
⁷ Cf. Reinaud, M. *Memoires sue le periple de la mer erytherée*. Paris, 1864.
⁸ Albuquerque, L. *Ciência e experiência nos descobrimentos portugueses*. Lisboa, 1983.
⁹ Santo Estevam, G. *Livro do infante d. Pedro de Portugal o qual andou nas sete partidas do mundo*. Lisboa, 1644.

O infante d. Henrique e a Escola de Sagres

¹ Richard, H. *A vida do infante d. Henrique*. Lisboa: Imprensa Nacional, 1876. p. 103.
² Ibid. Id.
³ Ibid. p. 106.
⁴ Ibid. Id.
⁵ Ibid. Id.
⁶ Ibid. p. 107.

7   Borges, J.L. *O livro dos seres imaginários*. São Paulo: Cia. das Letras, 2007.
8   Santo Estevam, G. *Livro do infante d. Pedro de Portugal o qual andou nas sete partidas do mundo*. Lisboa, 1644.
9   Galvão, A. *Tratado dos descobrimentos*. Lisboa, 1731. p. 117.
10 Ibid. Id.
11 Góis, D. *Crônica do príncipe d. João*. Lisboa, 1724. p. 21.
12 Richard, H. *A vida do infante D. Henrique*. Lisboa: Imprensa Nacional, 1876.
13 Jabouille, V. *Périplo de Hannon*. Lisboa, 1995.
14 Fernandes, V. *O livro de Marco Polo*. Lisboa, 1922.
15 Ibid. Id.

O cavaleiro de pedra
1   Góis, D. *Crônica do príncipe D. João*. Lisboa, 1724. p. 41.
2   Cf. Gaffarel, P. *Le phenicies em amerique*. Paris, 1875; e Silva Ramos, B.A. *Inscrições e tradições da América pré-histórica*. 2 volumes. Rio de Janeiro: Imprensa Nacional, 1930.
3   *Manuscrito 512*. RIHGB. Rio de Janeiro: Imprensa Nacional, 1908.

As mortes de d. Henrique, d. Pedro e a interrupção do projeto das Índias
1   *Bula Dum Diversas*, 1452.
2   *Bula Romanus Pontiflex*, 1453.
3   Ibid. Id.

A tomada de Constantinopla
1   Gandra, M.J. *Portugal sobrenatural*. Lisboa, Ésquilo, 2007. v. I, p. 93-95 e 174-175.
2   Richard, H. *A vida do infante d. Henrique*. Lisboa: Imprensa Nacional, 1876. p. 101.
3   Ibid. Id.
4   Ibid. Id.

A maçã da Terra

1. Estancelin, L. *Recherches sur les voyages et découvertes des navigateurs Normands en Afrique: dans les Indes Orientales et en Amérique*. Paris: Delaunay, 1832.
2. Conti, N. *Le voyage aux indes de nicolò de conti (1414-1439)*. Paris, 2004.
3. Ginzburg, C. *O queijo e os vermes*. São Paulo: Cia. das Letras, 2017.
4. Dias, C.M. *História da colonização portuguesa no Brasil*. Porto: Litografia Nacional, 1921. v. 1, p. 79.

De d. João II a Maquiavel

1. Mahieu, J. *La geografia secreta de América*. Ed Hachette, 1978. p. 166.
2. Adrião, V.M. *Cristóvão Colombo, o enigma português*. <https://lusophia.wordpress.com/2018/08/12/cristovao-colombo-o-enigma-portugues-por-vitor-manuel-adriao/>.
3. Fray Bartolomé de las Casas, *Historia de las Índias*. Madrid. *Obras completas*, livro 1, cap. 13.

O caminho para as Índias: espionagem comercial no século XV

1. Barroqueiro, D. *O enigmático espião de d. João II*. Lisboa.
2. Alvarez, P.F. *Verdadeira informação das terras do Preste João*. Lisboa: Imprensa Nacional, 1883. p. 138.
3. Barroqueiro, D. *Grandes enigmas da história de Portugal: Avis e os descobrimentos*. Editora Ésquilo, 2009. v. II.

O caminho para as Índias: a demanda secreta pelo reino do Preste João

1. Ramusio, G.B. *Navigazioni e Viaggi*. Veneza, 1550.
2. Ibid. p. 139.
3. Almeida, A.F. *Da demanda do Preste João à missão jesuítica da Etiópia: a cristandade da Abissínia e os portugueses nos séculos XVI e XVII*. Lisboa: Lusitana Sacra, 1999.
4. Weber, B. *Gli Etiopi a Roma nel Quattrocento: ambasciatori politici, negoziatori religiosi o pellegrini*. Mélanges de l'École française de Rome –

Moyen Âge [En ligne], 125-1, 2013. <http://journals.openedition.org/mefrm/1036>.

[5] Ibid. Id.

[6] Niane, D.T. *História geral da África IV.* UNESCO, 2010.

[7] Alvarez, P.F. *Verdadeira informação das terras do Preste João.* Lisboa: Imprensa Nacional, 1883.

O caminho para as Índias: quem planta tâmaras não colhe tâmaras

[1] Braudel, F. *El Mediterrâneo y el mundo mediterrâneo em la época de Felipe II.* Fondo de Cultura Economica: México, 1953.

A lenda negra: a Espanha no caminho do paraíso

[1] Llorente, J.A. *Historia critica de la Inquisición de España.* Barcelona, 1870. p. 152.

[2] Édito de Alhambra, 1492.

[3] Llorente, J.A. *História critica de la Inquisición de España.* Barcelona, 1870.

[4] Wisenthal, S. *A missão secreta de Colombo.* Rio de Janeiro: Civilização Brasileira, 1975.

[5] Llorente, J.A. *Op. Cit.* p. 165.

[6] Colombo, H. *História del Almirante*, 1539.

[7] Medina, J.T. *El descubrimiento del océano Pacífico: Vasco Núñez de Balboa, Fernando de Magallanes y sus companeros.* Chile: Imprenta Universitaria, 1920. p. XLVII.

Cristóvão Colombo: agente secreto de d. João II?

[1] RIBEIRO, P. *A nacionalidade portuguesa de Cristóvão Colombo.* Lisboa: Livraria Renascença, 1927, p. 36.

[2] Wisenthal, S. *A missão secreta de Colombo.* Rio de Janeiro: Civilização Brasileira, 1975. p. 94.

[3] Sobre essas questões envolvendo Colombo existe uma infinidade de estudos tais como: Patrocínio Ribeiro, *A nacionalidade portuguesa de Cristóvão Colombo – The Portuguese Nationality of Christopher Columbus (Solução do debatidíssimo problema da sua verdadeira naturalidade, pela*

decifração definitiva da firma hieroglífica). Livraria Renascença, Joaquim Cardoso, 1927. Reedição pela Fundação Lusíada, cerca de 1992, na "Coleção Lusíada Documentos", I; Mascarenhas Barreto, *O português Cristóvão Colombo (Agente secreto do rei d. João II)*. Lisboa: Edições Referendo, 1988; Afonso Dornelas, *Elementos para o estudo etimológico do apelido Colón*. In "Boletim da Academia das Ciências de Lisboa", Classe Letras, v. XX, p. 407-422; Saul Santos Ferreira, *Salvador Gonçalves Zarco (Cristóbal Colón). Os Livros de Dom Tivisco*. Lisboa, 1930; Manuel da Silva Rosa, Eric J. Steele, *O mistério Colombo revelado*. Ésquilo, Lisboa: Edições e Multimedia, 1.ª edição, out. de 2006; Salvador de Madariaga, *Christophe Colombe*. Paris: Calmann-Lévy.

[4] Colombo, C. *Relaciones y cartas de Cristóbal Colón*. Madri, 1892.
[5] Ibid. Id.
[6] Ibid. Id.

A misteriosa morte de d. João II

[1] Góis, D. *Crônica do príncipe d. João*. Lisboa, 1724; Góis, D. *Crônicas de d. Manuel*. Lisboa, 1566.
[2] Pina, Rui. *Crônicas de d. João II*. Lisboa, 1497. p. 172.
[3] Ibid. Id.
[4] Góis, D. *Crônica do príncipe d. João*. Lisboa, 1724.

A misteriosa viagem de Pedro Álvares Cabral ao Brasil

[1] Góis, D. *Crônicas de d. Manuel*. Lisboa, 1566. p. 118.
[2] Willians, E. *Capitalism and Slavery*. Virginia: University North Carolina Press, 1944. p. 4.
[3] Góis, D. *Op. Cit.* p. 45.
[4] Ibid. p. 47.
[5] Ibid. p. 118-119.
[6] Morais, J.C. *O conhecimento dos ventos do Atlântico e do Índico, nos séculos XV e XVI*. Coimbra, 1941. p. 16.

O Brasil no olho do furacão

1. Prado Jr., C. *Formação do Brasil contemporâneo*. Col. Grandes Estudos, v. I. São Paulo: Brasiliense, 1945.
2. Furtado, C. *Formação econômica do Brasil*. Brasília: UNB, 1963.
3. Ibid. Id.
4. Braudel, F. *El mediterrâneo y el mundo mediterrâneo em la época de Felipe II*. Fondo de Cultura Economica. México, 1953. p. 820.
5. Ibid. Id.
6. Ibid. Id.
7. Ibid. Id.
8. Cf. Vieira, A. *Op. cit.*
9. Braudel, F. *El mediterrâneo y el mundo mediterrâneo em la época de Felipe II*. Fondo de Cultura Economica. México, 1953. p. 820.

Os verdadeiros descobridores da América: Solís, Balboa, Garcia e Magalhães

1. Obregon, R. *Vasco Núñez Balboa: historia del descubrimiento del oceano pacífico*. Barcelona, 1903.
2. Ibid. id.
3. Ibid. Id.
4. Ibid. Id.
5. Ibid. Id.
6. Ibid. Id.
7. Serrano y Sanz. *Real Cédula aos les Oficiales de la Casa de la Contratación*, Madrid, 28/12/1513. p. CXXXIV.
8. Cf. *Ordenações Manuelinas – Livro V*.
9. Navarrete, M.F. *Colecion de los viages y descubrimientos que hicieron por mar los espanoles*. Madri, 1829. p. 127.
10. Harisse, H. *John Cabot: the discover of North América*. London, 1896.
11. Ibid. Id.

A riqueza da América reluz nos olhos de uma decadende Europa

1. Cf. *Alguns documentos da Torre do Tombo*. In: Varnhagen, F.A. *História geral do Brasil*. Rio de Janeiro, 1877. p. 117.

² Ibid. p. 107.
³ Cf. Palha, F. *La lettre de marque de Jean Ango: exposé sommaire des faits d'aprés des documents originaux inédites*. Rouen, 1890.
⁴ Varnhagen, F.A. *História geral do Brasil*. Rio de Janeiro, 1877. p. 121.
⁵ Ibid. Id.
⁶ Ibid. p. 114.
⁷ Cf. *Carta de Diego Garcia*. Revista do Instituto Histórico e Geográfico do Brasil. v. 15. Rio de janeiro, 1888.
⁸ Taques, P. *História da capitania de São Vicente*. Brasília, 2004. p. 69.
⁹ Ibid. p. 70.
¹⁰ Cf. Groussac, P. *Anales de la biblioteca de Buenos Aires IV*. Buenos Aires, 1905. p. 315.
¹¹ Cf. Holanda, S.B. *Visão do Paraíso*. São Paulo: Cia. das Letras, 2010. p. 94.

O paralelo 12° S: a descoberta do ocultista Felipe Guilhém

¹ Exquemelin, A.O. *The history of the buccaneers of America*. Basel, 1686.
² Cf. Holanda, S.B. *Caminhos e fronteiras*. Rio de Janeiro: José Olympio, 1975; Holanda, S.B. *Extremo Oeste*. São Paulo: Brasiliense, 1986.
³ Holanda, S.B. *Caminhos e Fronteiras*. Rio de Janeiro: José Olympio, 1975. p. 15.
⁴ Holanda, S.B. *A pré-história das Bandeiras V*. In: Costa, M. *Sérgio Buarque de Holanda, escritos coligidos*. São Paulo: Unesp, 2011.
⁵ Holanda, S.B. *A pré-história das Bandeiras VII*. In: Costa, M. *Sérgio Buarque de Holanda, escritos coligidos*. São Paulo: Unesp, 2011.
⁶ Anchieta, J. *Cartas, informações, fragmentos históricos e sermões*. Rio de Janeiro: Civilização Brasileira. p. 35.
⁷ Leite, S. *Páginas da história do Brasil*. São Paulo, 1937. p. 65.
⁸ Carta do irmão Antônio Rodrigues para os irmãos de Coimbra. De S. Vicente, do último de maio de 1553. *Archiv. S.I. Roman, Bras. 3 (1), 91-93*.
⁹ Holanda, S.B. *A pré-história das Bandeiras VIII*. In: Costa, M. *Sérgio Buarque de Holanda, escritos coligidos*. São Paulo: Unesp, 2011.
¹⁰ Ibid. Id.

11 Holanda S.B. *Op. cit.* p. 42.
12 Carta de Diogo Nunes. *Revista IHGB*. Tomo II. Rio de Janeiro,1916.
13 Varnhagen. F.A. *Op. cit.* p. 271.
14 Navarrete, M.F. *Colección de opúsculos*. Madri, 1848.

O pêndulo da morte
1 Holanda S.B. *Op. cit.* p. 110-111.
2 Braudel, F. *Op. cit.* p. 224.
3 Ladurie, E.L. *Historie humaine et comparée du climat*. Paris: Fayard, 2004. p. 141.
4 Oliveira, E.F. *Elementos para a história do município de Lisboa*. 19 v. 2 v. de índices. Lisboa: Tip. Universal e Câmara Municipal de Lisboa, 1882-1943. p. 464-465.
5 Ibid. Id.
6 Góis, D. *Op. cit.* Capítulo CII da Parte I.
7 Herculano, A. *História da origem e estabelecimento da Inquisição em Portugal*. Lisboa, 1854. p. 214.
8 Azevedo, L. *História dos cristãos-novos portugueses*. Lisboa, 1922. p. 468.
9 Ibid. Id.
10 Herculano, A. *Op. cit.* p. 218.
11 Ibid. p. 231.
12 Ibid. p. 265.
13 Ibid. p. 271.
14 Bula Cum ad nihil magis.
15 Herculano, A. *Op. cit.* p. 277-278.
16 Ibid. p. 278.
17 Ibid. Id.
18 Ibid. Id.
19 Ibid. p. 323.
20 Ibid. p. 322.
21 Ibid. p. 317.
22 Carta ao Conde da Castanheira, 4 de janeiro de 1533. *Corpo Dipl. Port*, ilu., 331. Azevedo, L. *Op. cit.* p. 74-75.

²³ Herculano, A. *Op. cit.* p. 314.
²⁴ Azevedo, L. *Op. cit.* p. 74-75.

O Dia das Bruxas
¹ Morus, T. *A Utopia.* p. 71-72.
² Laudurie, E.L. *Op. cit.* p. 95.
³ Ibid. p. 47.
⁴ Rodrigues, P. *Veritá e monrogne delia chiesa cattolica.* Roma: Ed. Diurunt,. 1998. p. 263-266.
⁵ Le Goff, J. *Op. cit.* p. 66.
⁶ Cf. Sermão do papa Urbano II em Clermont-Ferrand na França em 27 de novembro de 1095.

Revolução política, revolução científica e o mundo em convulsão
¹ Cf. Bíblia. Romanos. XIII, 1.
² Ruby, C. *Introdução à filosofia política.* São Paulo: Unesp, 1998. p. 60.
³ Ibid. p. 54.
⁴ Ibid. p. 56.
⁵ Touraine, A. *Crítica da Modernidade.* São Paulo: Vozes, 2012. p. 32.
⁶ Hegel, G.W.F. *Lecciones sobre la historia de la filosofia.* Tomo III. México: Fondo de cultura econômica, 1955. p. 193.
⁷ Chatelet, F. *História das ideias políticas.* São Paulo: Zahar, 1985. p. 42.
⁸ Ibid. p. 39.
⁹ Weber, M. *A ética protestante.* Martin Claret, 2006. p. 81.
¹⁰ Ibid. Id.
¹¹ Laski, J.H. *O liberalismo europeu.* São Paulo: Mestre Jou, 1973. p. 94-95.
¹² Ibid. p. 97.
¹³ Ibid. p. 30.
¹⁴ Touraine, A. *Op. cit.* p. 32.
¹⁵ Ibid. p. 35.
¹⁶ Ibid. Id.
¹⁷ Touraine, A. *Op. cit.* p. 39.
¹⁸ G.W.F. Hegel. *Op. cit.* p. 205.

A guerra dos mundos

1. Cf. <http://agnusdei.50webs.com/trento.htm>.
2. Ibid. Id.
3. Cf. <http://agnusdei.50webs.com/trento7.htm>.
4. Cf. <http://agnusdei.50webs.com/trento8.htm>.
5. Cf. <http://agnusdei.50webs.com/trento18.htm>.
6. Ibid. Id.
7. Quental, A. *Causas da decadência dos povos peninsulares.* Porto, 1871.
8. Nietzsche, F. *O anticristo.* São Paulo: L&PM, 2008.

O papa negro e o império teocrático da América do Sul

1. Cf. *Las instruciones secretas de los jesuítas – Monita Secreta.* Paderborn, 1661.
2. Ibid. Id.
3. Ibid. Id.
4. Ibid. Id.
5. Ibid. Id.
6. Ibid. Id.
7. Ibid. Id.
8. Ibid. Id.
9. Paris. E. *La historia secreta de los jesuítas.* Paris, 1975. p. 48.
10. Ibid. Id.
11. Mariana, J. *De rege et regis institutione.* Paris, 1599.
12. Cf. Cortesão, J. *Coleção De Angelis.* Biblioteca Nacional do Rio de Janeiro, 1951.
13. Cf. <http://agnusdei.50webs.com/trento.htm>.
14. Cf. Monteiro, S. *Constituições primeiras do arcebispado da Bahia, feitas, e ordenadas pelo ilustríssimo e reverendíssimo senhor Sebastião Monteiro da Vide, arcebispo do dito arcebispado, e do Conselho de Sua Majestade, propostas e aceitas no sínodo diocesano, que o dito senhor celebrou em 12 de junho de 1707.* Coimbra: Real Colégio das Artes da Companhia de Jesus, 1720. Livro 4, título XXXVIII, 780 e 781, p. 279.
15. Cf. *Monita Secreta.* p. 32-33.

¹⁶ Taunay. A.E. *História geral das bandeiras paulistas*. São Paulo. p. 6.
¹⁷ Sobre este tema ver Anita Novisnski em seus vários trabalhos sobre a presença dos judeus no Brasil.

Magia, poder e ambição no sertão do Brasil: as Capitanias Hereditárias
¹ Varnhagen, A. *Op. cit.*, p. 139-140.
² Cf. Arquivo Nacional da Torre do Tombo — Chancelaria de D. João III, Livro 7. Folhas 83. In: Colonização portuguesa, v. 3. p. 309.

Magia, poder e ambição no sertão do Brasil: o Governo-Geral
¹ Cf. Biblioteca Nacional de Lisboa, Arquivo da Marinha. liv. 1 de Ofícios, de 1597 a 1602, fl. 1. In: Colonização portuguesa, v. 3. p. 345.
² Ibid. Id.
³ Dias, C.M. *História da colonização portuguesa no Brasil*. v. III. Porto: Litografia Nacional, 1921. p. 251.
⁴ Ibid. Id.
⁵ Cf. Arquivo da Torre do Tombo, Inquisição de Lisboa. Processo 8821. In: Abreu. C. *Caminhos antigos e povoamento do Brasil*. 1930. p. 46.

Magia, poder e ambição no sertão do Brasil: a Companhia de Jesus na Nova Lusitânia
¹ Nóbrega, A. *Carta a Simão Rodrigues em Lisboa*. Bahia, 9 de agosto de 1549.
² Ibid. Id.
³ Nóbrega, A. *Carta a Simão Rodrigues em Lisboa*. Porto Seguro, 6 de janeiro de 1550.
⁴ Nóbrega, A. *Carta a Simão Rodrigues em Lisboa*. Pernambuco, 11 de agosto de 1551.
⁵ Nóbrega, A. *Carta aos padres e irmãos de Coimbra*. Pernambuco, 13 de setembro de 1551.
⁶ Nóbrega, A. *Carta a d. João III, rei de Portugal*. Olinda, 14 de setembro de 1551.
⁷ Dias, C.M. *História da colonização portuguesa no Brasil*. v. III. Porto: Litografia Nacional, 1921.

8   Ibid. Id.
9   Ibid. Id.
10 Ibid. Id.
11 Cf. Torre do Tombo, Corpo Cronológico, Parte I, maço 85, doc. 103. In: Dias, C.M. *História da colonização portuguesa no Brasil.* v. III. Porto: Litografia Nacional, 1921. p. 321.
12 Holanda, S.B. *História geral da civilização brasileira. A época colonial I.* p. 124.
13 Ibid. Id.
14 Ibid. Id.

Magia, poder e ambição no sertão do Brasil: a Inquisição na Nova Lusitânia

1   *O padre do ouro. Revista do Instituto Arqueológico e geográfico de Pernambuco*, 1908. v. XIII. n. 71.
2   Ibid. Id.
3   Ibid. Id.
4   Ibid. Id.
5   Ibid. Id.
6   Cf. Azevedo, L. *História dos cristãos-novos portugueses.* Lisboa, 1922. p. 28.
7   Braudel, F. *El mediterrâneo y el mundo mediterrâneo em la época de Felipe II.* Tomo II. México: Fondo de Cultura Economica, 1953. p. 220.
8   Ibid. p. 224.
9   Segundo Giovani Arrighi, houve quatro ciclos de acumulação de capital no mundo moderno: o genovês, o holandês, o inglês e o americano.

O demônio do meio-dia e o círculo alquímico de El Escorial

1   Marin, F.R. *Felipe II y la alquimia. Boletín de la Real Academia de la Historia.* tomo 90, 1927.
2   Garcia, J.L.C. G. *La correspondencia de Felipe II con su secretario Pedro de Hoyo conservada en la British Library de Londres. 1560-1568.* Ediciones Universidad de Valadollid, 2016
3   Marin, F.R. *Felipe II y la alquimia.* Boletín de la Real Academia de la Historia, tomo 90, 1927.

4   Ibid. Id.
5   Ibid. Id.
6   Ibid. Id.
7   Ibid. Id.
8   Ibid. Id.
9   Sarmiento, F.J.P. *La panacea aúrea. Alquimia y destilación en la corte de Felipe II (1527-1598)*. Acta Hisp. Med. Sci. Hist. Rlus. 1997, 17.
10 Ibid. Id.
11 Sagrera, J.E. *La alquimia y la politica imperial de los austrias*. Actas del simposium. v. 1, 1993.
12 Braudel, F. *Op. cit.* p. 742-749.
13 Sarmiento, F.J.P. *La panacea aúrea. Alquimia y destilación en la corte de Felipe II (1527-1598)*. Acta Hisp. Med. Sci. Hist. Rlus. 1997, 17.
14 Ibid. Id.
15 Ibid. Id.
16 Ibid. Id.
17 Ibid. Id.
18 Ibid. Id.
19 Ibid. Id.
20 Blavatsky, M. *Glossário teosófico*. Ed. Ground, 1995.
21 Forssmann, A. <https://www.nationalgeographic.com.es/historia/actualidad/un-laboratorio-de-alquimia-en-el-centro-de-praga_7279>.
22 Park, G. *Felipe II la biografia definitiva*. Madri: Editorial Planeta, 2010.

A guerra dos tronos e o reino onde o Sol nunca se põe

1   Braudel, F. *Op. cit.*
2   Ibid. Id.
3   Ibid. Id.
4   Ibid. Id.
5   Ibid. Id.
6   Cf. *Revista Geral de Economia Politica*. Havana, 1835.
7   Ibid. Id.
8   Braudel, F. *Op. cit.* p. 820.

9 Catálogo da exposição *Espías: servicios secretos y escritura cifrada en la monarquía hispânica*. Archivo General de Simancas. Valladolid, 2018.
10 Ibid. Id.
11 Ibid. Id.
12 Ibid. Id.
13 Ibid. Id.
14 Ibid. Id.
15 Ibid. Id.
16 Cruz, B. *Crônica de El-Rei d. Sebastião*. 1. v. Lisboa, 1586. p. 156-157.
17 Ibid. Id.
18 Ibid. p. 158-159.
19 Ibid. p. 26-27.
20 Ibid. Id.
21 Cf. Breve Pontifício do papa Clemente VIII de 1598. In: <http://movv.blogspot.com/2005/09/as-duas-mortes-de-el-rei-dom-sebastio.html>.
22 Cf. Breve Pontifício do papa Paulo V de 1617. In: <http://movv.blogspot.com/2005/09/as-duas-mortes-de-el-rei-dom-sebastio.html>.
23 Cf. Breve Pontifício do papa Urbano VIII de 1630. In: <http://movv.blogspot.com/2005/09/as-duas-mortes-de-el-rei-dom-sebastio.html>.
24 Carta do frei Estevão de Sampaio ao padre José Teixeira de 1599. In: <http://movv.blogspot.com/2005/09/as-duas-mortes-de-el-rei-dom-sebastio.html>.
25 <http://movv.blogspot.com/2005/09/as-duas-mortes-de-el-rei-dom-sebastio.html>.
26 <http://movv.blogspot.com/2005/09/as-duas-mortes-de-el-rei-dom-sebastio.html>.

A Inquisição no Brasil
1 Arrighi, G. *Op. cit.*
2 Azevedo, L. *História dos cristãos-novos portugueses*. Lisboa, 1922.
3 Cf. Baião, A. *Boletim da Academia das Ciências*. Classe de Letras, v. 13.
4 Azevedo, L. *História dos cristãos-novos portugueses*. Lisboa, 1922.
5 Ibid. Id.

6   Ibid. Id.
7   Ibid. Id.
8   Ibid. Id.
9   Cf. Viegas, A. *Ribeiro Sanches e os jesuítas. Revista de História*, 9, v. 85.
10 Azevedo, L. *História dos cristãos-novos portugueses*. Lisboa, 1922.
11 Ibid. Id.
12 Vieira, A. *Notícias recônditas do modo de proceder da Inquisição de Portugal*. p. 24-31.
13 Cf. Azevedo, L. *História dos cristãos-novos portugueses*. Lisboa, 1922.
14 Mendonça, H.F. *Primeira visitação do Santo Ofício às partes do Brasil*. São Paulo, 1922.
15 Ibid. Id.
16 Ibid. Id.
17 Ibid. Id.
18 Ibid. Id.
19 Ibid. p. 177-181.
20 Bibl. de Évora, Cod. C.xni-1-21, folha 66.
21 Mendonça, H.F. *Primeira visitação do Santo Ofício às partes do Brasil*. São Paulo, 1922.
22 Holanda, S.B. *História geral da civilização brasileira. A época colonial*. tomo II. p. 164-168.
23 Ibid. Id.

Da Nova Lusitânia a Manhattan: a ascensão do Brasil Holandês

1   Moerbeck, J.A. *Porque a Companhia das Índias Ocidentais deve tentar tirar do rei da Espanha a terra do Brasil, e isto quanto antes*. Rio de Janeiro, 1942.
2   Ibid. Id.
3   Ibid. Id.
4   Ibid. Id.
5   Holanda, S.B. *Governo-geral, colonos hebreus e a cultura açucareira*. In: Holanda, S.B. *História geral da civilização brasileira. A época colonial*. tomo II. p. 106- 107.

6   <https://www.slavevoyages.org/assessment/estimates>.
7   Holanda, S.B. *Op. cit.* p. 95.
8   Holanda, S.B. *História geral da civilização brasileira. A época colonial.* tomo I. p. 235 e *passim.*
9   Ibid. Id.
10 Ibid. Id.
11 Ibid. Id.
12 Ibid. Id.
13 Ibid. Id.
14 Ibid. Id.
15 Ibid. Id.
16 Ibid. Id.
17 Azevedo, L. *Op. cit.* Lisboa, 1922.

Da Nova Lusitânia a Manhattan: a queda do Brasil Holandês
1   Brandônio. *Diálogo das grandezas do Brasil.* In: Mello, E.C. *O negócio do Brasil.* Rio de Janeiro: Topbooks, 1998.
2   Mello, E.C. *O negócio do Brasil.* Rio de Janeiro: Topbooks, 1998.
3   Ibid. Id.
4   Ibid. Id.
5   Mello, E.C. *Olinda restaurada.* Rio de Janeiro: Topbooks, 1998.
6   Vieira, A. *Obra completa.* Edições Loyola, 2016.
7   Azevedo, L. *Op. cit.* Lisboa, 1922.
8   Ibid. Id.
9   Ibid. Id.
10 Ibid. Id.
11 Cf. Vieira, A. *Obra completa.* Edições Loyola, 2016.
12 Mello, E.C. *Op. Cit.* p. 68-69.
13 Ibid. Id.

Perinde ac cadaver
1   Cf. Vieira, A. *Obra completa.* Edições Loyola, 2016.
2   Ibid. Id.

3   Quental, A. *Causas da decadência dos povos peninsulares*. Porto, 1871.
4   Ibid. Id.
5   Ibid. Id.
6   Ibid. Id.
7   Ibid. Id.

Nuvens, ratos e civilizações
1   Ibid. Id.

REFERÊNCIAS BIBLIOGRÁFICAS

ABREU, C. *Um visitador do Santo Ofício na cidade de Salvador.* Rio de Janeiro, 1922.

ACERVO da Biblioteca Nacional de Lisboa.

ACERVO da Biblioteca Nacional. Rio de Janeiro, RJ.

ACERVO do Arquivo Geral de Simancas.

ACERVO do Arquivo Nacional da Torre do Tombo.

ACERVO do Arquivo Sérgio Buarque de Holanda. Biblioteca Central. Coleções Pessoais. Unicamp. Campinas, SP.

ACERVO do CEDAP. Unesp – Faculdade de Ciências e Letras. Assis, SP.

ADRIÃO, V.M. *Cristóvão Colombo, o enigma português*. <https://lusophia.wordpress.com/2018/08/12/cristovao-colombo-o-enigma-portugues-por-vitor-manuel-adriao/>.

ALBUQUERQUE, L. *Ciência e experiência nos descobrimentos portugueses*. Biblioteca Breve. v. 73. Ministério da Educação de Portugal. Lisboa, 1983.

ALENCASTRO, C.F. *O trato dos viventes: formação do Brasil no Atlântico Sul*. São Paulo: Companhia das Letras, 2000.

ALMEIDA, A.F. *Da demanda do Preste João à missão jesuítica da Etiópia: a cristandade da Abissínia e os portugueses nos séculos XVI e XVII*. Lusitana Sacra. Lisboa, 1999.

ALVAREZ, F. *Verdadeira informação das terras do Preste João das Índias*. Lisboa, 1883.

ARARIPE, T.A. *Cidades petrificadas e inscrições lapidares no Brasil*. Revista do Instituto Histórico e Geográfico Brasileiro. tomo L. Rio de Janeiro, 1887.

ARRIGHI, G. *O longo século XX*. São Paulo: Unesp, 1996.

AZEVEDO, L. *História dos cristãos-novos portugueses*. Lisboa, 1922.

BAIÃO, A. *Boletim da Academia das Ciências*. Classe de Letras, v. 13.

BARBOZA, F.A. *Raízes de Sérgio Buarque de Holanda*. Rio de Janeiro: Rocco, 1988.

BARLEAU, G. *História do Brasil*. Rio de Janeiro, 1647.

BARRETO, M. *O português Cristóvão Colombo (Agente secreto do rei dom João II)*. Lisboa: Edições Referendo, 1988.

BARROQUEIRO, D. *Grandes enigmas da História de Portugal*, v. II – Avis e os Descobrimentos. Editora Ésquilo, 2009.

BARROQUEIRO, D. *O enigmático espião de d. João II*. Lisboa.

BELLO, L.A.O. *Algumas verdades sobre o descobrimento do Brasil*. Rio de Janeiro, 1944.

BLAVATSKY, M. *Glossário teosófico*. Ground, 1995.

BORGES, J.L. *O livro dos seres imaginários*. São Paulo: Companhia das Letras, 2007.

BRANDÔNIO. *Diálogo das grandezas do Brasil*. In: Mello, E.C. *O negócio do Brasil*. Rio de Janeiro: Topbooks, 1998.

BRAUDEL, F. *Civilização material e capitalismo nos séculos XV-XVIII*. Coleção Rumos do Mundo. v. 10. Lisboa: Cosmos, 1970.

BRAUDEL, F. *O Mediterrâneo e o mundo mediterrâneo na época de Felipe II*. v I. e v. II. México: Fondo de Cultura Economica, 1953.

CANDIDO, A. *Os parceiros do Rio Bonito*. Estudo sobre o caipira paulista e as transformações de seu meio de vida. Rio de Janeiro: José Olympio, 1964.

CAPISTRANO, A. *Caminhos antigos e povoamento do Brasil*, 1930.

CHÂTELET, F. *História das ideias políticas*. São Paulo: Zahar, 1985.

COLOMBO, C. *Relaciones y cartas de Cristóbal Colón*. Madri, 1892.

COLOMBO, H. *História del Almirante*, 1539.

CONTI, N. *Le voyage aux indes de Nicolò de Conti (1414-1439)*. Paris, 2004.

CORTESÃO, J. *Manuscrito da Coleção de Angelis*. v. I. Jesuítas e bandeirantes no Guairá. Biblioteca Nacional, 1951.

CORTESÃO, J. *Manuscrito da Coleção de Angelis*. v. II. Jesuítas e bandeirantes no Itatim. Biblioteca Nacional, 1952.

CORTESÃO, J. *Manuscrito da Coleção de Angelis*. v. III. Jesuítas e bandeirantes no Tape. Biblioteca Nacional, 1969.

CORTESÃO, J. *Manuscrito da Coleção de Angelis*. v. IV. Antecedentes do Tratado de Madri. Biblioteca Nacional, 1975.

COSTA, M. *História do Brasil para quem tem pressa*. Rio de Janeiro: Valentina, 2016.

COUTINHO, G. *A náutica dos Descobrimentos*. Lisboa, 1951.

CRUZ, B. *Crônica de El-Rei d. Sebastião*. v. 1. Lisboa, 1586.

CRUZ, J.C. *Contribuição à história das ideias no Brasil*. Rio de Janeiro: Civilização Brasileira, 1956.

DARNTON, R. *O grande massacre de gatos*. São Paulo: Graal, 1988.

DIAS, C.M. *História da colonização portuguesa no Brasil*. v. I, v. II e v. III. Porto.

DORNELAS, A. *Elementos para o estudo etimológico do apelido Colón.* In: "Boletim da Academia das Ciências de Lisboa", Classe Letras, v. XX.

ELIADE, M. *Ferreiros e alquimistas.* Madri: Alianza Editorial, 1974.

ELIAS, N. *A sociedade dos indivíduos.* Rio de Janeiro: Jorge Zahar, 2000.

ELIAS, N. *Mozart: sociologia de um gênio.* Rio de Janeiro: Jorge Zahar, 1995.

ELIAS, N. *O processo civilizador.* v. 2. Rio de Janeiro: Jorge Zahar, 1998.

ESTANCELIN, L. *Recherches sur les voyages et découvertes des navigateurs Normands en Afrique: dans les Indes Orientales et en Amérique.* Paris: Delaunay, 1832.

EXQUEMELIN, A.O. *The history of the buccaneers of America.* Basileia, 1686.

FERNANDES, V. *O livro de Marco Polo.* Lisboa, 1922.

FERREIRA, S.S. *Salvador Gonçalves Zarco (Cristóbal Colón). Os Livros de Dom Tivisco.* Lisboa, 1930.

FONTANA, J. *História: análise do passado e projeto social.* Bauru, SP/SC: Edusc, 1998.

FRAY BARTOLOMÉ DE LAS CASAS, *Historia de las Índias* (livro 1, cap. 13), tomo 1. Obras completas. 3, Madri.

FREYRE, G. *Casa-grande & senzala.* São Paulo: Global, 2012.

FURTADO, C. *Formação econômica do Brasil*. Brasília: UNB, 1963.

SILVA RAMOS, B.A. *Inscrições e tradições da América pré-histórica*. 2 volumes. Rio de Janeiro: Imprensa Nacional, 1930.

GAFFAREL, P. *Le phenicies en Amérique*. Paris, 1875.

GALVÃO, A. *Tratado dos Descobrimentos*. Lisboa, 1731.

GANDRA, M.J. *Portugal sobrenatural*. v. I. Lisboa: Ésquilo, 2007.

GARCIA, J.L.C.G. *La correspondencia de Felipe II con su secretario Pedro de Hoyo conservada en la British Library de Londres, 1560-1568*. Ediciones Universidad de Valladolid, 2016.

GINSZBURG, C. *O andarilho do bem*. São Paulo: Companhia das Letras, 1988.

GINSZBURG, C. *História noturna*. São Paulo: Companhia das Letras, 1991.

GINSZBURG, C. *O queijo e os vermes*. São Paulo: Companhia das Letras, 1987.

GÓIS, D. *Crônica do príncipe d. João*. Lisboa, 1724.

GÓIS, D. *Crônicas de d. Manuel*. Lisboa, 1566.

GRETINOU-JOLIE. *História religiosa, política e literária da Companhia de Jesus*. tomo I. Barcelona, 1853.

GROUSSAC, P. *Anales de la biblioteca de Buenos Aires IV*. Buenos Aires, 1905.

GUIMARAES, M.L.S. *Nação e civilização nos trópicos*. Rio de Janeiro: *Revista Estudos Históricos*, n° 01, 1988.

HARISSE, H. *John Cabot: the discover of North America*. Londres, 1896.

HAUSER, A. *História social da arte e da literatura*. São Paulo: Martins Fontes, 2000.

HEGEL, G.W.F. *Lecciones sobre la historia de la filosofía*. México: Ed. Fondo de Cultura Economica, 1997.

HERCULANO, A. *História da origem e estabelecimento da Inquisição em Portugal*. tomos I, II e III. Lisboa.

HOLANDA, S.B. *História das mentalidades e história cultural*. In: Domínios da História. Rio de Janeiro: Campus, 1997.

HOLANDA, S.B. *Le Brésil dans la vie américaine*. In: Le Nouveau Monde et l'Europe; textes des conférences et des entretiens organisées par les Rencontres Internationales de Genève et des conférences prononcées aux Rencontres Intellectuelles de São Paulo, 1954. Bruxelas: Office de Publicité, 1955.

HOLANDA, S.B. *Sérgio Buarque de Holanda: historiador da cultura material*. In: Sérgio Buarque de Holanda e o Brasil. São Paulo: Editora Fundação Perseu Abramo, 1998.

HOLANDA, S.B. *A pré-história das Bandeiras V*. In: Costa, M. Sérgio Buarque de Holanda, escritos coligidos. São Paulo: Unesp, 2011.

HOLANDA, S.B. *A pré-história das Bandeiras VII*. In: Costa, M. Sérgio Buarque de Holanda, escritos coligidos. São Paulo: Unesp, 2011.

HOLANDA, S.B. *A pré-história das Bandeiras VIII*. In: Costa, M. Sérgio Buarque de Holanda, escritos coligidos. São Paulo: Unesp, 2011.

HOLANDA, S.B. *Caminhos e fronteiras*. Rio de Janeiro: José Olympio, 1975.

HOLANDA, S.B. *Governo-geral, colonos hebreus e a cultura açucareira*. In: Holanda, S.B. História geral da civilização brasileira. A época colonial. tomo II. p. 106-107.

HOLANDA, S.B. *História geral da civilização brasileira*. tomo I, v. 2. A Época colonial. São Paulo: Difel, 1973.

HOLANDA, S.B. *Livro dos prefácios*. São Paulo: Companhia das Letras, 1996.

HOLANDA, S.B. *Monções*. São Paulo: Alfa-Omega, 1976.

HOLANDA, S.B. *Raízes do Brasil*. São Paulo: Companhia das Letras, 1995.

HOLANDA, S.B. *Tentativas de mitologia*. São Paulo: Perspectiva, 1979.

HOLANDA, S.B. *Visão do Paraíso*. Rio de Janeiro: José Olympio, 1959.

JABOUILLE, V. *Périplo de Hannon*. Lisboa, 1995.

LADURIE, E.L. *Historei humaine et comparée du climat*. Paris: Fayard, 2004.

Las instruciones secretas de los jesuítas – Monita Secreta. Paderborn, 1661.

LASKI, J.H. *O liberalismo europeu*. São Paulo: Ed. Mestre Jou, 1973.

LE GOFF, J. *La civilización del Ocidente medieval*. Espanha, 1982.

LE GOFF, Jacques. *A Bolsa e a Vida: economia e religião na Idade Média*. 3ª reimpressão da 2ª ed. de 1989. São Paulo: Editora Brasiliense, 2004.

LEITE, S. *Páginas da história do Brasil*. São Paulo, 1937.

LUCIEN, L.M. *Les jesuites criminels*. Basileia, 1627.

LLORENTE, J.A. *Historia crítica de la inquisición de España*. Barcelona, 1870.

MADARIAGA, S. *Christophe Colombe*. Paris: Ed. Calmann-Lévy.

MAHIEU, J. *A geografia secreta da América antes de Colombo*.

MAJOR, R.H. *Vida do infante d. Henrique*. Lisboa, 1876.

Manuscrito 512. RIHGB. Rio de Janeiro: Imprensa Nacional, 1908.

MARIANA, J. *De rege et regis institutione*. Paris, 1599.

MARIN, F.R. *Felipe II y la alquimia*. Boletín de la Real Academia de la Historia. tomo 90, 1927.

MARX, K.; ENGELS, F. *Manifesto comunista*. São Paulo: Edipro, 2015.

MARX, K. *Introdução à contribuição para a crítica da Economia Política*. Lisboa; Moscou: Edições Progresso, 1982.

MEDINA, J.T. *El descubrimiento del océano Pacífico: Vasco Núñez de Balboa, Fernando de Magallanes y sus companeros*. Chile: Imprenta Universitaria, 1920. p. XLVII.

MELLO, E.C. *O negócio do Brasil*. Rio de Janeiro: Topbooks, 1998.

MELLO, E.C. *Olinda restaurada*. Rio de Janeiro: Topbooks, 1998.

MENDONÇA, H.F. *Primeira visitação do Santo Ofício às partes do Brasil*. São Paulo, 1922.

MENEZES. D.L. *Tratado dos descobrimentos antigos e modernos*. Lisboa.

MOERBECK, J.A. *Os holandeses no Brasil*. Rio de Janeiro, 1942.

MOERBECK, J.A. *Porque a Companhia das Índias Ocidentais deve tentar tirar do rei da Espanha a terra do Brasil, e isto quanto antes*. Rio de Janeiro, 1942.

MONTEIRO, S. *Constituições primeiras do arcebispado da Bahia, feitas, e ordenadas pelo ilustríssimo e reverendíssimo senhor Sebastião Monteiro da Vide, arcebispo do dito arcebispado, e do Conselho de Sua Majestade, propostas e aceitas no sínodo diocesano, que o dito senhor celebrou em 12 de junho de 1707*. Coimbra: Real Colégio das Artes da Companhia de Jesus, 1720. Livro 4, título XXXVIII, p. 780 e 781.

MONTOYA, A.R. *Conquista espiritual hecha por los religiosos de la compañía de Jesús en las provincias del Paraguay, Paraná, Uruguay y Tape*. Bilbao: Imprenta del Corazón de Jesus, 1892.

MORAIS, J.C. *O conhecimento dos ventos do Atlântico e do Índico, nos séculos XV e XVI*. Coimbra, 1941.

NAVARRETE, M.F. *Colleción de las viagens e decubrimientos*, 1829.

NIANE, D.T. *História Geral da África*. tomo IV. Unesco, 2010.

NIETZSCHE, F. *O Anticristo*. São Paulo: L&PM, 2008.

NISKIER, A. *O padre Antônio Vieira e os judeus*. Rio de Janeiro: Imago, 2004.

NÓBREGA, M. *Obras completas*. Loyola, 2017.

OBREGÓN, R. *Vasco Núñez Balboa: historia del descubrimiento del oceano Pacífico*. Barcelona, 1903.

OLIVEIRA, E.F. *Elementos para a história do município de Lisboa*. 19 v. + 2 v. de índices. Lisboa: Tip. Universal e Câmara Municipal de Lisboa, 1882-1943.

Ordenações Manuelinas. Lisboa, 1521.

PALHA, F. *La lettre de marque de Jean Ango: exposé sommaire des faits d'aprés des documents originaux inédites*. Rouen: Imprimerie de Espérance Cagniard, 1890.

PARIS. E. *La historia secreta de los jesuítas*. Paris, 1975.

PARK, G. *Felipe II, la biografía definitiva*. Madri: Planeta, 2010.

PEREIRA, D.P. *Esmeraldo de situ orbis*. Edição de Joaquim Barradas de Carvalho. Lisboa: Fundação Calouste Gulbenkian, 1991.

PEREIRA, F.M.E. *O livro de Marco Polo*. Lisboa, 1922.

PINA, Rui. *Crônicas de d. João II*. Lisboa, 1497.

PRADO JR., C. *Formação do Brasil contemporâneo*. Coleção Grandes Estudos Brasiliense. v. I. São Paulo: Brasiliense, 1945.

PRADO, P. *Retrato do Brasil: ensaio sobre a tristeza brasileira*. Rio de Janeiro: José Olympio, 1962.

QUENTAL, A de. *Causas da decadência dos povos ibéricos*. Porto, 1871.

RAMOS, B.A.S. *Inscrições e tradições da América pré-histórica*. tomo I. Rio de Janeiro, 1930.

RAMOS, B.A.S. *Inscrições e tradições da América pré-histórica*. tomo II. Rio de Janeiro, 1939.

RAMUSIO, G.B. *Navigazioni e Viaggi*. Veneza, 1550.

Real Cédula aos les Oficiales de la Casa de la Contratación, Madri. 28/12/1513.

REINAUD, M. *Memoires sue le periple de la mer erytherée*. Paris, 1864.

RETORTILLO, A.R.O. *Vasco Núñez Balboa*. Barcelona, 1910.

Revista do Instituto Histórico e Geográfico do Brasil, 1888.

Revista Geral de Economia Política. Havana, 1835.

RIBEIRO, D. *O povo brasileiro*. São Paulo: Companhia das Letras, 1995.

RIBEIRO, P. *A nacionalidade portuguesa de Cristovam Colombo*. Lisboa: Livraria Renascença, 1927.

RICHARD, H. *A vida do infante d. Henrique*. Lisboa: Imprensa Nacional.

RODRIGUES, P. *Verità e monrogne dellia chiesa cattolica*. Roma: Diurunt, 1998.

ROSA, M.S.; STEELE, J. *O mistério Colombo revelado*. Lisboa: Ésquilo – Edições e Multimedia, 1ª edição outubro de 2006.

RUBY, C. *Introdução à filosofia política*. São Paulo: Unesp, 1998.

SAGRERA, J.E. *La alquimia y la política imperial de los austrias*. Actas del simposium. v. 1, 1993.

SALVADOR, F.V. *História do Brasil*.

SANTO ESTEVAM, G. *Livro do infante d. Pedro de Portugal o qual andou nas sete partidas do mundo*. Lisboa, 1644.

SARMIENTO, F.J.P. *La panacea aurea: alquimia e destilacion en la corte de Felipe II*. Dinamis, 1997.

SERRANO Y SANZ. *Real Cédula aos les Oficiales de la Casa de la Contratación*, Madrid, 28/12/1513.

SIMMEL, G. *A metrópole e a vida mental*. Illinois. EUA: Chicago Press, 1950.

SMITH, A. *A riqueza das nações*. São Paulo: Nova Cultural, 1996.

SOMBART, W. *The jews and modern capitalism*. Batoche Books, 2001.

STOCKTON, F.R. *Bucaneers and pirates of our coast*. Londres, 1898.

TAQUES, P. *História da capitania de São Vicente*. Brasília, 2004.

TAUNAY, A.E. *História geral das bandeiras paulistas*. tomo III. São Paulo, 1927.

TOMAT, S. *O livro negro do cristianismo*.

TOURAINE, A. *Crítica da Modernidade*. São Paulo: Vozes, 2012.

VARNHAGEN, A.F. *História Geral do Brasil*. tomo I. Rio de Janeiro.

VESPÚCIO, A. *Cartas de Américo Vespúcio*. Revista do Instituto Histórico e Geográfico Brasileiro. tomo XLI. Rio de Janeiro, 1878.

VIEGAS, A. *Ribeiro Sanches e os jesuítas*. Revista de História, 9. v. 85.

VIEIRA, A. *Notícias recônditas do modo de proceder da Inquisição de Portugal*.

VIEIRA, A. *Obra completa*. São Paulo: Edições Loyola, 2016.

WILLIANS, E. *Capitalismmand Slavery*. Virgínia: University North Carolina Press, 1944.

WEBER, B. *Gli Etiopi a Roma nel Quattrocento: ambasciatori politici, negoziatori religiosi o pellegrini*. Mélanges de l'École française *de Rome – Moyen Âge* [En ligne], 125-1, 2013. <http://journals.openedition.org/mefrm/1036>.

WEBER, M. *A ética protestante*. São Paulo: Martin Claret, 2006.

WIESENTHAL, S. *A missão secreta de Colombo*. Rio de Janeiro: Civilização Brasileira, 1975.

ZURARA, Gomes Eannes. *Crônica da Tomada de Ceuta*. Sintra: Publicações Europa-América, 1992.

Em www.leya.com.br você tem acesso a novidades e conteúdo exclusivo. Visite o site e faça seu cadastro!

A LeYa também está presente em:

[f] facebook.com/leyabrasil

[t] @leyabrasil

[i] instagram.com/editoraleya

1ª edição	Novembro de 2019
papel de miolo	Pólen Soft 70g/m²
papel de capa	Cartão Supremo 250g/m²
tipografia	Minion Pro
gráfica	LIS